좌충우돌 남편과 뉴욕살이 35년

글 서소영

그림 서소영 · 이삭

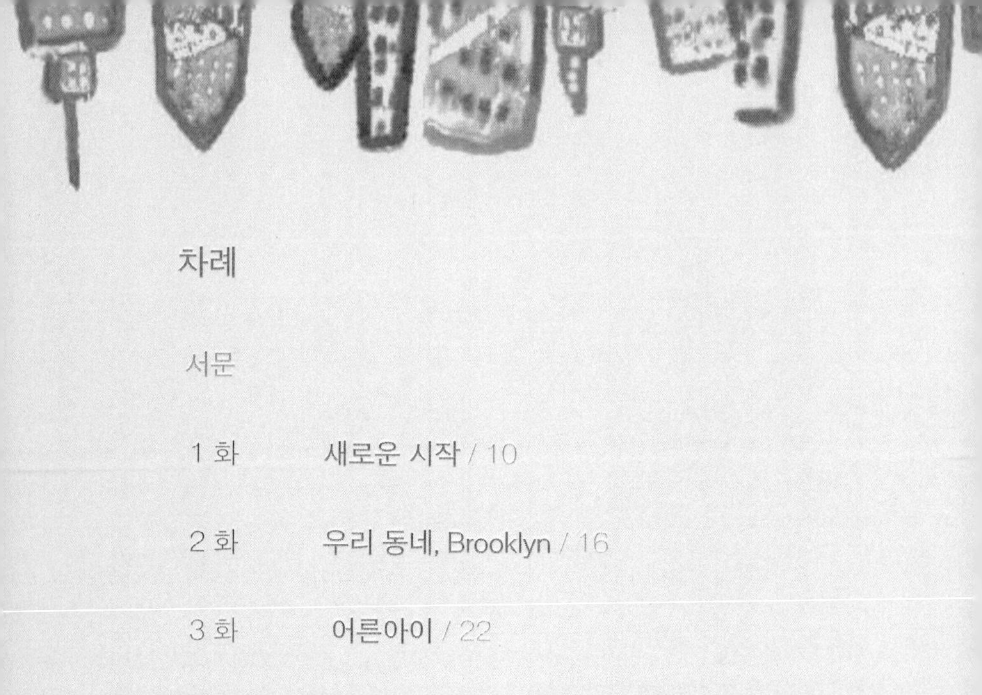

차례

서문

1 화 새로운 시작 / 10

2 화 우리 동네, Brooklyn / 16

3 화 어른아이 / 22

4 화 첫 가을 / 27

5 화 윤 집사님 / 33

6 화 J 의 세상사는 법 I - “Nothing to Lose!” / 38

7 화 첫 여름방학 / 43

8 화 J 의 세상사는 법 II - 임기응변 / 49

9 화 첫 홀로서기 / 55

10 화 첫 일터 / 62

11 화 J 의 세상사는 법 III - 좌충우돌 / 70

12 화 꿈을 향하여 I - 나의 첫 판화수업 / 78

13 화 J 의 세상사는 법 IV - 막무가내 / 84

14 화 꿈을 향하여 II - "Step by Step!" / 94

15 화 새로운 이웃, Harlem / 101

16 화 나의 운전면허증 I / 108

17 화 나의 운전면허증 II / 115

18 화 고양이 소동 / 120

19 화 도둑이 든 밤 I / 127

20 화 도둑이 든 밤 II / 134

21 화 꿈을 향하여 III - 탐색의 시간 / 140

22 화 긴 터널 I / 149

23 화 긴 터널 II / 158

24 화 다시 새로운 시작 / 165

25 화 결혼의 조건 / 172

26 화 11 년 만의 선물 / 181

27 화 첫 만남 / 188

28 화 "Are You an Alien?" / 194

29 화 초보 엄마, 초보 아빠 I / 201

30 화 초보 엄마, 초보 아빠 II / 210

31 화 아버지의 사랑 / 216

32 화 먹고사는 일 / 222

33 화 어른을 따라 하고 싶은 아이 / 231

34 화 아이를 만드는 엄마 / 238

35 화 "What Do You Want to Be When You Grow Up?" / 244

에필로그 또다시 새로운 시작

"사람이 마음으로 자기의 길을 계획할지라도
그의 걸음을 인도하시는 이는 여호와시니라."

잠언 16 : 9

서문

‘88 올림픽의 열기가 온 대한민국을 뜨겁게 달구었던 그해 늦여름, 그 열기를 뒤로하고 나는 남편 J와 함께 청운의 꿈을 안고 뉴욕행 비행기에 몸을 실었다. 우리의 신혼 살이를 4개의 이민가방에 담고서. 그렇게 뉴욕에서의 좌충우돌한 우리의 인생 이야기는 시작되었다.

우리는 대구의 K대 미대 대학원에서 동기로 처음 만났다. 낯설기만 한 그 환경에서 기댈 곳 없는 내게 J는 한 실기실을 쓰는 동기로서 기꺼이 나의 쉼터가 되어 주었고 그 덕에 나는 잘 적응할 수 있었다. J는 감성적이며 즉흥적인 성향의, 그야말로 어디로 튈지 모를 엉뚱함과 거기에 유머까지 장착한, 그래서 늘 나를 웃게 만드는 사람이었고, 그 나이에 어린아이와 같은 순수함까지 지닌 그냥 타고난 예술가의 기질을 지닌, 나와는 다른 세계에서 살고 있던 사람이었다. 그 시절 내게 그렇게 신선하게 느껴졌던, 그리고 좋게만 여겨졌던 그런 그의 인간적인 면모들이 화가로서는 최적일 수 있으나, 우리가 사는 이 세상에서 사회 구성원으로 살아가기는 힘들 수도 있다는 사실을 그땐 깨닫지 못했었다.

반면, ‘국정 교과서’라는 별명을 달고 산 나는 그 별명처럼 J와는 완전히 반대의 기질을 가진 사람이다. 대학에서 이과를 전공한 나는 원칙을 좋아하며 목표가 있으면 일단 계획을 세우고 계획대로 하나씩 실행해 나가면서 그 과정을 즐기는 그런 타입이다. 그런 내가 그림을 좋아하기 시작한 것은 유치원 무렵이었다. 그림 그릴 때가 가장 행복했고 마냥 좋았었다. 그런 나를 지켜봐 온 부모님으로부터 소질이 있다는 말을 곧잘 듣고 자란 나는 어느새 스스로도 그렇게 믿게 되었고,

그 믿음은 커서 화가가 되고 싶다는 야무진 꿈으로 내 안에서 자라나게 되었다. 하지만 적성이 이과 쪽이었던 나는 화가의 꿈을 접고 미대를 포기해야 했다. 어릴 적 꿈이었던 화가의 길에 미련을 버리지 못한 나는, 대학을 졸업한 후 인생의 중대한 갈림길에서 결국 대학원 진학을 미대로 하는 모험을 하기에 이르렀다. 그러지 않으면 평생 후회할 것 같았다.

막연하게 '아트'라는 신세계로 들어선 내게 J 는 언제든 기댈 수 있는 나의 의지처가 되어 주었고, 그러다 J 와 함께라면 평생 그림 그리며 행복하게 살 수 있을 거라는 장밋빛 미래를 꿈꾸게 되었다. J 는 내게 '운명의 짝'이라는 순전한 믿음을 심어주었고 그 믿음은 졸업 후 결혼으로 이어졌다. 그때 우리는 결혼 생활은 현실이며 외적인 조건이 아니라 내적인 조건이 맞아야 행복한 결혼 생활을 유지할 수 있다는 사실은 생각조차 하지 않았다. 그럼에도 오로지 꿈만을 좇아 1 년간의 유학 준비 끝에 도전에 대한 설렘과 낯선 환경에 대한 두려움, 이 상반된 두 마음을 품은 채로 새로운 시작을 알리는 뉴욕에서의 삶을, 신혼을 이어갈 수 있었다.

그렇게 J 와 나는 무대의 배경을 뉴욕으로 옮겨 인생 2 막을 열었고, 우리는 주인공이자 연출가가 되어 하나뿐인 우리의 인생 이야기를 그려 나갔다. 처음에는 서로의 '다름'을 이해하지 못했고, 서로에게 맞출 수 있기까지 그것을 '옳고 그름'의 문제로 받아들여 힘든 시간을 보내기도 했었다. "혼자 살아도 외롭지 않고, 같이 살아도 귀찮지 않을 때 결혼하라"는 법륜 스님의 말씀을 그때 듣고 깨달아 알았더라면 아마 우리는 더 먼 훗날 결혼했을는지도, 아니면 부부가 아닌 남남으로 살아가고 있을는지도 모르겠다. 하지만 혼자 있을 때 외로움을 느끼며 그래서 남에게 의지하기를 좋아했으며, 같이 있을 때 상대에게 맞출 준비가 되어있지 않던 그때 우리는 결혼했고 어느덧 36 년이란 세월이 흘렀다. 여전히 우리는 같으면서도 다른, 다르면서도 같은 모습으로 살아가지만, 이제는 서로의 모습을 있는 그대로 받아들이며 둘이 만나 하나가 되는 그 신비한 비밀을 깨달아가며 진정한 인생의 동반자로 함께 살아가려 한다.

뉴욕에서의 새로운 삶을 시작할 당시 스물여섯 살이었던 나는 어느덧 예순두 살이 되었다. 이제 인생 3 막을 내다보면서 그동안 J 와 함께 그려온 나의 인생 2 막을 다시 마주하고 싶어졌다. 그 이야기는 내가 화가의 꿈을 향해 도전했던 삶의 이야기이며, 그에 앞서 '우물 안 개구리'처럼 살던 '어른아이'가 광야 같은 넓은 세상에서 어른으로 성장해가는 과정을 담은 이야기이다. 이 책에는 서로 다른 배경과 성향의 J 와 내가 결혼 후 화가로서 꿈의 무대인 뉴욕에서 함께 살면서 겪었던 35 년간의 경험담 중에서 내게 가장 오래도록 기억에 남아있는 서른다섯 가지의 이야기와 나의 그림들, 그리고 아들 이삭의 어린 시절의 그림들이 담겨 있다. 마지막으로, 내 자신이 겪은 인생 경험담이 독자들에게 삶이 힘들고 지칠 때 위안을 주는, 자신의 꿈을 찾아가는 데 용기와 희망을 주는, 그리고 행복한 결혼 생활을 해나가는 데 필요한 이해와 소통을 돕는 도구로 쓰여지기를 기대한다.

나를 사랑하셔서 나의 삶을 지금 여기까지 인도해 주신 에벤에셀 하나님의 은혜에 감사하며, 어릴 적 내게 화가의 꿈을 심어주셨고 그 꿈을 되찾기까지 아낌없는 지지와 사랑을 주셨던, 지금은 하늘나라에 계신 사랑하는 나의 아버지와 남들은 평생 겪지 못할 스펙타클한 경험들로 나를 성장케 했고 내 인생을 풍요롭게 만들어 준 나의

'별책부록' 같은 남편 J, 그리고 좌충우돌하던 우리의 삶에 선물처럼 찾아와 우리를 부모로 승격시켜 참된 인생의 순리를 깨닫게 해 준, 그 시간을 내 인생에서 가장 소중하고 행복한 시간들로 만들어준 내 사랑하는 아들 이삭에게 이 책을 바친다.

2023년 11월 뉴욕에서

서소영

1 화

새로운 시작

프랫 도서관과 대포_1988, 2023

1988년 8월 27일 밤, J와 나는 뉴욕 JFK 공항(New York John F. Kennedy International Airport)[1]에 첫발을 디뎠다. 그날, 김포공항에 늦게 도착한 우리는 우리 항공편 승객들이 수속을 다 마치고 들어간 거의 마지막에야 우리 차례를 맞이할 수 있었다. 그런데 그마저 수속이 더디 진행되어 조바심이 일어나던 차에, 마침내 받게 된 보딩패스에는 놀랍게도 'FIRST CLASS'라고 쓰여 있었다. 수속을 도와주던 대한항공 직원분이 알려주셨다. 마침 일등석에 빈자리가 생긴 걸 확인해서 우리의 이코노미석 티켓을 일등석 보딩패스로 바꾸느라 시간이 조금 더 걸렸다고. 그렇게 우리는 첫 뉴욕행 비행을 일등석에 앉아 오는 행운을 누렸다. 그분께서는 유학생이니 가서 몸 건강히 공부 잘 마치고 '금의환향'하라는 한국인의 정이 담긴 덕담과 함께 행운을 빈다는 인사도 잊지 않으셨다. 우리에겐 한국을 떠나며 받은 가장 특별하고 값진 선물이었다. 이후 14시간의 장거리 비행 끝에 마침내 우리는 뉴욕 JFK 공항에 도착했지만 다시 항공사에서 제공해 주는 밴을 타고 필라델피아(Philadelphia)[2]로 내려가야 했다. 뉴욕에는 아는 사람이 아무도 없었고 그 당시 언니네가 먼저 와서 필라델피아에 살고 있었기 때문이었다.

그 습한 밤공기를 가로 지르며 뉴저지 턴파이크(New Jersey Turnpike)[3]를 타고 펜실베이니아주(Pennsylvania) 동쪽 끝자락에

---

[1] 뉴욕 JFK 공항 (New York John F. Kennedy International Airport)은 뉴욕시 퀸즈에 있는 국제공항으로 1948년이 개항하였다. 국제선 노선 수 및 이용객 수가 미국에서 가장 많은 공항으로, 미국으로 들어가는 최대의 국제 관문 역할을 하고 있다.

[2] 필라델피아(Philadelphia)는 펜실베이니아주의 최대 도시로, 미국 역사상 최초의 수도(1790-1800)이다. 뉴욕시와의 거리는 약 95마일 (130킬로미터)로 자동차로 약 2시간이 소요된다.

[3] 뉴저지 턴파이크(New Jersey Turnpike)는 뉴저지주를 남북으로 관통하는 유료 고속도로로, 북으로는 뉴욕시, 남으로는 델라웨어주, 서쪽으로는 펜실베이니아주 등 다양한 접근성으로

델라웨어 강(Delaware River)을 사이에 두고 뉴저지주와 맞닿아 있는 필라델피아로 가던 길, 차창 밖 너머 밤 풍경은 35 년이 지난 지금도 생생하다. 2 시간 반쯤을 달려 자정이 넘은 시간에 도착한 우리는 언니와 형부의 환대를 받으며 마침내 긴 여정을 끝낼 수 있었고, 미국에서의 첫날밤을 맞이하게 되었다. 오랜만에 만난 터라 밤이 새도록 이야기꽃을 피웠고, 이른 새벽이었지만 우리가 출출할 걸 안 언니는 맛있게 익은 깍두기를 곁들여 인스턴트면인 '사리곰탕'을 끓여 주었다. 시간상으로는 한국을 떠난 지 불과 만 하루밖에 되지 않은 상황이었지만 한국 음식을 못 먹은 지 까마득한 사람처럼 허겁지겁 먹었다. 아마 미국에서도 이런 한국 음식을 먹을 수 있다는 안도감과 또 시장했던 터라 더 맛있게 먹었던 것 같다. 그렇게 먹고 난 후 동이 틀 무렵에야 겨우 잠자리에 들 수 있었다. 첫날부터 밤낮을 거꾸로 보낸 우리는 그 후 한 달 동안 계속 시차에 적응하지 못한 채 시차증으로 힘든 나날을 보내야 했다. 필라델피아에 있는 며칠 동안 살아가는 데 필요한 기본적인 물품들을 구입하였고, 개강 며칠 전인 어느 아침에 언니네 차 뒤에 연결된 'U-Haul'이라고 쓰인 바퀴 달린 컨테이너에 우리의 단출한 살림살이를 싣고서 언니, 형부 그리고 조카까지 온 식구가 함께 뉴욕을 향해 필라델피아를 떠났다.

뉴욕의 브루클린(Brooklyn)[4]에 도착하자 우선 형부 지인의 도움으로 학교와 가까운 곳에 미리 얻어 놓은 아파트를 찾아 짐부터 내렸고 다 함께 J 의 학교를 찾았다. J 의 학교는 브루클린 다운타운

미동부에서 가장 많이 이용되는 고속도로 중 하나이다.

[4] 브루클린(Brooklyn)은 1898 년에 뉴욕시에 병합된 5 개 자치구 중 하나로, 맨해튼의 남동쪽, 롱아일랜드의 가장 서쪽에 자리잡고 있다. 독특한 문화, 예술,건축 등으로 널리 알려져 있다.

에서 가까운 곳으로 '프랫 인스티튜트(Pratt Institute)[5]' 라는 곳이었다. 미술과 건축 분야에서 한국에도 잘 알려진 학교였지만, 막상 와서 보니 그 명성의 크기와는 맞지 않게 동네에 조그마하게 자리 잡은 붉은 벽돌 건물들로 이루어진 아담한 학교였다. 학교 정문을 들어서자 인상적인 대포 한 대가 우리를 맞이했다. 그 대포 뒤로는 작지만 고풍스러운 아름다움이 느껴지는 도서관이 있었다. 나는 이 생뚱맞아 보이는 '미술대'와 '대포'의 조합이 궁금해졌다. 무슨 사연으로 교정의 입구에 떡하니 자리를 잡고 오가는 방문객들을 맞고 있는지…. 그 연대를 가늠할 수조차 없는 대포를 보며 얼마나 오랫동안 수많은 학생이 그 곁을 지나 도서관으로 혹은 각자의 실기실로, 또 강의실로 향했을까…. 그 지나온 세월을 대포는 고스란히 간직하고 있는 듯했다. J 는 바쁘게 입학 행정절차를 밟으러 가고 우리는 기다리며 아담한 교정을 구경했다. 곧 개강을 앞둔 시기여서 그런지 삼삼오오 잔디밭에 모여 앉아 햇볕을 즐기며 담소를 나누는 학생들, 아니면 다른 사람들과 떨어져 큰 나무 그늘 아래 혼자 앉아 조용히 책을 읽는 학생, 또 바삐 어디론가 시야에서 사라지는 학생 등 풋풋한 젊음이 가득한 그런 교정이었다. 그리고 학교 앞에는 'Mike's Coffee Shop'이라고 이름 붙은 조그만 카페, 피자집 등이 있었고, 그리고 미술재료를 파는 화방도 보였다. '여기가 앞으로 J 와 내가 살아갈 동네구나' 하는 생각이 들자, 첫날이었지만 오히려 마음이 놓였다. J 가 모든 일을 끝내고 오자 우리는 큰 피자 한 판을 사서 교정 잔디밭에 앉아 점심으로 먹고 난 후 필요한 각종 생필품을 구입하러 근처 상가로 갔다. 언니는 나에게 쿠폰을 사용해서 물품을 더 싸게 살 수 있는 팁과 물품에 따라

---

[5] 프랫 인스티튜트(Pratt institute)는 1887 년에 개교한 사립 미술대학으로, 공학, 건축, 순수미술 그리고 인테리어디자인 프로그램이 유명하다.

가격 대비 좋은 브랜드 등 세세하게 그동안 갈고 닦은 유학생 와이프의 면모를 유감없이 발휘하였다.

우리가 살게 될 아파트는 스튜디오였다. 유학생인 우리 형편에 좀 비싼, 월세가 600 달러가 좀 넘는 아파트였지만 달리 선택의 여지가 없었다. 오래된 건물 같았지만, 내부 수리로 깨끗하게 준비되어 있었고 공간도 넓었다. 부엌이 딸린 다이닝 공간과 거실 겸 침실인 공간이 예쁜 격자무늬 유리창들이 있는 양문으로 나뉘어 있었고, 욕실도 제법 컸다. 하지만 둘이 살기엔 너무 휑하니 컸다. 그 공간을 채울 수 있는 건 우리가 가져온 네 개의 이민 가방에 든 당장 입을 옷가지들, 침구, 책들과 필라델피아에서 사온 가전제품 몇 개와 가구 – 책상, 의자, 그리고 소파와 침대를 겸해서 쓸 수 있는 침대 같은 소파 – 가 전부였다.

더욱이 그 아파트는 내부 수리로 얼마나 오랫동안 비워진 채로 있었는지 전기와 가스 모두 끊겨 있었다. 아파트 관리인은 우리가 직접 전기, 가스 그리고 전화회사를 찾아가 J 의 이름으로 계정을 만들어야 한다고 알려 주었다. 그래서 다음 날 볼일들을 보기로 하고 우리 온 식구는 뉴욕에서의 첫날밤을 촛불로 밝혀야 했다. 전기와 가스가 없으니 밥을 해먹을 수 없었고, 그래서 저녁을 먹으러 형부가 지인으로부터 미리 알아둔 한국식 중화요리집이 있는 우드사이드 (Woodside)라는 퀸즈(Queens)[6]의 한 동네로 향했다. 그 바퀴 달린 컨테이너를 반납도 못 한 채 차에 매달고서. 그 시간에도 고속도로는

[6] 퀸즈(Queens)는 브루클린과 함께 1898 년에 뉴욕시의 자치구가 되었고, 롱아일랜드의 서쪽 끝에 자리잡고 있으며 브루클린과 경계를 이루고 있다. 5 개 자치구 중 아시아계 이민자들이 가장 많이 사는 지역이다.

차들로 줄을 잇고 있었고, 난 그걸 보며 생각했다. '이 밤에 이 많은 사람들은 다 어디로 가고 있는 걸까?' 그리고 '미국에서는 짜장면 한 그릇을 먹기 위해서도 고속도로를 타고 한참을 달려야 하는구나!'라고.

그다음 날 아침 우리는 함께 브루클린 다운타운에 있던 전기, 가스와 전화회사를 차례로 찾아갔고, 형부의 도움으로 J 는 어려움 없이 계정을 만들 수 있었다. 그날 오후 형부도 개학을 앞둔 터라 언니네는 다시 필라델피아로 떠났고, 이 크나큰 도시에 마치 '낙동강 오리알'처럼 우리만 덩그러니 남겨졌다고 생각하니 그제서야 비로소 '이제 진짜 시작이구나…'하는 두려움과 함께 불안감이 내 마음을 파고들었다. 그 후 며칠 더 해가 지면 촛불로 어둠을 밝히는 그런 생활을 해야 했다. 한국에서는 두메산골에서나 체험해 볼 수 있을 테지만 우리는 세계적인 대도시 뉴욕에 와서 한국에서도 겪어보지 못했던 그 경험을 했었다. 며칠 후 전기, 가스, 그리고 전화까지 연결되고서야 다시 문명생활을 이어 갈 수 있었고, 한국에 계신 부모님께 처음 전화드렸을 때, 난 엄마의 "여보세요?" 하는 목소리를 듣자마자, "엄마!" 하며 울음을 터뜨렸다.

2화

우리 동네, Brooklyn

I Love Brooklyn, 2023

우리 동네 브루클린은 옛 이름인 '킹즈(Kings)'에서도 느낄 수 있듯이 뉴욕시의 5 개의 자치구[7]중에서도 아주 고색창연한 분위기와 함께 한눈에 봐도 금방 알 수 있는 그만의 독특한 멋과 맛이 있는 분위기를 지닌 곳이었다. 우리 동네 대부분 집들은 건물 사이 공간이 없이 다 연결되어 있는 브라운스톤(brownstone)[8]집들로 이루어져 있었고, 고풍스러운 석조건물의 교회들도 몇 블록을 사이에 두고 있었다. 1800 년대 말에 지어진 그 건축물들은 브루클린 다리(Brooklyn Bridge)[9]와 함께 뉴욕의 근대사를 몰랐던 내 눈에도 너무나 멋지고 그 찬란했던 과거가 어떠했을지 짐작이 가게 만들었다.

9 월 초라 아직은 여름의 열기가 남아있어 낮에는 햇살이 따가웠고 해도 늦게 저물었다. 처음 몇 주 동안은 시간이 날 때마다 우리가 살아갈 학교 주변의 동네를 이방인의 눈으로 탐색했다. 신기했던 것은 주변에 나무가 많아서인지 한국에서라면 산에서나 만날 수 있던 다람쥐들의 노는 모습을 아무렇지 않게 동네에서도 구경을 할 수 있다는 거였다. 세계적인 대도시인 뉴욕에 왔지만 오히려 자연은 우리에게 더 가까이 와 있었다. 그럼에도 주말에는 브루클린답게 여기저기서 길거리를 가득 메우는 신나고 빠른 비트의 힙합 음악이

---

[7] 5 개의 자치구 ; 맨해튼(Manhattan), 브루클린(Brooklyn), 퀸즈(Queens), 브롱스(The Bronx) 그리고 스태튼아일랜드(Staten Island)가 있다.

[8] 브라운스톤(brownstone)은 19 세기 중반 미동부에서 많이 사용되는 건축자재로 적갈색 사암이다. 이 자재로 만들어진 타운하우스 형태의 집들이 고풍스러운 브루클린의 풍경을 연출한다.

[9] 브루클린 다리(Brooklyn Bridge)는 철 케이블을 사용하여 만든 최초의 현수교로 1883 년에 완공되었으며 브루클린 다운타운과 맨해튼 로어 이스트 사이드(lower east side)를 잇는다. 뉴욕에서 가장 아름다운 다리로 화려한 뉴욕의 야경을 완성하는 랜드마크로 뉴욕적인 매력을 찾으려는 관광객들에게 가장 많이 추천되는 장소 중 하나이다.

흘러 나왔다. 그 랩은 하나도 알아들을 수 없었지만 난 왠지 처음 듣는 그 음악 같지 않은 음악에 끌렸다. 기존 음악 형식의 틀을 깨고 일정한 톤에 쉴 틈 없이 내뱉는 그 리드미컬한 랩핑이 그냥 좋았다. 그리고 종종 사람들은 주말이 되면 자기 집 앞마당에 자기들이 쓰던 물건들을 내놓고 파는 그라지 세일(Garage Sale)을 하곤 했다. 길가 가로등 군데군데에 붙여둔 화살표 사인을 따라가다 보면 그곳을 쉽게 찾을 수 있었다. 호기심이 이끈 그곳에는 별의별 물건들이 다 있었다. 식기류에서부터 작은 가구, 액세서리, 옷가지, 장식품, 심지어 속옷도 보였다. 우리는 부자가 된 듯 가격에 개의치 않고 사고 싶은 물건들 – 식기, 넥타이, 옷, 장식품 등 – 을 맘대로 골라 살 수 있었다. 왜냐하면 가격이 1 달러를 넘는 게 거의 없었기 때문이었다. 물건에 붙은 가격표에는 5 센트, 10 센트, 비싼 게 50 센트 정도였다. 주말 온종일 지키고 앉아서 거기 있는 걸 다 판다 해도 20 달러를 넘기 힘들어 보였다. 그래서 난 생각했다. 그들은 돈을 벌기 위함이 아니라 그런 이벤트를 통해 이웃 간에 서로 필요한 것들을 얻고 대화를 나누며 소통하기 위해서라고. 그리고 내겐 오래되어서 싫증 나는 물건이 누군가에겐 처음 갖는 새로운 물건이 될 수 있으니까…. 우리집에는 아직도 그때 산 골동품 같은 장식품이 많다. 그중에는 12 세기경에 만들었다는 튀르키예산 주전자도 있다. 그게 진짜인지 모조품인지 그 진위는 중요하지 않다. 다만, 그 주전자는 내게 '지니의 요술램프'가 되어 그 시절로 시간여행을 시켜준다. 가끔 시골 여행을 다니다 정말 기적과 같은 행운을 누리는 사람들도 있다고 들었다. 그림을 샀는데 알고 보니 잭슨 폴록(Jackson Pollock)[10]의 초기 그림이었다 아니면

---

10 잭슨 폴록(Jackson Pollock, 1912-1956)은 1950 년대 미국을 대표하는 추상표현주의 화가로, 바닥에 천을 놓고 페인트를 떨어뜨리는 '드리핑(dripping)' 기법을 창안해 새로운 형태의 회화라는 측면에서 각광을 받았다.

파블로 피카소(Pablo Picasso)[11]의 작품이었다는 등. 우린 그런 행운을 바라서가 아니라 그냥 그렇게 구경하며 다니는 게 정말 좋았다.

그러나 우리에게 가장 강렬한 인상을 주었던 건 뭐니뭐니해도 그래피티 아트(Graffiti Art)[12]였다. 어쩌다 건물 외벽에 조금이라도 큰 면이 보이면 그곳에는 어김없이 늘 강렬한 색채의 자유분방한 낙서 같은 그림, 그림 같은 낙서들로 채워져 있었다. 벽뿐만 아니라 지하철 차량 외면에서도 볼 수 있었다. 도대체 언제 그리는지. 그림 그리는 걸 한 번도 본 적은 없는데 늘 새로운 그림들이 어느새 그려져 있곤 하였다. 처음 본 우리들의 눈에는 너무도 신선했었다. 한국에서 늘 정형화된 틀 안에 있는 그림들만 보다가 이런 부류의 그림을 보니 이거야말로 신세계였다. 그렇게 뉴욕은 그 자체로 우리에게 화가로서 배움의 장이 되었고 영감을 얻는 큰 동력이 되었다. 그러나 예술가들의 눈에 멋진 미술의 한 장르로 보이는 이 그래피티가 평범한 사람들의 눈에는 도시 미관을 해치는 반달리즘(vandalism)으로 간주되어 범죄로 취급된다는 사실을 나중에 알게 되었다. 또한, 그 당시 현대미술사에 한 획을 그은 장미셸 바스키아(Jean-Michel Basquiat)[13]와 키스

---

[11] 파블로 피카소(Pablo Picasso, 1881-1973)는 입체주의(Cubism)의 창시자이자 세계가 인정하는 20 세기 최고의 화가이다. 그의 대표작 중 하나인 '아비뇽의 처녀들'은 뉴욕 현대미술관(Museum of Modern Art)에서 볼 수 있다.

[12] 그래피티 아트(Graffiti Art)는 1960 년대 말 필라델피아에서 콘브레드(Cornbread)와 쿨 얼(Cool Earl)로 시작되었다는 것이 정설로 알려져 있다. 그래피티는 분무기나 스프레이로 그려진 문자나 그림을 뜻하는 말로 어원은 '긁다', '긁어서 새긴다'는 이탈리아어 'graffito'에서 유래되었다. 내용은 정치적, 사회적 주제 등 자유분방한 주제를 다루고 있다.

[13] 장미셸 바스키아(Jean-Michel Basquiat, 1960-1988)는 미국의 전설적인 현대미술가로, 거리예술의 틀을 구축한 1 세대 그래피티 아티스트이다. 간단한 그림과 글씨, 독특한 도안과 선명한 색채 등으로 표현되는 그의 독창적인 작품세계는 앤디 워홀을 만나면서 1980 년대 뉴욕 미술계를 휩쓸었다.

해링(Keith Haring)[14]의 그림은 힙합 음악과 더불어 일반 대중과 소통하는 새로운 예술 장르로 뉴욕을 물들였고, 뉴요커(New Yorker)[15]들은 열광했다. 물론, J 에게도 신선한 충격으로 다가왔고, 그의 예술세계에 큰 변화를 가져다준 계기가 되었다.

내게 있어 우리 동네 브루클린의 최대의 문제점은 학교에서 몇 블록만 벗어나면 안전하지 못하다는 사실이었다. 은행, 우체국 등은 말할 것도 없고 작은 가게들마저도 예외 없이 방탄유리가 손님과 직원 사이를 가로막고 있었다. 심지어 '맥도날드'에도 방탄유리가 있었다. 처음에는 그게 방탄유리인 줄도 몰랐었다. 알게 된 후, 처음엔 '내가 이렇게 살벌한 동네에 살고 있구나'하는 생각으로 낮에도 혼자 걸어 다니는 걸 무서워 했다. 그러다 차츰 익숙해지면서 아무런 느낌조차 없이 당연한 장치 내지 익숙한 풍경으로 받아들이는 달라진 나 자신을 느꼈다. 인간을 환경의 동물이라고 했던가?

우리가 살던 시절의 브루클린과 지금의 브루클린을 떠올리면 격세지감이 든다. 35 년이 지난 지금의 브루클린 다운타운은 맨해튼(Manhattan)[16]처럼 현대식 고층 아파트와 건물로 빼곡한 신도시로

---

14 키스 해링(Keith Haring, 1958-1990)은 바스키아와 함께 뉴욕을 대표하는 현대미술가이자 그래피티 미술가이다. 하위 문화로 낙인 찍힌 낙서화 형식을 빌려 간결한 선과 강렬한 원색, 유머가 넘치는 표현으로 새로운 회화 양식을 창조해 냈다.

15 뉴요커(New Yorker)는 뉴욕시에 거주하는 사람들을 지칭한다. 엄격히 말하면, 뉴욕시에서 태어난 사람과 롱아일랜드 출신만을 말한다.

16 맨해튼(Manhattan)은 미국의 최대도시인 뉴욕시의 심장으로, 더 시티 오브 뉴욕(The City of New York)으로 불린다. 서쪽으로 허드슨 강과 동쪽으로 이스트 강, 남쪽으로는 바다, 북쪽으로는 할렘 강에 둘러싸여 있는, 남북으로 길고 동서로는 짧은 섬이다. 그런 특징으로 남쪽 지역을 로어 맨해튼(Lower Manhattan), 가운데를 미드타운(Midtown), 북쪽 지역을 어퍼 맨해튼(Upper Manhattan)으로 부른다.

거듭났고, 뉴욕의 젊은 직장인들 사이에서는 매력적인 거주지가 되어 그 동네에서 한번 살아보는 게 그들의 버킷리스트 중 하나가 되었다. 그리고 그 다운타운에서 가까운 'DUMBO(Down Under the Manhattan Bridge Overpass)'라는 동네가 있는데 그곳은 이스트 강변을 따라 맨해튼 뷰가 한눈에 들어오는 멋진 공원과 그 길을 따라 브루클린만의 독특한 멋이 담긴 상가들이 조성되어 있어, 꼭 가봐야 할 멋진 명소로 세계 각지에서 온 관광객과 뉴요커로 늘 넘쳐난다. 하지만 그 시절 우리가 살던 브루클린은 완전히 달랐다. 브루클린에서 가장 높았던 건축물로는 다운타운에 소재한 시계탑 건물(Williamsburgh Savings Bank Tower)[17]이 있었다. 브루클린 의 상징과도 같았던 이 시계탑 빌딩은 우리 동네에서도 걸어갈 만큼 가까운 거리였으나 한 번도 거기까지 걸어간 적이 없었다. 그리고 아름다운 공원들과 구경할 만한 박물관들도 있었지만, 우리에겐 늘 맨해튼에 밀려 우선순위에서 제외 되었다. 사실, 그때는 너무 겁이나 학교 근처 외엔 걸어 다니며 구경할 생각조차 하지 못했었다. 생각해 보면, 처음이라 신세계로의 모험에 용기가 부족했다는 아쉬움이 남는다. 요즈음도 브루클린을 지날 때면 그 시절 아련한 추억이 떠올라 가끔 J가 다녔던 학교는 물론, 우리가 처음 살았던 그 동네를 들러 본다. 그렇게 브루클린은 우리 마음에 제 2 의 고향으로 자리 잡았다.

---

17 시계탑(Williamsburgh Savings Bank Tower)은 37 층의 랜드마크 건물로 'One Hanson Place'로도 알려져 있다. 1929 년 완공된 후 수십 년 동안 브루클린의 상징적인 건물이었다. 지금은 고급 콘도미니엄으로 개조되었다.

3화

어른아이

어른아이, 1996
Lithography

처음 그 아파트에 도착했을 때 이미 우리 우편함에는 생각지도 못했던 한 통의 편지가 들어 있었다. 나의 소중하고 멋진 친구였던, 먼저 하늘나라로 간 지영에게로부터 온 편지였다. 그 친구는 나와 동갑이었지만 나보다 훨씬 어른스러운 면이 있었고, 갇힌 사고의 틀을 깨고 나와 '자유로운 영혼'처럼 살아가는, 그 시절 나로서는 감히 상상조차 할 수 없었던, 다른 차원의 세상에서 살고 있는 듯한 친구였다. 그런 친구가 멀고 낯선 이국땅에서 살아가게 될 나를 위해 미리 편지를 써보낸 것이었다. 뉴욕의 빈 아파트에 도착했을 때 자기의 편지로 감동과 위안을 받을 수 있게! 난 편지를 읽어 내려가며 그 친구의 깊고도 따뜻한 마음이 느껴져 얼마나 울었는지 모른다. 주변에 혼자 씩씩하게 싱글로 온 여자 유학생도 많았는데, 나는 결혼해서 남편과 함께 왔음에도 그 시절엔 자주 울었다.

이전까지의 나는 부모가 만들어준 온실 같은 보호막 안에서 편안하게 살다 처음으로 광야 같은 세상 밖으로 나온 그런 아이였다. J와 결혼하기 전날 밤, 아버지는 나를 부르셔서 특별한 당부를 하셨다. "이제부터는 네가 한 선택에 대해 책임을 다하며 살아라!" 한번도 부모님으로부터 내 인생에 대해 이런 진지한 말씀을 하시는 걸 들어본 적 없었던 나는, 결혼 후의 내 삶이 이전의 삶과 다를 거라는 생각에 두려움을 느꼈다. 왜 그런 자립에 대한 교육을 어렸을 때부터 나이에 맞게 조금씩 훈련시켜 스무 살이 넘어 성년이 되면 정신적으로 독립할 수 있게 하지 않으시고 스물다섯 살에 갑자기, 그것도 결혼 전날 밤에 그런 삶의 무게를 느끼게 하는 말씀을 하셨는지 그 시절 나로서는 이해할 수 없었지만, 아버지로서는 내게 말할 수 있는 마지막 기회라고 생각하셨던 것 같다. 하지만 어리석게도 나는 결혼 생활이 핑크빛만은 아닐 거라는 생각을 그땐 미처 하지 못했었다.

그래도 한국에서 지낼 때는 성인으로서 살아가는 데 필요한 모든 기본적인 것들은 당연히 스스로 혼자서 할 수 있었다. 하지만 미국에 온 후, 그 시절 혼자서 할 수 있는 일이라곤 온종일 집에 머무르며 학교 간 J 를 기다리며 음식을 만들고 청소하는 정도가 전부였다. 동네의 마트에 가는 일도, 옷 빨래를 하는 일도 J 가 학교에서 돌아오면 그때서야 같이 했다. 왜냐하면 방탄유리가 설치된 상가들이 있는 그 길까지 혼자서 카트를 끌고 가는 것도 겁이 났고, 옷 빨래는 학교 기숙사에 있는 세탁실을 이용했으므로 학생인 J 가 없이는 들어갈 수가 없었기 때문이었다. 이래저래 나는 혼자서는 아무 데도 갈 수 없는 어른의 보호가 필요한 어린아이가 되어 버렸다.

그렇다고 집안이 안전한 곳도 아니었다. 어느 날 오후 J 가 학교 가고 난 뒤 혼자 집에 있는데 부엌 어디에서 나온 생쥐 한 마리가 내 눈앞에 나타나더니 순식간에 어디론가 휙 사라졌다. 대학 다닐 때 실험실 흰쥐들은 봤어도 내가 그 쥐들과 함께 한 공간에 살게 되리라고는 꿈에도 생각지 못했었다. 비록 내 주먹의 반도 안되어 보이는 작은 생쥐의 출현이었지만 내겐 안전하다고 믿고 있었던 내 공간에 예고도 없이 불쑥 쳐들어온 침입자일 뿐이었다. 그 자리에 얼어붙은 채 J 가 올 때까지 그냥 기다렸다. 저녁 할 생각도 하지 않고서. 그 생쥐가 부엌에서 나온 걸 봤기 때문에 그쪽으로 갈 수가 없었다. 학교에서 돌아온 J 에게 그 얘길 했더니 오히려 내게 화를 내며 말했다. “인간이 돼서 그깟 생쥐를 보고 무서워하냐?…” 그의 뜻밖의 반응에 나는 서러웠다. 이건 내가 꿈꿨던 뉴욕에서의 삶이 아니었다. 하지만 그 후 알게 되었다. 수많은 뉴요커가 쥐와 바퀴벌레들과 함께 살아간다는 사실을. 그래서 나 또한 꿈에도 생각지 못했던 이 새로운 환경에 적응해야만 한다는 사실을!

혼자 집에 있을 때 또 하나의 문제는 전화와 초인종이 울릴 때였다. 중학교에 들어가면서 처음으로 배우게 된 영어를 열심히 공부한 적은 없었다. 그래도 나름대로 신경쓰며 살았다고 생각했었는데 내가 공부했던 영어는 반쪽짜리였다. 막상 미국에 와보니 영어로 말하는 게 두려웠다. 아니 듣는 게 더 두려웠다. 듣고 나면 뭐라고 반응을 해야 했기에. 재빨리 머리속에서 한국어로 번역해서 이해하고 다시 영어로 단어, 시제, 어순 등을 생각해 겨우 내 입에서 한마디가 나올 때면 이미 그 상황은 지나가 버렸거나 상대방의 입에선 다른 열 마디가 쏟아지고 있었다. 내가 배웠던 영어는 맞는 것 같은데 어찌나 빨리 말하던지 도무지 알아들을 수가 없었다. 그 시절 미국사람들을 만날 때면 참 많이도 웃으면서 "Uh-huh" 했었다. 알아듣는 척하느라…. 아마도 날 죽이겠다는 얘기는 없었나 보다. 내가 아직까지 살아있는 걸 보면! 그나마 얼굴을 마주 보면서 말하는 건 차라리 나았다. 손짓, 발짓, 그리고 느낌으로 통할 수 있었다. 문제는 전화와 초인종 소리였다. 이것들은 나에게 더 큰 공포감을 가져다주었다.

9 월이 끝나가던 어느 날 낮에 초인종이 울렸다. 살짝 불안했지만 익혀 둔 영어로 자연스럽게 "Who is it?"이라고 했더니, 스피커에서 "U.P.S."라고 말하는 한 남자의 목소리가 들렸다. 그때 난 그게 무슨 소린지 몰랐다. 어떤 긴말의 줄임말이라는 걸 상상조차 하지 못했던 나는 그 순간 'U'를 'YOU'로 생각했고, 머리를 굴려 무슨 뜻인지를 생각해봤지만 첫 단추를 잘못 끼운 탓에 그 뜻을 이해할 수 없었고, 웬 남자의 목소리라 더 겁이 났다. 당황한 나는 스피커에 대고 할 수 없이 이렇게 소리쳤다. "I don't know who you are!" 그리고 문을 열어 주지 않았다. 그때 얼마나 당황했으면 35 년이 지난 지금도 그 순간이 또렷이 내 기억 속에 새겨져 있다. 하지만 이내 혹시나 하는 생각에

아파트 로비로 뛰어 내려가 보니 짙은 밤색의 'UPS[18]'라고 쓰인 유니폼을 입은 한 남자가 커다란 소포와 함께 어찌할 바를 모르고 서 있었다. 그것은 우리가 미국으로 오기 한 달 전 미리 배로 부친 소포였다. 그리고 그때 로비 밖 도로변에 유니폼 색깔과 같은 짙은 밤색의 큰 트럭이 서 있는 게 눈에 들어 왔다. 거기에는 이렇게 쓰여 있었다. 'United Parcel Service'.

[18] UPS(United Parcel Service)는 1907 년에 창립되었으며, 국내 및 국제 화물 운송을 취급하는 세계적인 기업이다. 본사는 미국 조지아주 샌디스프링스에 두고 있다.

4화

첫 가을

First Impression of New York_1988, 2023

어느 초가을 주말 오후, 오라는 데도 없고 갈 데도 없었던 우리는 무작정 맨해튼으로 가는 지하철을 타고 가다 로어 맨해튼(Lower Manhattan)에서 내렸다. 어디로 가볼까 하다 남단에 있는 선착장으로 걸어갔다. 그곳에는 스태튼아일랜드(Staten Island)[19]를 오가는 큰 페리가 있기 때문이었다. 뉴욕시는 5 개의 자치구 중 네 곳을 지하철로 다 연결해 놓았지만, 나머지 하나인 스태튼아일랜드만은 아니었다. 좀 거리가 먼 외딴섬이기 때문에. 그래서 그 지역 주민들은 지하철 대신 페리를 타고 맨해튼으로 출퇴근을 한다. 우리는 그동안 지하철만 타고 다녀 섬에 사는 것도 잊고 살았는데, 그날 처음으로 배를 타고 육지를 떠났다. 그러자 바다 위에 떠 있는 맨해튼이 그림처럼 한눈에 들어왔다. 우리 앞에는 익숙하게 사진으로만 봐왔던 그 파노라마 뷰가 펼쳐졌다. 로어 맨해튼의 그 멋진 도회풍의 빌딩숲 그리고 그들과 대조적이면서도 조화를 이루고 있는 고풍스런 '브루클린 다리', 거기에다 뉴욕하면 가장 먼저 떠오르는 '자유의 여신상(Statue of Liberty)[20]'까지! '뉴욕의 제 1 경'이라 불리는 이 풍경은 마치 종합선물세트 같았다. 돌아오는 페리에서 바라본 붉게 물든 저녁노을을 배경으로 한 그 뉴욕 풍경은 지금도 잊을 수 없다. 여기가 뉴욕이구나! 우리가 지금, 여기 살고 있구나! 그동안 우리 동네

---

[19] 스태튼아일랜드(Staten Island)는 뉴욕시의 5 개 자치구 중 하나로, 1898 년에 뉴욕시에 병합되었다. Verrazano Narrows Bridge 로 브루클린과, Goethals Bridge 로 뉴저지와 연결되어 있다.

[20] 자유의 여신상(Statue of Liberty)은 1886 년 미국의 독립기념 100 주년을 기념하여 프랑스에서 준 선물로, 리버티아일랜드(Liberty Island)에 있다. 맨해튼 남단의 배터리 파크(Battery Park)에서 페리로 15 분 소요된다. 오른손에는 '세계를 비추는 자유의 빛'을 상징하는 횃불을 쳐들고, 왼손에는 '1776 년 7 월 4 일'이라는 날짜가 새겨진 독립선언서를 들고 있다.

브루클린에만 갇혀 살아 답답했던 마음이 한순간에 뻥 뚫리는 것 같았다.

그 후 주말이면 어김없이 맨해튼으로 향했다. 맨해튼 구석구석을 누비며 뉴욕만이 가지고 있는 그 특유의 맛과 멋에 도취해 갔다. 뉴욕은 우리에게 화가로서 그리고 순수미술을 전공하는 학도로서 이 세상 어디에도 없을 훌륭한 체험학습장 그 자체였다. 세계적인 박물관과 미술관들 뿐만 아니라 현대미술사에 오르내리는 수많은 갤러리들이 곳곳에 포진해 있었다. 마치 처음 군에 입대해서 군기가 바짝 잡힌 신병들처럼 우리는 그런 비장한 마음가짐으로 주말마다 맨해튼으로 출근했다. 그중에서 가장 즐겨 찾았던 곳은 '소호'였다. 그 당시 소호라는 지역은 현대미술의 중심지였다. 소호는 'South of Houston Street'의 약자로 앞의 두 글자씩을 따서 'SOHO'라 한다고 들었다. 그곳에는 현대미술사를 통해 들어 익히 알고 있던 수많은 유명한 갤러리들이 웨스트 브로드웨이(West Broadway)를 따라 줄지어 서 있었고, 우리가 책에서나 봤던 유명한 현대미술의 대가들, 그리고 좋아했던 화가들의 오리지널 그림들이 늘 전시되고 있었다. 우리는 '보는 것이 남는 것이다!'라는 생각으로 이런 기회를 누릴 수 있는 꿈같은 현실에 감사하며 발품을 아끼지 않았다. 그러다 배가 고파지면 점심으로 길거리 음식 중 가장 대표적인 핫도그를 뉴요커들처럼 아무렇지 않게 인도 옆 계단 아니면 공원 벤치에 앉아 먹으며 우리도 그들처럼 뉴요커가 되어 갔다. 그 핫도그는 가격도 저렴했지만 맛도 정말 일품이었다.

요기를 하고 나면 어김없이 파리의 개선문을 연상시키는 작은 개선문이 있는 워싱턴 스퀘어 파크(Washington Square Park)[21]를 찾았다. 소호에서 걸어서 얼마 안 걸려 만나게 되는 그 공원은 그리니치 빌리지(Greenwich Village)[22] 중심부에 있는 뉴욕대(New York University)[23] 건물들로 에워싸인 조그만 공원이지만 우리에게는 더할 나위 없는 휴식처였고, 특히 J 에겐 그의 예술세계에 영감을 주는 최상의 장소였다. 그곳은 뉴욕대의 심장에 자리 잡고 있다 보니 주말엔 대학 캠퍼스에서 느낄 수 있는 젊음의 열기로 가득 차 있었다. 공원의 중심엔 분수대가 있고 그 가장자리 원형의 둑을 따라 사람들이 앉아 각자의 방식대로 휴식을 즐겼다. 그리고 그 주변 사방으로 정말 별의별 사람들이 다 쏟아져 나와 마치 인종전시장을 방불케 했다. 흔히들 뉴욕을 '멜팅팟(Melting Pot)[24]'이라고 한다. 뉴욕에는 이 세상의 수많은 다른 인종들이 함께 모여 살아가며 그들의 언어와 문화가 뒤엉켜 섞여 있다는 뜻에서 유래된 말이다. 나이, 성별, 인종에 관계없이 얼굴 생김새, 옷차림, 헤어스타일 등 어쩜 그리도 제각각인지…. 좁은 한국땅에서 단일 민족으로 비슷한 생김새와 단일 언어 속에 익숙하게 살아왔던 우리는 그곳에서 사람 구경하는 것만으로도 시간 가는 줄 몰랐다. 그들은 남의 시선 따위는 아랑곳하지 않고 자신만의 인생을 오롯이 자신을 위해 사는 사람들 같았다. 무슨 별난

---

[21] 워싱턴 스퀘어 파크(Washington Square Park)는 그리니치빌리지에 자리잡은 시민 공원으로, 1889 년 조지 워싱턴 대통령의 취임 100 주년을 기념하기 위해 대리석으로 만든 개선문이 있다.

[22] 그리니치빌리지(Greenwich Village)는 17 세기 영국 이주민들이 정착하며 형성된 곳으로, 빌리지(The village)라고도 불리며 보헤미안 분위기로 수십 년 동안 문화, 예술 활동의 중심지였다.

[23] 뉴욕대(New York University: NYU)는 1831 년에 세워진 사립 연구 중심 명문 대학교이다.

[24] 멜팅팟(Melting Pot)은 1908 년 이스라엘 장윌(Israel Zangwill)의 연극 '용광로'에 의해 본격적으로 불리게 되었다.

행동을 해도 눈길조차 주지 않았다. 그냥 각자 하고 싶은 대로 하며 그 시간을 즐겼다. 항상 남의 시선을 의식하며 자유분방함보단 틀에 짜인 삶에 길들여진 나는 그들을 보고 있는 것만으로도 내 속에서 절로 웃음이 터져 나왔고, 내 무의식 속에 억눌려 쌓여왔던 감정들이 해소되는 카타르시스를 느꼈다. 그리고 그때 나는 '방종'과 구별되는 진정한 의미의 '자유'를 생각해 보았다.

한쪽에서는 기타 치며 노래하는 사람, 다른 한쪽에서는 위험해 보이는 퍼포먼스를 하는 사람, 그들의 퍼포먼스를 구경하며 둘러서서 박수치며 같이 즐기는 사람들, 나무 그늘에 앉아 친구들과 함께 담소를 나누며 가져온 음식을 먹는 사람들, 열심히 운동하는 사람들, 조용히 혼자 책 읽고 있는 사람, 반려견 데리고 와서 같이 놀아주는 사람들, 공원 한쪽에 마련된 놀이터에서 아이들과 놀아주는 부모들…. 그렇게 각자가 각자의 시간을 각자의 방법으로 즐기고 있었다. 그 시절 워싱턴 스퀘어 파크는 우리가 가장 많이 즐겨 찾았던 곳이었고, 아마 지금도 가장 뉴욕스런 곳이며 뉴요커들이 가장 좋아하는 장소 중 하나가 아닐까 생각한다.

한 달쯤 지나게 되자, J 는 한국 유학생들과도 친분이 쌓이면서 많은 정보를 얻을 수 있었다. 그중 한 유학생의 도움으로 같은 동네이지만 200 달러 더 저렴하고 실용적이면서도 아담한 공간의 아파트로 이사할 수 있게 되었다. 원래 미국의 아파트 임대 계약은 보통 일년 단위이며 그 안에 계약을 어기게 되면 위약금을 물게 되어 있다. 하지만 마음씨 좋은 우리 아파트 관리인은 우리의 형편을 잘 알고 있던 터라 위약금을 내지 않고 그냥 가도 된다고 하였고, 그 덕에 우리는 온 지 두 달이 지난 그해 가을에 첫 이사를 하게 되었다. 새 아파트는 브루클린의 전형적인 브라운스톤 건물로, 길모퉁이 3 층 꼭대기 층이었다. 집주인은 이탈리아계 이민자의 후손으로 그 동네 여러 채의 브라운스톤 건물을 소유하고 있다고 했다. 그는 앞뒤로 긴 브라운스톤 집들의 장점을 이용해 층마다 두 개의 분리된 아파트로 만들어 놓았었다. 학교 주변이라 늘 방 구하는 학생들로 넘쳐 났으므로 그런 아이디어는 어쩌면 당연한 것이었다. 그 아파트의 거주자들은 대부분 유학생이었다. 우리가 처음 그 아파트를 방문했을 때 거기 살던 유학생은 인테리어 디자인 전공을 한 남학생이었는데, 그는 자기의 전공을 살려 그 작은 공간을 나름 분위기 있게 꾸며 놓고 살고 있었다. 그는 졸업 후 이제 직장을 찾아서 뉴저지로 이사를 간다고 하였다. 그 덕분에 우리는 이전보다 훨씬 아늑하고 포근한 신혼집을 가질 수 있게 되었다. 우리 아파트는 3 층의 뒤편에 있었는데, 길모퉁이 집인 덕분에 유리창이 세 개나 있어 좁은 공간이었지만 답답하게 느껴지지 않았고 환기도 잘 되었다. 그러나 무엇보다도 가장 좋았던 것은 창너머로 뉴욕의 대표적인 상징물 중 하나인 '엠파이어 스테이트 빌딩(Empire State Building)[25]'을 멀리 조그맣게나마 매일 볼 수 있다는 점이었다. 이제 우리는 집에 앉아서도 뉴욕을 느낄 수 있게 되었다.

---

[25] 엠파이어 스테이트 빌딩(Empire State Building)은 맨해튼 5 번가와 34 가 일대에 위치하고 있는, 1931 년에 지어진 아르데코 양식의 건물로 약 41 년 동안 세계 최고의 마천루 자리를 지켰다. 독립기념일 등 특별한 절기에는 그날을 상징하는 색색의 조명으로 분위기를 연출하여 뉴욕의 밤을 장식하는 것으로 유명하다.

5화

윤 집사님

Happy Thanksgiving, 2023

그해 가을 한 한국유학생의 소개로 우리는 퀸즈의 플러싱(Flushing)에 있는 한 한인교회에 등록하고 다니게 되었다. 그때 처음으로 한인 이민자들을 만날 수 있었고 그분들의 삶도 엿볼 수 있었다. 그 교회는 매우 큰 규모였으므로 여러 대의 작은 교회버스들이 구역별로 운행되고 있어 우리처럼 차가 없는 교인들도 다닐 수 있는 장점과 또 교회 주변에는 우리 동네에 없는 한국 마트들이 있어서 예배 후 일주일치 장을 한 번에 볼 수 있는 큰 강점이 있었다.

브루클린 구역은 윤 집사님이라는 분이 맡고 계셨다. 주일예배 시간은 11 시 반이었지만, 우리는 일요일 아침이 되면 9 시 50 분에 집 앞에 나와 있어야 했다. 그러면 윤 집사님이 깡통밴을 몰고 오셔서 맨 먼저 우리를 픽업해서 다음 교우분 집으로 가셨다. 브루클린이 얼마나 넓은지 마지막 교우분들까지 태우고 나면 우리 밴은 이미 브루클린의 저 남단 해안 고속도로를 돌고 있었고, 퀸즈의 플러싱에 있는 그 교회에 도착할 때면 나는 멀미가 날 지경이었다. 예배를 드린 후에는 그 많은 교인이 다 함께 친교실에서 한식으로 점심을 먹었고, 그 식사는 우리에게 고향의 정과 맛을 느끼게 해주는 소중한 한 끼가 되었다. 점심 후 우리는 교회 근처에 있는 한국 마트로 가서 일주일 동안 먹을 장을 봤다. 그러고 나면 다시 그 깡통밴을 타고 올 때와 반대순으로 돌아 맨 마지막으로 내려 집으로 돌아왔고, 우리 둘은 늘 파김치가 되어 있었다. 하지만 그때는 우리보다 윤 집사님이 훨씬 더 힘들 거라는 생각은 미처 하지 못했었다.

이민자로서 한인분들의 삶은 참으로 고달파 보였다. 우리 구역식구들은 우리를 제외하고 모두 이민자셨다. 한인 교포분들은 자영업에 종사하시는 분들이 대부분이셨고, 그로서리(grocery),

봉제업, 세탁소, 생선가게, 잡화가게, 네일 살롱(nail salon) 혹은 미용 관련업 등 생활 전반에 필요한 다양한 비즈니스를 하고 계셨다. 한 달에 한 번씩 주말 저녁, 그달에 순번이 돌아온 집사님 댁으로 가면 다 같이 예배를 드린 후 구역분들은 그 집사님께서 정성으로 준비한 한국 음식을 먹으면서 이런저런 이야기 보따리를 풀어 놓으셨다. 이민자로서의 고달픈 삶을 구역원들과 나눔으로써 서로에게 의지와 위안이 되는 듯하였다. 나는 그분들의 무용담을 들을 때면 총알이 날아다니는 전쟁터에서 목숨을 내놓고 싸우는 군인들 같다는 생각을 했었다. 개인의 총기 소유가 가능한 나라이다 보니 당신들의 생업 현장에서도 발생할지도 모를 권총강도 사건 같은 불의의 사고를 겪을 수 있기에 남의 일로만 생각할 수 없던 처지였던 것이다. 실제로 우리가 미국에 온 지 얼마 안 되었을 때 브루클린에서 큰 마트를 운영하시던 한 한인업주가 권총강도에게 목숨을 잃는 안타까운 사고가 있었다. 요즘도 그런 끔찍한 사고들이 한인이 운영하고 있는 가게에서 발생했다는 안타까운 뉴스를 접하곤 한다. '아메리칸 드림'을 꿈꾸며 이른 새벽부터 밤늦게까지 가족을 위해, 특히 자식들의 보다 나은 미래를 꿈꾸며 수고하는 그분들의 고된 삶을 곁에서 보면서 우리는 겸허해질 수밖에 없었다. 그리고 그분들의 중심에는 윤 집사님이 계셨다.

미국의 가장 큰 명절은 추수감사절과 크리스마스이다. 11월 넷째 주 목요일에 있는 추수감사절은 한국의 추석처럼 전국에 흩어져 살던 가족들이 재회의 기쁨을 나누는 날이고, 흔히들 그날을 전국의 칠면조들이 희생양이 되는 '칠면조 대학살의 날'이라고 농담 삼아 얘기한다. 모인 가족들과 나누는 저녁 만찬을 위해. 그렇게 그날을 전통적인 음식으로 온가족이 함께하며 즐거운 시간을 보낸다. 첫해

추수감사절이 오자 뉴욕에 가까운 일가친지도 없이 우리 둘뿐인 걸 아시는 윤 집사님 내외분은 우리를 댁으로 초대하셨다. 칠면조구이와 다양한 한국음식들…. 처음 먹어본 칠면조구이의 고기는 담백하면서 맛있었다. 그 구이를 위해 미국의 주부들은 전날부터 손질해 놓고 추수감사절 새벽부터 칠면조 안에 소를 채운 뒤 그 칠면조를 오븐에 넣고 계속 녹인 버터를 끼얹어 가며 오랜 시간을 들여 천천히 익혀 저녁 만찬에 먹을 수 있게 한다고 하셨다. 그야말로 사랑하는 가족을 위해 정성으로 준비하는 엄마의 마음, 그 자체인 것이다. '한국이나 미국이나 명절이 되면 가족들 먹일 음식 준비로 엄마들이 고생하는 건 꼭 같구나. 젊은 엄마가 손자, 손녀들을 거느린 할머니가 될 때까지!' 라는 생각을 했었다. 난 미국에 산 35 년 동안 한 번도 내 손으로 칠면조 구이를 해 본 적이 없다. 우선 할 엄두가 나지 않았고 오랫동안 J 와 단둘이 살아왔기 때문에. 그래도 안 먹으면 왠지 섭섭할 것 같아 우리는 '꿩 대신 닭' 이라고 칠면조 대신 통닭으로 기분을 낸다. 지금도 그때를 생각하면 윤 집사님 내외분께 감사한 마음이 절로 든다. 그분들 덕분에 그날은 잊을 수 없는 우리의 첫 추수감사절이 되었다.

그렇게 우리를 챙겨주시던 윤 집사님네는 브루클린에서 오랫동안 세탁소를 운영하고 계셨다. 어느 가을 주중에 윤 집사님께서 전화를 주셨다. 그리고 J 에게 주말마다 세탁소에 나와 일할 수 있느냐고 물으셨다. 그 당시 양가 부모님의 지원으로 학비와 렌트비는 해결하고 있었지만 생활비는 우리 힘으로 벌어 보려고 아르바이트 자리를 찾던 중이었다. 물론 J 는 흔쾌히 하겠다고 말씀드렸고, 내게 같이 가자고 했다. 그리고 토요일 아침 우리는 윤 집사님네 세탁소로 찾아갔다. 내 기억에 한국에서는 그런 규모의 세탁소를 보지 못했었다. 말이 세탁소이지 마치 세탁공장 같았다. 어찌나 크던지…. 그곳에서 오전

9 시부터 오후 5 시까지 쉴 새 없이 일하고 50 달러를 벌었다. 우리가 맡은 일은 세탁된 옷들을 옷걸이에 걸고 포장해서 영수증에 있는 손님이름을 보고 알파벳순으로 회전걸이에 거는 거였다. 처음으로 미국에서 노동한 대가로 번 달러였다. 얼마나 귀한 돈이었던지! 우리 손으로 돈을 벌게 되면서 퇴근 후 가끔은 퀸즈로 향했다. 그 시절 우리에게 짜장면과 짬뽕은 소울 푸드(soul food)였다. 일한 뒤 번 돈으로 고향의 맛까지 느끼니 피곤함도 잊었다. 그렇게 첫 가을이 끝나가자 기나긴 겨울이 다가왔다.

6 화

J 의 세상사는 법 I - "Nothing to Lose!"

기다림, 2018
Acrylic, Collage on Board

처음 뉴욕에 왔을 때 뉴욕에 대해 들었던 흥미로운 얘기 중 하나는 뉴요커들이 변덕이 심하다는 거였다. 변덕스러운 날씨 영향으로. 그 이야기를 들었을 때 순간 J 가 떠올랐다. 나와는 정반대 성향의 J 는 늘 계획 없이 즉흥적이고 마음도 금방 이랬다 저랬다를 반복하며 수시로 바뀌었기 때문에 나로선 정말이지 종잡을 수 없는, 뉴욕의 날씨와도 같은 사람이었다. 그래서인지 J 가 드디어 사람과 그가 사는 환경이 딱 맞아떨어지는 'Be in the right place!' 물고기가 물을 만난 것 같다는 느낌을 받았었다. 뉴욕의 날씨만큼이나 변덕스러운 J 였지만, 함께 살다 보니 그에게는 내가 정말 닮고 싶은, 내게는 없는, 사는 데 꼭 필요한 좋은 면들도 있었다. 그중 하나가 살다가 어떤 일을 만나면 문제 해결을 위해 고심하지 않고 우선 그냥 저지르고 보는 것이다.

살아보니 실제로 뉴욕의 날씨는 일주일 내내 맑을 때가 거의 없었다. 비가 오거나 흐리거나 바람이 심하게 불거나…. 4 월과 10 월에도 눈이 올 때도 있었고 5 월에도 추운 날들이 있었다. 한마디로, 여름은 덥지도 길지도 않았고, 겨울은 춥고도 길었다. 그래서 날씨 따라 우리 기분도 개였다 흐리기를 반복하였다. 사실, 뉴요커들은 사시사철 옷들을 옷장에 늘 걸어두고 계절에 상관없이 여차하면 꺼내 입는다고들 했다. 하지만 우리는 좁은 집에 사는 관계로 사시사철 옷들을 다 걸어둘 만한 옷장이 없었고, 그 때문에 날씨 따라 변하는 우리 기분처럼 가져온 이민가방에다 옷을 풀었다 쌌다를 반복하며 살았다.

10 월 하순부터 기온이 조금씩 내려가더니 추수감사절이 지나자 사실상 겨울이 왔다. 날이 추워지기 시작하면서부터 처음 이사 왔을 때 좋게 느껴졌던 우리 아파트의 장점들이 단점들로 드러나기 시작했다. 우리 아파트는 길모퉁이 집의 꼭대기 층에다 그것도 모자라 뒤켠인

북쪽으로 햇볕의 혜택도 거의 누리지 못했고, 세 개의 유리창틀 사이로 바람도 술술 새어 들어와서 난방 자체가 잘 되지 않았다. 거기에다 난방비가 렌트비에 포함되어 있었으므로 집주인이 돈 아끼느라 난방을 넉넉히 해 주지도 않았다. 이런 충분치 못한 난방 문제는, 큰 규모의 아파트들과는 달리 개인이 소유한 주택에 살 경우 어느 정도 감수하고 살아야 하는 게 단점이라는 사실을 나중에 알게 되었다.

며칠 추위가 계속되던 초겨울 나는 미국에 온 후 처음으로 감기에 걸렸다. 한국에서 살 때도 겨울이면 감기를 달고 살았었다. 겨울이 오자 기온도 내려갔지만 흐린 날도 많아졌고, 그 에너지 넘치던 주말 풍경들도 사라졌다. 정신적으로도 우울감을 느끼고 있던 차에 감기마저 드니 더욱 타향살이가 고달프게 느껴졌다. 건강보험도 없던 탓에 나는 병원에 가볼 엄두조차 못 냈고 엄마가 알려준 방법대로 생강, 무, 대추, 파뿌리 등을 넣고 차를 만들어 계속 마시면서 나아지기를 바랐지만, 소용이 없었다. 결국, 처음으로 동네 약국에서 파는 감기약을 사 먹으며 증상이 호전되기를 기도하며 그 시간을 견뎠다.

다음 달 월세를 줘야 할 날이 오자 뜻밖에 J 는 집주인에게 편지를 썼다. 난방을 제대로 해주지 않아 아내가 감기에 걸렸고 일주일 넘게 많이 아프다고. 그래서 이번 달 월세는 약값과 함께 신체적, 정신적 피해보상에 대한 일정 부분을 월세에서 제한다고. 이 통보 같은 편지와 함께 나머지 금액을 월세로 넣어 보냈다. 우리 집주인은 J 의 이런 주장에 아무런 이의제기도 못하고 동의했다. 그날 오후 J 는 그 절약한 돈으로 전기난로를 사왔다. 덕분에 그날 밤부터 따뜻한 밤을 보낼 수 있게 되었고, 감기도 빠르게 호전되었다. J 의 이런 사고방식은 그 당시 나로서는 불가능했지만, 뉴욕과 잘 어울리는 J 는 그의 사고방식 또한 미국과 잘 맞았다. 그 후 나는 미국사람들이 무슨 불이익을 당할 때면 소송을 잘한다는 사실을 알게 되었다. 그래서 발에 밟힐 정도로 변호사들이 넘쳐 난다는 사실도 함께. 그러니 J 의 요구는 합법적 거주자로서 할 수 있는 당연한 권리였다.

그 후 그 집에 사는 동안 한 번 더 그런 일이 벌어졌다. 한번은 붙박이 옷장 위 천정에서 물이 새는 게 발견되었다. 그래서 J 는 집주인에게 그 사실을 알렸고 집주인은 와서 보더니 옷장 옆 화장실 쪽 파이프에 문제가 생겨 물이 새는 거라며 며칠 수리할 시간이 필요하다고 했다. 그리고 그동안 옷장과 화장실을 쓸 수 없다고 했다. 우리는 옷장 안에 걸려있던 모든 옷가지들과 이민가방들을 꺼내 방 한편으로 쌓아두고 수리되는 그 며칠 동안 예전 대학 시절 등산 가서 캠핑했던 때처럼 학교 화장실을 쓰고 고양이세수를 하며 지냈다. 그 후 어김없이 다음 달 월세 내는 날이 오자, J 는 또 집주인에게 이렇게 편지를 썼다. 우리가 입은 피해, 즉 젖은 옷가지들을 세탁하는 데 드는 비용과 생활의 불편을 감내해야 했던 정신적 피해에 대한 보상으로 일정 부분을 월세에서 제한다고! 그리고 이번에도 역시 J 의 승리로 끝났다.

또 하나 잊지 못할 J 의 편지 에피소드는 필라델피아에서 사온 믹서기가 고장 났을 때였다. 처음 몇 달간 매일같이 잘 써왔었는데 내가 너무 과하게 사용했던 탓이었는지 어느 날 갑자기 믹서기의 모터가 나가버렸다. 나의 잘못된 사용방법으로 고장이 난 것 같았지만 일 년간의 품질보증서가 있었기에 무료 서비스를 받을 수 있을 걸로 생각하고 우리는 거기에 쓰인 대로 맨해튼에 있는 소비자 서비스 센터로 찾아가서 모터를 수리해 달라고 맡겼다. 그러나 매일같이 쓰던 물건이 없으니 불편했고 한 달이 넘도록 AS 가 제대로 이루어지지 않자 불만과 함께 실망감이 쌓여가고 있었다. 그때 J 는 또 편지를 쓰기 시작했다. 이번에는 그 믹서기 본사 사장 앞으로! 그 편지에 이렇게 썼다. 우리는 한국에서 온 유학생으로 한국에서도 잘 알려진 당신의 회사 브랜드 가치를 믿고 구입했는데, 몇 달 되지도 않아 고장이 났고 그래서 AS 를 맡겼는데 한 달이 넘도록 아무 소식이 없어 매우 실망스럽다고. 그 편지를 보내면서도 나는 과연 이 편지가 본사 사장에게 전달될까 하는 의구심이 있었지만, J 는 내게 "Nothing to lose!"라고 했다. 그 편지를 보내고 몇 주가 지났을까? 우리는 그 편지를 보낸 사실도 잊고 있었는데 우리집으로 소포 하나가 배달되었다. 그 박스포장에는 우리가 샀던 그 믹서기의 회사이름과 주소가 적혀 있었다. 그리고 그 안에는 새 믹서기 세트가 들어 있었다. 그 후, 나는 그 믹서기를 35 년이 지난 지금까지도 너무나 잘 쓰고 있다. 그리고 J 가 말했던 "Nothing to lose!"라는 이 말은 내가 미국에 살면서 체득한 교훈 중에서 가장 필요한 삶의 지혜가 되었다.

7화

첫 여름방학

여름 이야기_롱아일랜드, 2017
Acrylic on Board

첫 여름방학이 시작되자 J 는 어떻게 하면 돈을 벌 수 있을까 궁리하였다. 그러다가 J 는 한인업소록을 찾아 거기에 실린 몇 군데의 화랑으로 전화를 돌렸고 그중 뉴저지에 있는 한 화랑으로부터 그림 들고 한번 찾아 오라는 반가운 연락을 받았다. 가기로 한 날은 6 월 초였음에도 그날은 여름 날씨처럼 구름 한 점 없는 무더운 날이었다. J 는 그동안 수업 시간에 그린 몇 점의 드로잉을 포트폴리오 가방에 넣었고, 우리는 함께 길을 나섰다. 우리가 사는 브루클린에서 그 화랑이 있는 뉴저지까지는 차로 가기에도 먼 거리였지만, 혹시나 하는 기대로 대중교통을 이용해서라도 그 화랑을 방문하기로 마음 먹었다.

그 화랑은 허드슨 강(Hudson River)을 사이에 두고 어퍼 맨해튼(Upper Manhattan)과 마주보는 포트리(Fort Lee)라는 동네에 있었다. 미리 지하철 지도를 보며 어떻게 가야 할지를 파악한 우리는 우선 지하철을 갈아타며 맨해튼 178 가 버스 터미널까지 갔다. 그리고 그곳에서 다시 뉴저지행 버스로 갈아타야 했다. 허드슨 강 위로 뉴욕과 뉴저지를 연결하는 조지 워싱턴 다리(George Washington Bridge)[26] 라는 현수교가 있었기 때문이었다. 그때 갑자기 우리는 '다리만 건너면 뉴저지인데 그냥 걸을까?' 하는 어처구니없는 생각을 하게 되었다. 버스비도 아낄 겸 이런 기회가 아니면 언제 걸어서 이 유명한 다리를 건너가 보겠냐고. 또한, 나중에 다 추억거리가 될 거라고! 그러면서 버스 터미널에서 다리 쪽으로 걷기 시작했다. 멀리서 조그맣게 보이던 다리는 가까이 다가가자 지구 역사상 가장 큰 공룡을 열 배 확대한 것 같은 거대한 몸집으로 우리 눈앞에 그 실체를 드러냈다.

---

[26] 조지 워싱턴 다리(George Washington Bridge)는 1927 년에 완공, 1931 년부터 차량통행 개시, 1962 년부터는 하부도로까지 개통된 복층 현수교이다. 하루의 차량 교통량이 세계에서 가장 많은 다리로, 뉴저지와 뉴욕을 잇는 대동맥 같은 역할을 하고 있다.

구름 한 점 없는 뜨거운 태양 아래 우리는 다리 밑으로 유유히 흐르는 강물을 보며 하염없이 걷고 또 걸었다. 이미 다리로 들어와 걷고 있었기에 되돌아가려니 걸어온 거리만큼 억울했고, 그 상황에서 우리가 할 수 있는 유일한 방법은 뉴저지를 향해 묵묵히 한 걸음씩 나아가는 것뿐이었다.

찌는 듯한 날씨에 그늘조차 없었던 그 다리를 걸어서 건너는 사람은 정신 나간 우리밖에 없는 줄 알았는데, 한참을 걷다가 앞을 보니 저 멀리 걷고 있는 한 남자가 보였다. 그 무더운 날에도 검정색 중절모와 긴 검정색 외투를 입고 있었다. 그의 복장으로 멀리서도 한눈에 그가 정통 유대교인(Jewish Orthodox)임을 알 수 있었다. 그들의 복장은 일 년 사시사철 똑같다. 우리 동네 바로 옆이 그들의 동네여서 지나다닐 때마다 그들의 일상을 자주 볼 수 있었다. 남자라면 어른이나 아이나 관계없이 무슨 유니폼처럼 모두 다같이 흰색 셔츠에 검은색 정장을 입고 머리에는 '키파(Kippah)[27]'라는 동그란 모자를 쓰고 또 귀 밑에는 곱슬한 구레나룻을 기르고 있었다. 그들의 모습을 처음 봤을 때는 신기하기도 했었고 이후 전통을 고수하며 살아가는 그들의 종교적 신념을 알았을 땐 경의를 표하지 않을 수 없었다. 21 세기가 된 지금까지도 그들은 변함없이 그들만의 전통을 고수하며 그곳에서 살아가고 있다. 햇빛이 찌르는 듯했던 그 뜨거운 한낮에 그 복장으로 멀리 우리 앞서 걷고 있던 한 남자의 뒷모습은 지금도 잊혀지지 않는다. 그렇게 우리는 땀을 뻘뻘 흘리며 다리를 건넜고, 다시 포트리를 향해 마라토너가 마지막 결승점을 향해 피치를 끌어올리듯 사력을 다해

[27] 키파(Kippah)는 유대인들이 하나님에 대한 경외심을 표현하기 위해 쓰기 시작했으며 오늘날에는 일상적으로 착용한다.

걸었다. 그리고 한 시간 넘는 수고 끝에 마침내 그 화랑에 다다를 수 있었다.

초로의 인자한 그 화랑 주인분은 우리를 반갑게 맞아 주셨고, J 는 자기 소개를 했다. 우리는 그분과 함께 미국과 한국을 오가며 미술계 전반에 대한 여러 대화를 나누었고 그분은 J 가 가져온 드로잉들을 보시고 그중 한 점을 500 달러에 구매해 주셨다. 나는 그날의 수고가 헛되지 않아 너무나도 기뻤고 J 는 미국에 온 후 그의 그림으로 얻은 첫 수입이라 더 좋아했다. 물론, 집으로 돌아오는 길은 당연히 문명의 이기를 외면하지 않고 버스와 지하철을 갈아타고 편하게 왔다. 그 후 우리는 셀 수 없을 만큼 많이 그 다리를 건너다녔지만 그렇게 걸어서 건너간 적은 그때 단 한 번으로 우리 뉴욕살이 35 년 역사에 유일무이한 기록으로, J 의 말대로 잊지 못할 추억으로 고이 간직되어 있다.

미국 대학의 여름 방학은 정말 길었다. 방학 시작 무렵 뉴저지 갔을 때 겪었던 고생이 우리도 차가 있어야겠다는 생각을 갖게 했다. 뉴욕이 아무리 대중교통이 잘 되어 있는 대도시이긴 해도 차 없이 산다는 건 무척 불편하고 힘들었다. 그래서 J 는 자기보다 먼저 온 같은 과 유학생의 도움으로 퀸즈까지 가서 2500 달러 주고 하늘색 8 기통 '올즈모빌 커틀라스(Oldsmobile Cutlass)'라는 차를 사왔다. 예전 미국영화에서나 봐왔던 전형적인 미국풍의 클래식한 차였다. 비록 중고차였지만 우리에겐 첫 번째 차여서 정말 기뻤다. 드디어 우리의 뉴욕 생활이 좀 더 편하게 되었으며, 이제는 차가 있으니 남의 도움 없이 우리의 지경을 더 넓힐 수 있게 되었다. 한국 마트로 장보러 가는 일도 언제든지 필요한 때 갈 수 있었고 짜장면과 짬뽕이 그리울 때면 플러싱까지 가서 먹을 수도 있었다. 그리고 교회도 깡통밴을 타지 않고 예배 시간에 맞춰 편하게 갈 수도 있게 되었다. 제일 좋았던 건 시간이 날 때면 브루클린과 인접한 롱아일랜드(Long Island)[28]근교로 바람 쐬러 갈 수 있다는 거였다. 지도 한 장에 의지해 우리는 지도에 표시된 길이면 무작정 어디든 다녔다. 롱아일랜드는 천혜의 아름다운 자연조건을 갖춘 섬으로 수많은 비치와 낚시터가 널려 있었고, 자연과 어우러진 집들은 마치 동화에 나오는 집들처럼 너무나도 예뻤다. 도대체 이 사람들은 뭘 해서 먹고사나 하는 생각을 했었다. 선택받은 땅에서 선택받은 사람들처럼 풍요롭게 그리고 여유롭게 사는 그들이 마냥 부러웠다.

그 여름 또 하나의 잊지 못할 경험은 J 가 주말이면 맨해튼으로 거리화가(street artist)를 하러 나선 것이다. 그 시절에는 맨해튼 곳곳에서 이런 거리화가들을 자주 만날 수 있었다. 유명 배우나 정치인들의 얼굴이나 아니면 자화상을 의뢰받을 수도 있었다. 그동안 맨해탄을 다니면서 수도 없이 그들을 봐온 터라 J 는 며칠 만에 몇 개의 샘플을 만들었고, 접이식 이젤과 의자도 구입했다. 맨해튼 거리를 오가는 행인 중 주 타겟은 당연히 세계 각지에서 온 관광객들이었다. 파리의 몽마르트 언덕처럼 뉴욕은 늘 관광객들로 넘쳐났고 여름에는 더 많았다. 그들은 뉴욕에 온 기념으로 자화상을 주문하고 그려진 자기 모습을 보면서 만족하며 좋아했다. J 의 전략은 남자일 경우 '더 잘 생기게', 여자일 경우 '더 예쁘게'였다. 그래야 만족한다고들 했다.

---

28 롱아일랜드(Long Island)는 뉴욕주의 남동쪽 대서양 해안에 길게 동서로 뻗은 섬으로 서쪽 끝은 퀸즈와 브루클린으로 뉴욕시에 속하고 그 나머지 지역이 두 개의 카운티로 나뉘어져 뉴욕주에 속한다. 뉴욕시와 경계를 이루는 나소 카운티(Nassau County)와 동쪽 끝까지 섬의 2/3 가량을 차지하는 서포크 카운티(Suffolk County)가 있다.

똑같이 그려주면 자기 안 닮았다고 화를 내기도 하고 싫어한다고 했다. 인간의 심리는 동서양을 막론하고 다 똑같다는 생각이 들었다. 하지만 생각만큼 돈 벌기는 쉽지 않았고, 기껏 나갔는데 비가 쏟아져 빈 손으로 돌아올 때도 있었다. 비를 맞고서 머리와 옷이 젖은 채 들어서는 그의 모습을 볼 때면 안쓰러운 마음이 들었다. 결국, 방학이 끝나자 J의 거리화가 경험은 그 여름의 추억으로 끝이 났다.

8화

J의 세상사는 법 II - 임기응변

낚시 II, 2004, 이삭 6살 때

그 여름 유학생들 사이에서 낚시는 가장 즐기는 놀이이자 관심사였다. 바다로 둘러싸인 뉴욕이니 어쩌면 당연했다. 낚싯대와 낚싯밥만 있으면 돈이 들어갈 일이 별로 없기도 했고 또 운이 좋은 날은 저녁거리를 장만할 수도 있었기에! 차가 없었던 우리는 첫해에 차를 가진 유학생들 그룹에 섞여서 몇 번 따라간 적이 있었다. 드디어 우리도 차가 생기자, 그 남은 여름 방학 동안 낚시 장비를 챙겨서 부지런히 롱아일랜드 낚시터로 다녔다. 지금은 스마트폰에 깔려 있는 GPS 의 친절한 길 안내를 받으며 원하는 어느 곳이든 쉽게 갈 수 있지만, 그때는 달랑 지도 한 장 들고 길을 찾아가야 했고, 그마저 안될 때는 차를 세우고 길 가는 사람에게 아니면 주유소에 들어가 일일이 물어야 하는 수고로움을 겪어야 했었다. 그중 롱비치(Long Beach)[29]는 동료 유학생들과도 몇 번 왔었고 우리끼리 온 적도 있던 익숙한 곳으로 낚시를 하기에 더할 나위 없이 좋은 장소였다.

그러던 어느 날, 그 낚시터 쪽으로 가고 있었는데 경찰차에 걸렸다. J 가 유턴을 하였는데 그게 문제가 된 거였다. 갑자기 경찰차 한 대가 나타나 J 에게 차를 세우라고 지시했다. 이유 여하를 막론하고 경찰의 지시는 무조건 따라야 목숨을 부지할 수 있는 나라이기에 J 는 불안한 마음으로 일단 갓길에 차를 세웠다. 그러자 경찰은 우리 차로 다가와 J 에게 운전면허증을 보자고 했다. 그게 첫 번째 절차니까! 하지만 그때까지 J 에게는 뉴욕주 운전면허증이 없었다. 운전면허증도 없는 사람이 어떻게 차를 구매하고 등록까지 할 수 있었는지는 모르겠지만, 그땐 그랬다. 처음 와서 정신없이 학교에 다니다 보니 운전할 수 있는

---

29 롱비치(Long Beach, NY)는 뉴욕주 롱아일랜드 남쪽 해안에 가까이 붙은 섬으로 다리로 연결되어 있으며 나소카운티에 속한다.

허가증만 받은 채 실기 시험을 계속 미루고 또 미룬 시험 날짜마저 잊어버리고…. 계속 그런 상태로 시간이 흘러간 것이었다. 한마디로, 그는 세상 사는 데 필연적으로 따라다니는 그런 사회적 규약이나 규칙을 따르고 지켜야 하는 행위 자체를 싫어하고 귀찮아했다. 한번은 한국에 있는 지인에게 편지를 쓴 J 가 내게 대신 부쳐 달라고 부탁을 했다. 그래서 그 편지 봉투를 받아들고 보니 왼쪽 상단에 써야 할 발신인 J 의 이름과 주소가 오른쪽 하단에 크게 쓰여 있고, 수신인인 그 친구의 이름과 주소는 반대로 왼쪽 상단에 조그맣게 쓰여 있었다. 그래서 이렇게 하면 안 되고 반대로 써야 한다고 알려줬더니 J 는 오히려 내게 화를 내며 자기가 'TO:'와 'FROM:'을 적었으니 문제 될 게 없다고 그냥 시키는 대로 하라고 소리를 쳤다. 할 수 없이 나는 우체국에 가 우편 요금을 내고 그 편지를 보냈다. 그랬더니 며칠 후 그 편지가 다시 우리집으로 배달되었다. 결국, 아까운 우푯값만 날린 꼴이 되었다. 내가 얘기했을 때는 듣는 시늉도 안 하고 나를 고지식하다고 몰아붙이더니 J 는 그제야 머쓱해 했다. "언제 이런 게 정해졌지?" 하며. 이 지극히 간단한 규약도 따르는 걸 귀찮아하는 J 에게 운전면허증을 발급받는 과정을 따라하기란 무척 어려운 과제였을 것이다. 그의 운전허가증은 이미 유효기간이 지난 상태였고, 그 기간 안에 운전면허증을 못 땄으면 재발급을 받아야 했음에도 그는 그답게 이리저리 미루며 하지 않고 있었던 거였다. 그런 상황에서 경찰에게 걸렸으니 참으로 아찔한 위기의 순간이었다.

운전허가증도 만료된 상황에서 J 는 속으론 당황했겠지만, 겉으론 별일 아닌 듯 가지고 있던 한국 운전면허증을 태연히 그 경찰에게 건네주었다. J 로부터 건네받은 '증'이 당연히 뉴욕주에서 발행한 운전면허증일 거라고 생각했을 그 경찰은 J 가 내민 그것이 웬 알 수 없는 이상한 글씨로 쓰여 있어 읽을 수조차 없는 이상한 카드라는 사실을 알게 되자, 뚫어지게 들여다보더니 J 에게 “What the hell is this?”라고 물었고, J 는 “It’s my Korean driver’s license!”라고 능청스럽게 대답했다. 나는 J 의 기막힌 상황대처에 아연실색하였다. 한국에 사는 운전자를 위해 한국에서 발행된 운전면허증이 미국에서 통용될 리 없지 않은가? 나는 내심 그 상황이 너무 당황스러웠고 어떻게 전개될지 두려웠다. 그러자, 그는 J 에게 이렇게 반문했다. “How do I know this is your Korean driver’s license or your discotheque pass?” 요즈음 같았으면 운전면허 미소지자로 어떤 벌칙금과 함께 법적 처벌이 내려질 수도 있을 텐데 그땐 미국이 평화로운 시절이어서 그랬던지 그런 농담이 가능했던 것 같다. J 는 이런 일을 겪게 될 걸 미리 알고 답을 준비해 놓은 듯 변명을 늘어놓기 시작했다. 한국에서 온 지 얼마 되지 않아 미국 운전면허증을 아직 따지 못했고 사실 처음 가는 길이라 헤매고 있었다고. 그랬더니 그 경찰은 J 에게 어디를 가던 중이냐고 물었고, J 는 낚시터를 찾던 중이라고 태연히 대답했다. J 의 말에 그는 자기 차를 따라오라며 우리에게 익숙한 그 낚시터까지 친절하게 에스코트해 주었다. 무사히 도착하자 J 는 그 경찰에게 정말 감사하다고 인사를 했다. 그렇게 J 의 반짝이는 ‘임기응변’ 능력으로 그 아찔했던 상황이 너무 웃기는 상황으로, 장르가 ‘다큐’에서 ‘코미디’로 바뀌어 버렸다. 그 후로 J 의 이 탁월한 능력은 더욱 빛을 발했다.

그 시절 롱아일랜드 주변의 바다는 ‘물 반, 고기 반’ 할 정도로 꾼이든 초보든 누구라도 그냥 낚싯대를 물속에 내리기만 하면 물고기들이 알아서 척척 잡혀주던, 그야말로 낚시하는 사람들에겐 ‘드림랜드’였다. 본의 아니게 한편의 코미디를 찍고 온 우리는 한숨

돌린 후, 터를 잡고 저녁거리가 잡히길 간절히 바라며 둘 다 낚싯대를 바다로 힘껏 던졌다. 여름에는 광어 철이었다. 가끔 이름 모를 이상한 생김의 물고기들도 잡혔지만, 우리의 관심은 오직 광어였다. 시간이 얼마나 흘렀을까? 나는 할 일이 없어 심심했던 차에 그냥 풀었던 낚싯줄을 다시 감아올렸다. 그랬더니 언제 와서 물고 있었는지 고맙게도 광어 한 마리가 달려 있었다. 그러자 내기라도 한 듯이 연이어 J 도 광어 한 마리를 잡게 되었다. 그 시절은 물고기가 많았던 탓에 일정 크기 이하로는 못 잡게 되어 있는 규제가 지금보다는 훨씬 느슨했다. 그럼에도 우리의 저녁거리로 스스로 알아서 우리에게 와준 고마운 물고기를 혹시라도 크기 규제에 걸려 다시 바다로 돌아가게 만들까 봐 J 는 얼른 아이스박스 안으로 집어넣었다. 그렇게 저녁거리를 장만하게 된 우리는 "What a lucky day!" 라고 속삭이며 낚시를 접었다. 그리고 오는 길에 한국 마트에 들러 우리가 잡은 그 두 마리의 자연산 광어를 회로 만들어 집으로 돌아왔다. 두말할 것도 없이 그 맛은 기가 막혔고 둘이 정신없이 먹다 보니 그 회는 순식간에 사라졌다. 그렇게 그날의 해프닝은 행복한 결말로 끝이 났다.

J 의 그 빛나는 '임기응변' 은 내게는 없는 신비한 능력이었다. J 는 자신의 그 능력을 '융통성' 혹은 '순발력' 이라 불렀고, 이 능력은 우리가 살아가는 동안 유용하게 쓰이므로 꼭 지녀야 할 매우 기본적인 요소라고 늘 강조했었다. 하지만 내게는 경이롭기까지 한 그 능력이 없었고, 그 이유로 J 에게 늘 '고지식' 하다는 말로 비난을 받아왔었다. 그날 그의 반짝이는 기지로 위기 상황이 해결되는 걸 보았기에 나도 그의 그 '임기응변' 능력을 갖고 싶었지만, 그 재주는 타고나는 듯 그렇게 생겨 먹지 않은 나 자신을 억지로 하루아침에 바꿀 수도, 바뀌지도 않았다. 답답했지만 그의 비난에 침묵할 수밖에 없었다.

그때까지 나는 예상외의 상황에 대처하는 기술이 없었다. 나의 삶은 늘 예상 가능한 범위 안에 있었고, 그래서 준비된 답만 있으면 문제 될 게 없었다. 그리고 나의 타고난 성향 자체도 '임기응변'과는 거리가 멀었다. 그런데 미국으로 건너와 결혼한 성인으로 살아가려니 그동안 한국에서 살았던 나의 삶은 그냥 예비 시험을 위한 연습문제 풀이에 지나지 않았다는 걸 알게 되었다. 문제는 예비 시험과 달리 본시험은 출제 예상문제집에서 풀었던 문제들보다 더 어렵고 또 가끔은 생각지도 못했던 엉뚱한 문제들이 나타나 우리를 곤경에 빠뜨릴 때도 있다는 사실이었다. 늘 그렇듯 예상치 못한 시간에, 예상치 못한 문제들로 크고 작은 어려움을 당하는 게 우리네 인생이다. 그럴 때마다 '정면돌파'하려는 의지보다는 피하고 싶거나, 누가 나 대신 해결해 주거나, 아니면 아예 처음부터 그런 일들이 발생하지 않기를 바라는 나였다. 그럼에도 이제 본시험은 시작되었고 나는 문제들을 하나씩 풀어나가야 했다.

9화

첫 홀로서기

바람의 노래, 1996
Lithography & Silkscreen

지금도 그 첫해를 떠올려 보면 나 못지않게 J 또한 얼마나 힘들었을까 싶다. KATUSA(Korean Augmentation To the United States Army)에서 군복무를 한 J 는 한국에 살면서도 미국에 산 듯한 경험을 거의 3 년가량 했었고 미국으로의 유학도 꿈꿔왔던 터라 나보단 훨씬 미국살이에 적응하기가 여러 면에서 쉬웠을 것이다. 그럼에도 학교 개강이 임박해서 온 탓에 J 는 시차 적응도 못 한 채 첫 학기를 시작해야 했고, 여러 과목에서 쏟아지는 과제며 시험 등으로 한동안 정신없는 시간들을 보내야 했다. 그런데 든든한 조력자 역할을 기대하며 함께 온 아내라는 사람은 아이처럼 혼자 할 수 있는 일도 없고 매일 자기만 바라보고 의지하고 있었으니, 그의 입장에선 속이 터지는 일이었을 것이다.

태어나서 20 대 중반이 되도록 사실 나는 부모님이 잘 구축해 놓은 보호막 안에 안락하게 거주하며 자기주도적인 삶을 살지 못했었다. 그런 내가 졸업 후 학교라는 울타리마저 없어지고 나니 이제 소속감도 없어지고 대신 막연한 불안감이 나를 따라다녔다. 그전까지의 내 삶은 늘 어디에 소속되어 그 보호막 아래서 남을 의지하며 사는 데 익숙한 인생이었다. 신체 나이로는 벌써 성년이었지만 정신적으로는 아직 유년기에 머물러 있던 아이였다. 그런 내가 결혼한 성인으로, 그것도 아는 사람 하나 없는 이국땅에서 J 에게만 의지한 채 살아가려니 나의 외면은 꿈을 향한 도전에 한 발자국 다가선 모습으로 행복하게 보였을지 모르나, 나의 내면 한구석에는 행복을 느끼지 못한 채 여지껏 살면서 짊어져본 적 없는 무거운 책임감을 지고 살아가고 있었다. 그렇게 J 와 나는 서로의 다른 입장은 이해하지 못한 채 낯선 이국땅에서 부부로서 함께 살아가려니, J 는 J 대로 나는 나대로 서로에게 내적인 불만이 점점 쌓여가고 있었다.

그러다 J 의 내적 불만이 한계점에 다다른 어느 날, J 는 내게 폭탄 발언을 했다. 내가 자기의 '내조자'가 아니라 '혹'이라고! 순간 화가 나서 그냥 뱉은 소리가 아니라 그동안 참고 참아오다 마음속에 담아뒀던 말을 뱉고 있다는 게 느껴졌다. 그러자 나는 명색이 남편이라는 사람이 자기 아내 입장을 이해하고 보듬어 주지는 못할망정 어떻게 뼛속까지 아픈 그런 말을 할 수 있나 싶어 J 가 미웠고 너무나도 서운했다. J 는 내가 더는 의지하며 살아갈 그런 대상이 아니라는 생각에 외로움을 느꼈다. 안그래도 내 자신이 한심하게 느껴지고 있던 차에 남편으로부터 그런 뼈아픈 말을 들으니 정신이 번쩍 들었다. J 가 처음으로 내게 한 충격요법이었다. 그리고 그 효과는 바로 다음 날로 나타났다.

아침에 아무 내색도 않고 있다가 J 가 학교에 가고 난 뒤 혼자 처음으로 지하철을 타고 맨해튼으로 향했다. 32 가 한인타운에 있는 '고려서점'으로 가서 TOEFL 책 한 권을 사고 맞은 편에 있던 한국 마트인 '한아름'에서 장을 봐 집으로 돌아왔다. 그리고 저녁에 집으로 온 J 에게 사온 책을 보여주며 전날 밤잠 설쳐가며 생각한 내 계획에 대해 얘기했다. 나도 대학원 진학을 목표로 준비하겠다고. J 가 졸업할 때 맞춰 나도 대학원에 들어가 내 꿈을 이루겠다는 뜻을 전했다. J 는 어제 자기가 한 폭탄 발언으로 그러는 줄 알고 "Oh, man!"하며 어이없어 했다. 하지만 J 는 나의 다음 계획은 몰랐다. 내가 더는 말하지 않았으니까! 그다음 날 아침, J 가 학교로 가자마자 나는 언니에게 전화를 걸어 오늘 오후에 내려가려는 내 계획을 알렸고, 갑작스런 방문 소식에 언니는 무슨 일인가 궁금해 했지만 자초지종은 만나서 얘기하겠다며 전화를 끊었다. 그러곤 바빠졌다. 며칠 동안 J 가 먹을 음식을 만들어야 했기 때문에. 우선 전기밥솥에 밥을 해 두고 며칠 먹을 국

그리고 밑반찬 등을 만들어 냉장고에 넣어 두고, 마지막으로 J 가 점심으로 먹을 수 있게 좋아하는 유부초밥을 만들어 접시 위에 보기 좋게 올려 놓았다. 그러고 나서 식탁에 두고 잘 보이게 옆에다 짧은 메모를 남겼다. 이렇게…. "나 언니네 가~ 점심 맛있게 먹어!" 그리고 고이 밥상보로 덮었다.

이미 시간이 많이 지체되었기에 나는 J 와 마주치지 않게 서둘러 집을 나와 곧장 지하철역으로 향했다. 그 전날 이미 한번 맨해튼까지 혼자 다녀온 터라 이제는 두려울 것도 없었다. 우리 동네에선 맨해튼까지 곧바로 가는 지하철 노선이 없었으므로 두 정거장을 가서 내려 다시 맨하탄 42 가에 있는 고속버스 터미널로 향하는 다른 전철로 갈아타야 했다. 어제의 짧은 여행과는 달리 오늘의 여행 목적지는 맨해튼이 아니라 언니네가 있는 필라델피아였으므로 내겐 큰 용기가 필요한 첫 도전이었고 첫 홀로서기였다. 한국에 살 때도 혼자서 여행한 경험이 없었던 나였다. 한국도 아닌 미국에서 처음 하는 도전이라 살짝 불안하기도 했지만 이젠 때가 온 걸, 그리고 더는 이렇게 살아서는 안된다는 굳은 결의가 내 안에 움츠려 있던 나를 일으켜 세웠고, 이제는 세상 밖으로 나오라고 나를 이끌며 걸음을 경쾌하고 당당하게 만들었다. 그 큰 터미널에서 사람들에게 물어물어 매표소를 찾았고, 왕복표를 살까 편도표를 살까 순간 고민하다 매표소 직원에게 물었다. "Hi! Can I have a one-way ticket to Philadelphia?" 그리고 그레이하운드 버스에 가볍게 몸을 실었다.

처음으로 떠나보는 혼자만의 여행은 내게 기쁨과 자유를 가져다 주었다. 해냈다는 자신감과 그 전날 계획한 모든 일이 계획대로 다 이루어졌음에 안도하며 차창에 비치는 내 모습을 보며 뿌듯해 했었다.

버스는 곧 터미널을 빠져나와 링컨 터널(Lincoln Tunnel)[30] 을 건너 이내 뉴저지로 진입했다. 처음 뉴욕에 도착한 날 밤, JFK 공항에서 필라델피아로 향했던 그 고속도로가 내 앞에 펼쳐졌다. 미국영화에서만 봐왔던 그레이하운드 버스여행을 지금 이렇게 나 혼자 하고 있다니…. 나 스스로 생각해봐도 놀라운 발전이었다. 설레는 마음으로 2 시간 반쯤 지났을까, 저 멀리 필라델피아 다운타운의 스카이라인이 그림처럼 한눈에 들어왔다. 그리고 곧 벤자민 프랭클린 다리(Benjamin Franklin Bridge)를 건넌 버스는 시내 중심에 있는 터미널로 안전하게 승객들을 모셔다 놓았다. 버스를 타기 전 언니에게 몇 시 도착 예정인지 공중전화로 알려주었지만, 버스가 완전히 멈춰 서자 갑자기 '혹시 언니를 못 만나면 어떡하지?' 하는 불안감이 스쳤다. 하지만 이미 엎질러진 물이고 언니네 전화번호도 알고 있던 터라 이내 걱정을 떨쳤다.

버스에서 내리자, 잠시나마 했던 걱정도 무색하게 미리 도착해서 나를 기다리고 있던 언니를 곧 발견할 수 있었다. 그 시절 언니는 내게 엄마와도 같은 존재였다. 비록 두 살밖에 차이 나지 않았지만. 언니가 미국에, 그것도 마음만 먹으면 쉽게 만날 수 있는 가까운 곳에 살고 있어 얼마나 의지가 되고 위안이 되었는지 모른다. 나는 신혼에 신랑과 싸운 후 친정으로 보따리 싸 들고 온 철없는 새색시처럼 엄마를 만난 듯 언니를 보자 반갑게 껴안았고, 둘이서 집으로 오는 길에 쉴 새 없이 그동안의 일을 털어놓았다. 언니네는 내게 친정이었다. 조카랑 놀아주며 오랜만에 즐거운 시간을 보내다 저녁이 되자 식사 준비를

---

30 링컨 터널(Lincoln Tunnel)은 맨해튼 미드타운과 뉴저지주를 연결하는 약 2.4 킬로미터의 해저터널로 1937 년에 처음 가운데 통로를 개장하였다.

하는 언니를 도왔다. 언니도 결혼하기 전에는 집안일은커녕 요리라곤 해본 적이 없었는데, 내가 가서 보니 이미 베테랑이 되어 있었다. 이제 결혼 5 년 차에 접어드는 아직도 젊은 주부였는데도 언제 누구에게 배웠는지 정말 못 하는 게 없었다. 늘 김치를 담그고 가을엔 겨울 동안 먹을 김장까지 하고 심지어 고추장까지도 집에서 담가 먹는다고 했다. 그동안 얼마나 갈고 닦았는지….

우리는 엄마의 집밥을 모르고 자랐다. 왜냐하면, 엄마는 전문직에 종사하셨고 그래서 우리집엔 늘 가사일 돌보는 언니나 아줌마가 계셨다. 우리는 유아기부터 그 아줌마가 해 주는 밥을 먹고 자랐다. 그래서 친정엄마의 집밥을 그리워하는 딸들을 보면 한편으로는 부러우면서도 다른 한편으론 훗날 그리워하게 될 것 중 어쩌면 가장 그리울 수 있는 엄마의 집밥에 대한 기억이 없다는 사실이 나는 차라리 다행이라 생각했다. 살다 보면 누구에게나 그리운 것들이 하나둘씩 쌓여 갈 거고, 그런 그리운 것 중 한 가지라도 적은 게 나중에 나를 덜 힘들게 할 테니까. 그런 나에게 언니가 정성껏 만들어 주던 언니의 집밥은 엄마의 집밥이었다. 그리고 결혼 전까지 나와 다르지 않았던 언니가 몇 년 사이 이런 엄마가 되기까지 얼마나 힘들었을까 생각하니 안쓰러웠다.

한편, 그날 점심 먹으러 집에 들른 J 가 밥상보를 젖히고 내가 써놓은 그 메모를 본 순간 얼마나 놀랐을까? 스마트폰 하나만 있으면 어디에 있든지 연락할 수 있는 요즘 같지 않던 그 시절에 달랑 쪽지 한 장 남기고 아내가 사라졌으니…. 내가 제대로 언니네를 찾아 가기는 했을지 연락이 닿았을 때까지 노심초사했을 것이다. 그리고 그 말의 파장이 그렇게 커질 줄도 몰랐을 것이다. 아마 J 자신조차 – 부디 내가 자극받아 변화되길 기대했던, 아니면 그냥 화가 나서 뱉었던 – 그렇게 빠르게 자기 아내가 달라질 줄은 생각조차 하지 못했을 것이다. 하지만 그의 극약처방은 단번에 내게 '독'이 아니라 '약'이 되었다. 지금까지 J 로부터 들었던 그 말을 기억하는 걸로 봐서 아주 쓴 '독 같은 약' 이었다. 지금 돌이켜 생각해 봐도 그때 처음으로 용기를 낸 나 자신에게 참 잘했다고 칭찬해주고 싶다. 그리고 그 주말에 J 는 나를 데리러 필라델피아로 내려왔다. 그렇게 내 인생에서 첫 홀로서기 도전은 성공적으로 끝이 났고, 마침내 나는 알을 깨고 세상 밖으로 나온 병아리가 되었다.

10화

첫 일터

꿈, 1991
Etching & Aquatint

어느덧 일 년이 지나고 두 번째 가을로 접어들 무렵, 친정아버지 쪽으로 가깝지도 멀지도 않은 친척 한 분이 우리 교회가 있는 그 플러싱에 살고 계시다는 사실을 엄마로부터 듣게 되었다. 그분은 똑똑한 외동딸의 교육을 위해 늦게 이민을 오셨고 그 딸은 엄마의 헌신에 보답하여 수재들만 간다는 캘리포니아에 있는 한 명문대를 나와 직장을 잡은 후 독립했으며 그 숙모는 혼자 플러싱에 살고 계신다고 하셨다. 그리고 엄마 덕분에 우리는 그분과 연락이 닿아 어느 날 그 댁으로 초대를 받아 갔었다. 그분에 대한 엄마의 사전 정보로 대강은 알고 있었지만, 과연 들은 대로 그분은 나와는 정반대로 생활력이 엄청나게 강하셨고 도전정신이 삶의 원동력인 분이셨다. 그 후 J 와 나는 가끔씩 그분의 초대로 주말 저녁에 가서 향토색 짙은 그리운 집밥을 먹을 수 있는 행운을 누렸고, 또 그분에게서 미국살이에 필수적인 다양한 생활정보도 얻을 수 있었다.

우리의 형편을 아셨던 숙모는 그해 가을 선뜻 내게 당신의 옷가게에서 일주일에 세 번씩 나와 일할 수 있겠냐는 제안을 하셨다. 드디어 나도 혼자서 무언가를 할 수 있다는 생각에 기뻤고 그 일로 우리의 식비 정도는 해결할 수 있다고 생각하니 감사했다. 지난번 '홀로서기' 이후 이젠 혼자서 지하철 타고 다니는 건 '식은 죽 먹기'였고, 영어로 간단한 대화 정도는 할 수 있었다. 숙모 가게는 여성의류 전문 옷가게로, 이스트 강(East River)을 사이에 두고 맨해튼과 마주보고 있는 퀸즈의 롱아일랜드시티(Long Island City)라는 동네에 있었다. 지금은 이 동네가 브루클린처럼 맨해튼 못지않게 비싸고 번화한 지역으로 변모하였지만 그 당시엔 공장들이 많고 주변에 고층 아파트 같은 주거용 건물은 하나도 없는, 큰 길가에 볼품없는 상가들만 있는 그런 곳이었다. 미국에 온 후, 윤 집사님네 세탁소에서 일한 경험을 빼면 나의 첫 일터이기도 했고, 부모님의 면을 생각해서 난 숙모를 도와 열심히 일했다. 나의 주된 업무는 판매였지만 손님이 없을 때는 숙모가 시키는 일이라면 이것저것 뭐든 했었다. 은행 가는 일, 매장 청소, 쇼윈도 디스플레이, 신상 옷 바느질 상태 체크와 진열, 재고 확인 등…. 그런데 나중에 알았다. 시키는 일만 잘해선 안 된다는 걸. 안 시켜도 눈치껏 알아서 일을 척척 해야 한다는 사실을. 그 시절 나는 사회초년생처럼 시키는 일만 열심히 하면 되는 줄 알았다. 사실이 그랬으니까!

그 동네 공장들은 유대인들 소유였다. 흔히들 뉴욕을 'Jewish'의 'Jew'를 따서 'Jew York'이라고 부를 만큼 유대인, 그들의 파워는 막강하다. 세계 인구로만 생각하면 소수이지만 미국 내에선 세계 경제의 중심인 뉴욕 메트로폴리탄[31]일대에 삼분의 일 정도가 모여 살 정도로 그들은 그들의 힘을 뭉쳐 뉴욕을, 아니 미국의 정치, 경제, 문화, 교육 등 전반을 움직이는 실세로 살고 있었다. 그래서 미국 명절이나 유대인 명절이 되면 거리는 한산했다. 특히, 그들의 명절은 하루가 아니고 일주일가량 되는 긴 명절도 있었다. 그 기간 공장주들은 그들의 명절을 지키기 위해 공장을 다 닫았고, 그러면 덩달아 숙모 옷가게에도 손님이 없었다. 왜냐하면, 주 고객이 그 동네 공장에서 일하는 젊은 여성들이었기에.

미국에서는 직장 여성들이 같은 옷을 연달아 이틀을 입지 않는다는 걸 숙모 가게에서 일하면서 알게 되었다. 동료들 사이에 외박한 사실을

---

31 뉴욕 메트로폴리탄(New York Metropolitan)은 뉴욕시에 인접한 뉴저지주와 코네티컷주(Connecticut)을 포함한다.

알리는 꼴이 되기에. 누구든 외박한 다음 날 아침에는 반드시 숙모 가게로 급하게 뛰어들어와 저렴한 옷을 산 후 곧장 탈의실에 들어가 새 옷으로 갈아입고 나갔다. 그리고 주급 받는 날이 되면 봉투째 들고 와 또 어김없이 옷을 사갔다. 힘들게 일해 번 돈을 저축할 생각은 하지 않고 이렇게 쉽게 써버리나 하는 생각이 드니 나는 그들의 소비 행태가 이해되지도 않았고 못마땅했지만, 주인인 숙모 입장에선 손님 한 명이라도 더 와야 비즈니스를 이어갈 수 있었으니 누구든, 어떻든 반가울 수밖에 없었다.

그러다 점심 후 손님이 끊길 때면 난 거리 청소도 하곤 했다. 우리 가게 옆집은 피자 가게였는데, 사람들은 먹은 후 종이접시를 길거리에 있는 이미 쓰레기로 꽉 찬 공중휴지통에 던지거나 아니면 아무렇지 않게 거리에 그냥 버리고 가곤 했다. 그러니 그 피자 가게 앞은 늘 지저분했다. 그런데 바람 부는 날이면 그 종이쓰레기들은 어김없이 우리 가게 앞으로 날아왔고 그럴 때마다 내가 나가서 우리 가게 앞을 쓸어야 했다. 상가 앞은 항상 깨끗해야 하는 게 뉴욕 법이기 때문이다. 그렇지 않으면 벌금이 부과된 티켓을 받는다. 바람이 심하게 불던 어느 봄날, 날아드는 쓰레기들을 치우느라 우리 가게 앞 인도를 쓸고 또 쓸던 나는 문득 파란 하늘을 쳐다보며 '내가 거리 쓰레기 치우려고 뉴욕에 왔나…' 하는 자조적인 생각을 했었다. 긍정적인 마음으로 내가 어느덧 뉴욕 사회의 일원이 되어 뉴욕의 한 모퉁이를 깨끗하게 청소하고 있구나! 어차피 해야 할 일을 이런 긍정적인 마음으로 했더라면 능률도 오르고 기분도 좋았을 텐데 그땐 철이 없어서 그런 생각을 하지 못했었다.

미국에서는 대개 가을로 접어들면서 모든 비지니스 매출이 늘어나기 시작한다, 할로윈(Halloween)을 시작으로 추수감사절과 크리스마스 시즌이 이어지기 때문이다. 하지만 숙모 가게는 가을이 되어도 매출이 늘어나기는커녕 점점 줄어드는 것 같았다. 가을에는 유난히 유대인의 명절이 많았고, 그때마다 공장들이 문을 닫으니 우리 가게의 주 고객이었던 일하는 여성들도 오지 않아 거리도 정말 한산하게 느껴졌다. 추수감사절 기간에도 가까스로 버티던 숙모는 일 년 중 가장 바쁜, 최고의 매출을 찍는 시즌인 크리스마스가 있는 12 월조차 매상 2000 달러 남짓의 믿기 어려운 기록을 얻게 되자 이듬 해 1 월, 결국 가게문을 닫는 힘든 결정을 하셨고 내게 그간의 사정을 말씀하셨다. 나로서는 일년이 넘도록 숙모를 도와 열심히 일한다고 애썼음에도 숙모께 별 도움이 되지 못했던 것 같아 죄송한 마음이 들었다. 그 당시 시간 당 최저 임금은 5 달러 정도였는데 나는 일주일에 세 번 가서 일한 대가로 90 달러를 받았었다. 하지만 그 마지막 주에는 주급으로 100 달러를 받았다. 보너스로 10 달러를 더 주신 거였다. 그 와중에도 나를 챙겨주시는 숙모의 마음이 느껴져 그동안 잘 보살펴 주셨음에 감사의 인사를 드렸다.

그리고 마지막 퇴근길 저녁은 지금도 잊지 못하는 순간으로 내게 남아있다. 퇴근 시간이 되자, 가게에 두고 지냈던 스웨터 등 기타 소지품을 챙겨 숄더 백에 넣고 그 100 달러짜리 지폐만은 지갑에 넣지 않고 청바지 앞 주머니 안에 있는 작은 비밀 주머니에 고이 접어 넣었다. 지금도 100 달러가 적은 돈은 아니지만, 그 당시 우리에겐 큰돈이었고 마지막 주급으로 받은 소중한 돈이었기에…. 혹시나 하는 생각에서 그랬는지 아니면 나 자신조차 가지고 있는 줄도 몰랐던 무슨 예지력 때문이었는지, 그 소중한 마지막 주급을 그렇게 꼭꼭 숨긴 뒤 나는 숙모와 작별을 했다. 가게를 나와 보니 거리는 이미 깜깜해져 있었고, 여느 때처럼 집으로 가는 'G' 전철을 타기 위해 서둘러 지하철역 계단으로 뛰어 내려갔다.

그 당시 나는 이미 뉴욕의 지하철을 꿰뚫고 있던 '도사'가 되어 있었으므로 뉴욕의 어느 곳에서 무슨 지하철을 타든 기차 몇째 칸에 타야 우리집과 가장 가까운 출구로 나갈 수 있는지를 정확히 알고 있었다. 생각 없이 아무 칸에 그냥 타면 내려서 인적이 드문 지하 통로를 혼자서 오래 걸을 수도 있었기에. 가장 짧은 시간에 지하를 빠져나와 보다 안전한 지상으로 올라올 생각으로 항상 계산해서 지하철을 탔었고, 그즈음엔 그게 습관이 되어 있었다. 그만큼 우리 동네는 안전하지 못했고 늘 긴장 속에 사는 게 몸에 밴 상태였다. 그래서 가장 가까운 출구로 나가기 위해 G 전철을 탈 때면 항상 첫 번째 칸을 이용했었다.

우리 동네는 지하철 이용객이 늘 많지 않았다. 그날 저녁도 퇴근 시간이었음에도 기차 안에는 사람들이 별로 없었고, 내가 내려야 할 우리 동네 역에 다다랐을 때 내리려고 일어서는 사람은 나 말고는 프랫 학생으로 보이는 한 젊은 남자뿐이었다. 기차가 서서히 승강장에 들어와 멈출 즈음에 나는 차창 밖으로 승강장 끝 어두컴컴한 구석에 서 있던 한 남자와 눈이 마주쳤다. 직감적으로 그에게서 아프리카 초원의 덤불 뒤에 숨어 먹잇감을 얻으려고 조용히 기회를 엿보고 있는 맹수의 눈빛을 느꼈다. 순간 '내리지 말까?' 하는 생각도 스쳤지만 내리지 않을 수도 없는 상황이어서 애써 태연한 척, 내 직감이 틀렸기를 바라며 마치 무리에서 이탈되지 않으려는 새끼 영양처럼 나와 같이 내리려는 그 남학생이 나의 동행인처럼 보이기를 마음 속으로 간절히 바라며 그의 뒤를 바짝 따라붙어 내렸다. 그러나 그 남학생은 행동이 어찌나 빠르던지 이미 나를 앞질러 계단을 성큼성큼 뛰어올라 출구를 빠져 거리로 사라졌고 나도 그의 뒤를 이어 빠르게 계단을 올라가고 있던 그때, 뒤에서 누군가가 순식간에 강한 힘으로 내 가방을 낚아챘다. 그 순간 나는 뒤로 넘어질 뻔하며 동시에 온 몸에 흐르던 피가 멈춘 듯한 충격으로 그 자리에 얼어붙었고 나도 모르게 본능적으로 "악!" 하고 비명을 질렀다.

그때 내 비명이 얼마나 컸던지 나를 앞질러 먼저 올라가 내 시야에서 사라졌던 그 남학생이 다시 뛰어 내려왔다. 그리곤 이내 상황을 파악하고 다가와 괜찮냐고 물었고, 그제야 나도 고개를 돌려 내가 직면한 그 상황을 볼 수 있었다. 그는 재빨리 승강장 바닥에 패대기쳐진 채 흩어져 있던 내 스웨터와 소지품 등을 다시 가방 안에 담은 후 내게 가져다주었다. 소매치기범은 그 짧은 시간에 내 지갑만 빼낸 후 가방을 던지고 달아난 것이었다. 하지만 그 시절 내 지갑 안에는 내세울 만한 그 어떤 것 – 운전면허증, 은행 직불 카드, 크레딧 카드, 학생증 등 – 도 없었다. 아마 그날 내 지갑 속에는 뉴욕시 공립 도서관 이용카드와 몇 달러가 들어 있었을 것이다. 그의 수고도 무색하게! 그 시절 나는 아직 이곳의 사회 구성원으로 살아가는 데 필요한 여러 기본적인 것들은 갖추지 못한 채 살고 있었다. 그 불운을 수습한 뒤, 그 친절한 남학생은 내게 집이 어디냐고 묻고는 몇 블록 떨어진 우리집까지 동행해 주었고 내가 계단을 올라가 현관문을 열고 들어갈 때까지 지켜봐 주는 매너도 잊지 않았다. 그와 함께 걸어오면서 정말 감사하다고 마음을 다해 인사는 했었지만 큰 충격 탓에 그 외엔 어떤 말도 그에게 건네지 못했었다. 그의 얼굴도 기억하지 못하고 누구인지도 모르지만, 그의 친절함과 고마움은 내 평생 잊지 못한다.

신약성경에 나오는 강도 만난 사람의 진정한 이웃이 되어준 '선한 사마리아인'처럼 곤경에 처한 나를 외면하지 않고 기꺼이 도와준 그 사람 덕분에, 첫 일터에서의 마지막 날은 불운을 겪었음에도 내게는 감사한 마음과 함께 따뜻한 기억으로 남아있다.

11 화

J 의 세상사는 법 III - 좌충우돌

J & Me, 1992
Mixed Media on Board

우리를 차 없는 불편에서 해방해 주었던 첫 번째 차 '올즈모빌'과의 인연은 그리 길지 못했다. 가을로 접어든 어느 주말 낮, 집에 들러 점심을 먹은 후 다시 작업하러 학교로 간다며 아파트를 나선 J 는 계단을 내려가더니 사색이 되어 금방 다시 올라왔다. 그리곤 내게 집 앞에 세워 둔 우리 차가 사라졌다고 말했다. 그의 말에 놀라 나도 J 를 따라 황급히 내려가 보니 바로 집 앞에 세워 뒀다는 그 큰 차가 정말 흔적도 없이 사라지고 없었다. 사실 그즈음 J 는 우리 차에 대해 계속해서 불평을 늘어놓고 있었다. 엔진 경고등에 늘 불이 들어와 있었고 온갖 소음도 났으므로 운전할 때마다 짜증을 내곤 했었다. 그 사실이 떠오르자, 나는 차가 알아서 주인을 떠난 것 같다는 생각이 들었다. J 에게 대낮에 어떻게 이런 일이 집 앞에서 일어날 수 있냐고 따졌더니 그제야 차문 잠그는 걸 깜빡했던 거 같다고 실토하였다. 난기가 막혀 그걸 말이라고 하냐며 화를 냈지만 이미 엎질러진 물이었다. J 도 당황했는지 "분명 여기 세웠는데…" 하며 중얼거리더니 같이 동네를 돌아보자고 하였다. 우리는 아이 잃어버린 부모처럼 온 동네를 몇 시간 동안 정신없이 헤매며 찾아다녔다. 그러다 헛수고인걸 안 우리는 한 가닥 희망을 안고 결국 경찰서에 차 도난신고를 하기로 하고 가까운 경찰서를 찾았다. 하지만 그곳의 경찰은 그런 일에 익숙하다는 듯, 대수롭지 않은 듯 놀라지도 않았다. 아마 강아지를 잃어버렸다는 이야기를 들었다면 더 관심을 보였을 것 같았다. 마지못해 경찰은 J 와 우리 차의 정보를 도난신고 서류에 적어 보라는 식이었다. 그걸로 끝이었다. 그 후로 차를 찾았다는 소식은 오지 않았다. 우리의 생활은 다시 차 없던 때로 돌아갔고, 차가 있다가 없어지니 모든 게 더 불편하게 느껴졌다.

그래서 J 는 할 수 없이 또 지난번 차를 살 때 도움받았던 그 친구와 가서 이번엔 2000 달러를 주고 크라이슬러(Chrysler)에서 만든 검정색의 'New Yorker Fifth Ave'라는 뉴욕스런 멋진 이름이 붙은 차를 사왔다. 고전적인 고급스러운 외관과 인테리어 소재가 낡긴 했어도 그 느낌이 남아있는 걸로 보아 그 차가 새 차였을 때는 그 이름처럼 엄청 품위 있게 살았을 것 같았다. 그러나 그 차의 가장 돋보이는 특징은 차의 모든 문제를 '말'로 하는 것이었다. 보통의 다른 차들과는 달리, 그 차는 일일이 말로 알려줬다. 처음에는 그게 너무 신기하고 재미있었다. 한국에 살 때 즐겨보던 미국 드라마 '전격 Z 작전(Knight Rider)[32]'에서 주인공 '마이클'이 타는 차 이름이 '키트(KITT)'였는데, 그 '키트'는 사람처럼 마이클과 말로 대화하며 마이클이 위험에 처할 때면 언제 어디서나 달려와 우리의 주인공 마이클을 구해 주었다. 그 '키트'처럼 말을 하는 그 차가 너무 재미있었다. 그래서 나는 우리의 두 번째 차에게 '키트'라는 애칭을 붙여 주었다. 하지만 우리에게 올 때 그의 나이는 먹을 대로 먹은 뒤여서 안타깝게도 기력이 거의 소진되어 가던 때였다. 그러니 딱 J 가 지불한 돈만큼의 가치만이 남아있었다. 우리가 안전벨트를 안 했으면 "Please fasten your seatbelt!"라고 얘기하고, 듣고 실행하면 "Thank you!"라고 인사했다. 밤에 헤드라이트 끄는 걸 잊으면 "Please turn off the headlights!", 문이 덜 닫혔으면 "Please close the door!" 정말 말이 많은 친구였다. 그런데 무엇보다 귀가 아프게 많이 들었던 말은 "…… malfunction." 하는 소리였다. 2000 달러짜리 낡은 중고차가 온전할 리 없지 않은가? 하지만 그걸

---

[32] 전격 Z 작전(Knight Rider)은 미국 NBC 에서 1982 년 9 월 26 일부터 1986 년 8 월 8 일까지 방영된 범죄 액션 TV 시리즈로, 한국에서도 1985 년부터 1987 년까지 방영되었다.

모르는 '키트'는 계속해서 자기의 고장난 부분을 알리는 걸 멈추지 않았고, 우리는 아랑곳하지 않고 '키트'를 데리고 다시 주말이면 바람을 쐬러 다니기 시작했다.

어느 청량한 가을 주말, 아름다운 단풍으로 물든 가을 경치를 만끽하려고 뉴저지 허드슨 강변을 따라 이어진 '9W'라는 길를 타고 계속해서 북으로 올라갔다. 그 길은 뉴저지주에서 다시 뉴욕주로 이어졌고 무작정 어디를 가겠다는 계획도 없이 드라이브만 한 우리는 마침 내려오는 길에 웨스트포인트(West Point)라는 길 표지판을 보자 그 유명한 미국 육군사관학교(United States Military Academy)[33]떠올라 한번 들러보기로 하였다. 학교로 내려가는 중에 '키트'는 기름이 다 되어간다고 알려주었고 우리는 학교에 들어서자 일단 기름부터 넣어야겠다는 생각에 주유소부터 찾기 시작했다. 학교 캠퍼스를 돌던 중 마침 주유소가 보였고 반가운 마음에 가서 보니 가격도 아주 저렴했다. 그 시절에는 시골로 다니다 주유를 할 때, 먼저 주유를 하고 자기가 주유한 만큼 돈은 옆에 있는 매점 같은 곳에 가서 내는 방식이었다. 그래서 J는 반갑게 주유부터 하기 시작했다. 가득 채운 후 돈 내는 곳으로 가니 "ID Please!"하는 남자의 목소리가 들렸다. '기름 넣는데 무슨 신분증을 보여달라고 하나…' 생각하며 잠시 머뭇거렸지만, J는 할 수 없이 프랫 학생증을 보여주었다. 프랫 학생증이야 당연히 그 학교에서나 통하지 그게 여기서 통하지 않을 거란 걸 알았지만 어쩔 수 없었다. 그때까지도 J에게 있던 신분증은

---

[33] 미국 육군사관학교(United States Military Academy, USMA)는 1802년 7월 4일에 창립된 미국 육군의 장교 양성기관으로 사관생도에게 4년간의 소정 교육을 실시한 후 졸업과 동시에 육군 소위로 임관시키고 이학사(Bachelor of Science) 학위를 수여한다.

프랫 학생증이 전부였다. 하다못해 뉴욕주 운전면허증도 아니고 프랫 학생증을 본 그 남자는 지난 번 그 경관처럼 "What the hell is this?" 하며 어이없어 하였다. 알고 보니 그 주유소는 일반인이 아닌 그 사관학교에 소속된 직원, 학생이나 군인 그리고 그 가족들에게만 허락된 곳이었다. 그래서 세금이 공제 되어 기름값도 쌌던 것이었다. 그런데 기름은 우리 차에 이미 가득 채워진 뒤였기에 그 남자는 할 수 없이 J가 내민 돈을 받았다. 웨스트포인트사관학교에서 일반인으로서 주유한 사람은 아마 J 밖에 없지 않을까? 그러고도 몇 달이 지나서야 비로소 J 는 운전면허증 받는 데 필요한 과정을 다 거쳐 마침내 뉴욕 주민으로 살아가는데 가장 중요한 뉴욕주 운전면허증을 받게 되었다.

그리고 이듬해 봄, '키트'와 또다시 잊지 못할 추억을 만들었다. 일주일이나 되는 봄방학이 다가오자 나는 버지니아주 블랙스버그(Blacksburg, Virginia)에 소재한 버지니아텍(Virginia Tech)[34] 에서 공부하고 있던 친구를 만나기로 하고 계획을 세웠다. J 도 별다른 계획이 없었고 무엇보다 아직 자동차로 장거리 여행을 해본 적이 없던 때여서 안 그래도 어디론가 가고 싶던 차에 잘 됐다고 하였다. 드디어 방학이 시작되던 날, 우리는 지도 한 장에 의지해 '키트'와 함께 아침 일찍 길을 떠났고, 꼬박 하룻길이 걸려 깜깜한 저녁 시간이 되어서야 겨우 친구 집에 도착할 수 있었다. 스마트폰도 GPS 도 없던 그 시절에 처음 가는 길을, 그것도 깜깜한 밤에 어떻게 찾을 수 있었는지 지금 생각해도 놀라울 따름이다. 오랜만에 만난 친구와 나는 서로 반가워 얼싸안았고 한국 마트도 없던 그 동네에서 친구가 J 와 나를 위해

---

[34] 버지니아텍(Virginia Tech)은 Virginia Polytechnic Institute and State University 를 줄여서 부른 이름으로 주립 공과대학교이다.

정성껏 만든 된장찌개로 함께 저녁을 먹으며 그동안 밀린 수다를 떨다 늦은 밤이 되어서야 잠자리에 들 수 있었다.

다음 날, 늦은 아침을 먹은 J와 나는 친구의 안내로 학교 캠퍼스를 둘러보았다. 그 학교는 뉴욕의 학교들과는 달리 드넓은 푸른 초원을 캠퍼스로 가진 평화로운 곳이었지만 뉴욕처럼 볼거리 다양한 도시에 이미 익숙해져 버린 J에게는 그냥 무료한 곳이었다. 딱히 더 구경할 곳도 없자, J는 내게 다시 뉴욕으로 돌아가자고 했다. 어제 10시간 동안 운전하며 친구 집을 찾느라 고생하고 겨우 하룻밤 자고 아침에 잠깐 학교 둘러본 게 전부인데 다시 뉴욕으로 돌아가자는 J를 이해하려야 할 수가 없었다. 친구도 말이 안 된다며 어떻게 그 먼 길을 달려와 하룻밤만 자고 갈 수 있냐고. 그럴 거면 뭐하러 왔느냐며 서운해 했지만, J에겐 말이 안 될 게 없었다. 할 수 없이 친구와 나는 아쉬운 작별을 했고, 하룻밤밖에 쉬지 못한 '키트'에게 미안했지만 우리는 다시 뉴욕을 향해 길을 떠났다.

여행을 떠날 때 지도 담당은 늘 내 몫이었다. 장거리여행을 할 때 가장 빠르고 편한 방법은 주간 고속도로(interstate highway)를 이용하는 것이다. 하지만 편한 만큼 주변에 볼거리도 없는 무미건조한 길이다. 그걸 좋아할 J가 아니었다. 아니나 다를까 고속도로를 얼마쯤 타고 가다 길이 지루하고 재미없으니 J는 워싱턴 디시(Washington D.C.)[35]까지 다른 길을 찾아보라고 했다. 기왕 올라가는 길이니 구경해

---

35 워싱턴 디시(Washington D.C.)는 미국의 수도로, 정식 명칭은 'District of Columbia'이다. 미국 어느 주에도 속하지 않는 독립 행정구역이며, 메릴랜드주(Maryland)와 버지니아주(Virginia) 사이에 위치해 있다.

가며 올라가자는 것이었다. 나도 그런 생각이 들던 차여서 그의 의견에 동의하고 지도를 열심히 들여다보기 시작했다. 그러다 그 고속도로와 나란히 달리고 있는 애팔래치아 산맥(Appalachian Mountains)을 따라 이어진 산길을 발견하여 J 에게 지도를 보여 주며 "어때?"라고 물었더니 J 도 흔쾌히 좋다고 했다.

산을 타기 전 초입에 있는 주유소에 들러 기름을 가득 채우고 우리는 여유롭게 자연을 벗 삼아 노래를 들으며 기분 좋게 서서히 올라갔다. 봄이라 따뜻한 햇살에 나무들은 새싹을 틔우고 이름 모를 노란 들꽃들도 무리를 지어 우리를 반겼다. 한참을 올라가다 보니 산 위의 풍경은 산 아래와는 사뭇 달랐다. 앙상한 나무들이 겨울잠에서 깨어나지 않은 듯 산 아래 봄소식을 아직 접하지 못한 듯 보였다. 이윽고 산 정상에 올라 지도에서 본 그 길을 실제로 접어드니 그 길은 마치 삼각형에서 윗부분의 각을 살짝 잘라낸 뒤 남겨진 절단면처럼, 좌우 양쪽 다 앙상한 나무들 사이로 가파르게 경사진 계곡이 그대로 보이는, 좁은 왕복 2 차선의 위험천만해 보이는 그런 산길이었다. 마주 오는 차도 없고 따라오거나 앞서 가는 차도 없는, 그런 끝도 없을 것 같은 그 길을 굽이굽이 두 시간 넘게 타고 갔다. 가득 채웠던 기름마저 점점 줄어들자 우리는 조금씩 불안해지기 시작했다. 이미 처음의 즐거움은 사라진 뒤였고 이러다 '키트'에게 무슨 문제라도 생기면 꼼짝없이 고립돼 죽을 수도 있겠단 생각이 드는 순간 포기하고 내려가기로 결정했다. 다시 고속도로로 돌아와 지도를 보니 그동안 우리가 그 아슬아슬한 산길을 타고 간 거리가 고속도로로는 고작 출구 두세 개 지난 것과 같았다. 얼마나 기가 막히던지. 참으로 무식이 용감했던 시절이었다. 스마트폰도 없던 그 시절에 노쇠한 차를 가지고 그 산꼭대기 길을 간 사람은 아마 우리 밖에 없지 않을까?

그렇게 느지막이 별난 주인을 만나 고생도 많이 했지만, 충견처럼 묵묵히 자기 소명을 잘 감당해 주던 '키트'는 그해 여름에 명을 달리 했다. 나중에는 시동조차 걸리지 않는 채로 학교 파킹장에 오래 머무르며 마지막 운명을 기다렸다. J 는 'FOR SALE: Needs Work' 라고 적은 사인판을 차의 앞유리창에 잘 보이게 두었는데 어떤 사람이 와서 사 갔다. '움직이지도 못하는 차를 어디에 쓰려고 사나?'라고 생각했지만, J 의 말인즉 그게 중고차의 마지막 수순이며 그런 차들은 폐차장으로 가서 거기서 또 쓰임을 받는다고 했다. 그 사실을 알게 된 나는 그동안 우리와 동고동락을 했던 '키트'가 그런 마지막 길을 떠난게 마음이 아팠다.

12 화

꿈을 향하여 I - 나의 첫 판화수업

춤추는 사람들, 1991
Etching & Aquatint

사실 옷가게를 하시던 숙모는 화가이셨다. 나는 숙모의 도움으로 옷가게 일을 하면서도 추가로 약간의 돈을 더 벌 수 있었다. T-셔츠 공장에서 셔츠 앞면의 이미지를 실크스크린[36]으로 프린트하기에 앞서 필름에다 색분리를 해야 하는 과정이 있는데 그 기법을 숙모로부터 배웠다. 그 당시 뉴욕에서는 세계적인 관광지답게 관광객들을 대상으로 엄청나게 멋지고 재미난 디자인의 T-셔츠가 불티나게 팔리고 있었기 때문에 많은 한국분이 T-셔츠 제조업을 하고 계셨다. 나는 돈을 더 벌 수 있었기 때문이 아니라 공부하기로 마음먹은 분야가 판화였기 때문에 이 일이 더 재미있었다. 비록 상업적인 프린트였지만 실크스크린 제작 방법은 같았으므로 학교 진학하기 전에 이런 기회를 가질 수 있어 기뻤다. 한국에서 대학원을 다닐 때도 전공이 서양화여서 판화에 대해서는 알지 못했고 경험도 없었다. 그런 내가 판화 전공을 지망하게 된 것은 판화에서만 느낄 수 있는 그 특유의 매력에 끌리기도 했지만, 일단 계획을 세우고 또 그 과정 하나하나를 밟으면서 만들어 가는 판화 제작의 특성 자체도 내 성격과 잘 맞았기 때문이었다.

그해 가을부터 숙모로부터 전해 들어 알게 된 맨해튼 57 가에 있는 '아트 스튜던트 리그(The Art Students League of New York)[37]' 이란 재미난 학교에 등록해 다닐 수 있게 되었다. 19 세기 후반에 세워진 그 유서 깊은 학교는 미국사람들뿐 아니라 세계 각지에서 온 유학생들로 붐볐지만, 학위를 주는 학교는 아니었다. 순수미술을

---

36 실크 스크린(silkscreen or serigraph)은 판화, 인쇄기법 중 하나이다. 판의 재료로 실크가 사용되기 때문에 이러한 이름이생겼다. 판의 구멍 부분을 통과하는 잉크가 도안이 되므로, 판화 기법 중에서는 공판화로 분류된다.

37 아트 스튜던트 리그 오브 뉴욕(The Art Students League of New York)은 1875 년에 설립되었으며 American Fine Arts Society 에 속한 미술학교이다.

사랑해서 배우고 싶은 누구나 그냥 원하는 실기 수업을 선택해 들을 수 있었다. 그런 학교이기에 학생들의 연령층은 정말로 다양했다. 나보다 어려 보이는 학생들로부터 할머니, 할아버지에 이르기까지…. 다들 하고 싶은 걸 하면서 사는 삶에 대한 자긍심이 있었고, 그래서 행복해 보였다. 또 그만큼 열정적이었으며 진지했다. 나도 그들과 함께 신세계를 향한 나의 도전에 설레며 고무되었다. 그리고 그때는 일단 판화 공부를 시작하는 게 중요했으니까 학위 따위는 중요하지 않았다. 그래서 동판화[38]와 석판화[39]두 실기 수업을 선택해 숙모 가게에 나가지 않는 이틀 동안 학교에 다니며 미국 온 후 처음으로 내 꿈을 향해 한 발자국 다가갈 수 있게 되었다.

두 수업 다 '마이클'이란 선생님이 맡으셨다. 그분은 몇십 년 동안 판화를 해오셨고 가르치고 계셨던 장인이며 대가이셨다. 난 그 선생님을 만난 첫 순간부터 그분을 좋아하게 되었다. 그분에게서는 대가의 카리스마가 느껴졌다. 그분 밑에서 전통적인 기법으로 하나하나 기초부터 배울 수 있게 된 것만으로도 정말 좋았다. 미국에 온 후 지내왔던 이전의 삶과는 다른, 나의 새로운 삶이 시작되는 것 같아 더없이 행복했다. 그 선생님에게 나는 그에게서 판화를 배운 수많은 학생 중 한 명이겠지만, 내게 그 선생님은 나를 판화의 세계로 입문하게 해 준 나의 첫 판화 선생님이셨다.

---

[38] 동판화(Etching)는 질산, 염화제이철 등을 사용해서 금속(동, 아연 등)면을 부식시켜 판을 만든 것으로 대표적인 오목판화이다.

[39] 석판화(Lithography)는 석판 (limestone)위에 이미지를 그려 평판 인쇄에 의해 작품을 찍어내는 기법이다. 물과 기름의 반발작용을 이용한 평판화이다.

학교에 가는 화요일과 목요일이 좋았다. 비록 일주일에 이틀뿐이었지만 내가 '나'로 사는 날이어서 더 좋았다. 남들에게 내가 누구의 무엇도 아닌 다시 '소영'으로 불리는 게 좋았고, 잃었던 '나'를 되찾은 듯했다. 우리 반에는 세계 여러 나라에서 온 유학생들도 있었고 미국사람들도 있었다. 처음으로 다양한 나라에서 온 사람들을 만나고 친구로 사귈 수 있는 기회를 얻게 되었고 그들은 처음이라 낯설어하는 내게 먼저 다가와 주었다. 가을학기를 시작한 첫 주의 석판화 수업 때, 계수대에서 석판화용 돌을 갈고 있었는데 한 유학생으로 보이는 남학생이 다가와 내가 새로 온 학생인 걸 알고 말을 건넸다. "Hi, nice to meet you! What's your name?" 미국에서는 처음 만나는 사이일 때 일반적으로 통성명부터 하니까. 그래서 나는 잘 기억할 수 있도록 또박또박 "So Young!"이라 답했다. 그랬더니 그 남학생은 내게 "What is your first name?"이라고 다시 천천히 물으며 이 쉬운 질문도 못 알아들으면서 어떻게 미국에서 공부를 할 수 있겠느냐며 진심어린 충고를 하였다. 나는 어이가 없어 "That's my name!"이라고 대답해 주었다. 그랬더니 그는 사과하는 대신 오히려 "What kind of name is like that?"이라고 반문하며 이해할 수 없다는 표정을 지었다. 이제는 내가 내 이름으로 불리게 되어 '나'를 되찾은 것 같아 좋다고 생각했는데, 뜻하지 않게 내 이름은 그렇게 이상하고도 웃기는 이름이 되었다. 이십대였던 그 시절에도 'So Young!'이었고 예순이 넘은 지금도 'So Young!'인 것이다.

그동안 나는 종이에 곱게 프린트된 판화 작품들만 봐왔지 그 제작 과정에 대해서는 세세히 알지 못했었다. 마이클 선생님 밑에서 배우면서 판화 작업이 얼마나 육체적으로 힘든 과정을 거치는지 알게 되었다. 석판화도 말이 석판화지 돌 대신 석판화용 알루미늄 판에다 그림을 그리기도 한다. 하지만 마이클 선생님은 이미지를 프린트했을 때 돌판에다 한 것이 알루미늄 판에다 한 것보다 훨씬 그 느낌이 좋다고 하셨고 차이 또한 한눈에 알아볼 수 있다고 하셨다. 특히, 입문하는 학생들에겐 완전 정통 방식을 고수하셨고, 그 첫 단계는 '라임스톤(limestone)'이라는 돌을 가는 작업부터 시작되었다. 맷돌처럼 생긴 그라인더를 돌판 위에 올린 다음, 구석구석 손으로 돌려가며 돌판 전체의 표면이 아주 매끄럽고 그리고 평평하도록! 완전히 장인정신이 깃든 진지한 자세로 임해야 했다. 돋보기안경을 낀 마이클 선생님이 매의 눈으로 확인한 후 "Okay!" 사인을 해야 그다음 작업으로 넘어갈 수 있었다. 동판화도 마찬가지였다. 맨 첫 단계는 무조건 금속판을 갈아야 했다. 윗면은 물론, 판의 네 모서리까지 잘 갈아서 날카로운 모서리가 부드러운 곡선이 되어야 마지막 단계인 판에 새긴 이미지가 프린트될 때 종이에 눌린 판의 가장자리가 예쁘고 깔끔하게 나오기 때문이다. 그 시절 나는 판화 작품이 수면 위에 피어있는 '연꽃' 같다는 생각을 했었다. 대중에게 보이는 판화 작품들은 매우 깔끔하고 아름다운 데 반해, 그 제작 과정은 마치 수면 밑의 진흙탕처럼 매우 지저분하고 복잡했기 때문이다. 대부분의 사람들은 곱게 그리고 깨끗하게 피어있는 연꽃만 보지 그 밑에 있는 진흙탕은 생각지 않는다. 그전까지는 솔직히 나도 그랬다.

이 힘든 판화 작업은 왜소한 내게 체력적인 한계를 느끼게 할 때가 많았다. 한번은 동판화 수업 때 도움받으려는 기대조차 하지 않고 작업을 이어가고 있었는데, 실기 수업을 같이 듣던 한 아저씨 같은 분이 내가 딱해 보였던지 다가와 내 작업을 도와주셨다. 그리고 그의 도움으로 작업이 좀 더 수월하게 끝이 났을 때 감사의 인사를 드렸다. 그랬더니 그는 내게 손을 내밀며 "Give me five!"라고 하였다. 순간

속으로 'five 다음 뭐지? 농담삼아 팁으로 5 달러를 달라는 소린가?' 너무 간단한 말인데 그 말이 무슨 뜻인지 몰랐다. 처음 들어봤으니까! 어떤 반응을 보여야 할지 몰라 망설이고 있는데, 그는 내가 이해 못 한 걸 눈치채고 민망하지 않게 내민 손바닥을 흔들며 다시 "Give me five dollars!" 라고 하면서 웃었다. 그제서야 누가 나에게 그렇게 말하면서 손을 내밀 땐 나도 내 손바닥으로 그의 손바닥을 가볍게 맞장구쳐야 하는 상황임을 알아차렸다. 그때 멋쩍을 수도 있는 그 상황을 위트로 받아넘기는 미국사람의 센스가 부럽고 참 좋았다. 그렇게 나는 느리지만 조금씩 미국을 배워갔고, 내 꿈을 향해 한 걸음씩 나아갈 수 있었다.

13 화

J 가 세상사는 법 IV - 막무가내

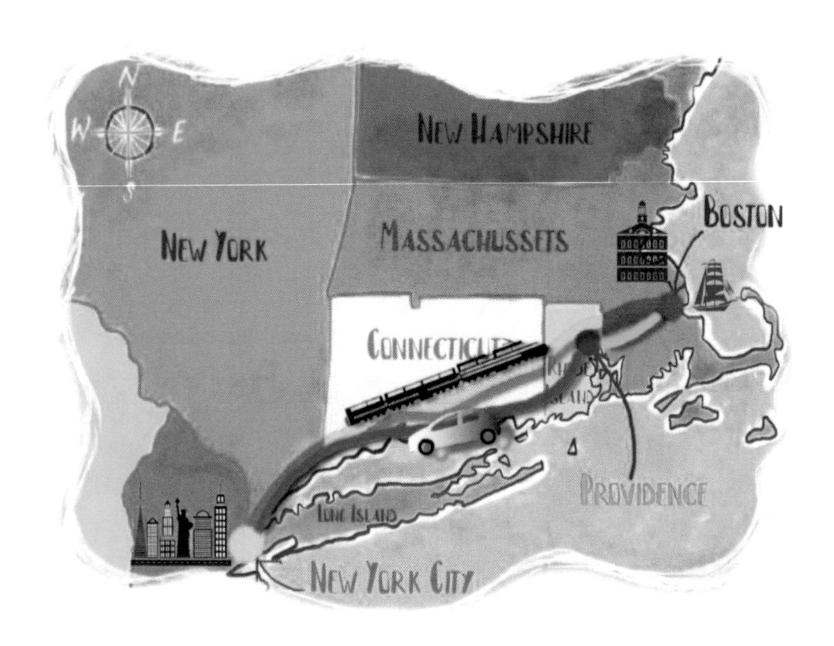

첫 뉴잉글랜드 여행_1991, 2023

'키트'를 아쉽게 떠나보낸 후, 우리는 또다시 차를 사야 하는 처지가 되었다. 그러던 늦여름 주일예배 후 J 는 교회분들과 점심을 먹다가 어느 분으로부터 보스턴(Boston)[40]에 가면 뉴욕보다 더 좋은 상태의 차를 훨씬 저렴하게 살 수 있다는 얘기를 들었다. 귀가 얇은 J 는 집으로 돌아온 후 내게 보스턴으로 중고차를 사러 가면 어떻겠냐고 물었다. 그분의 말을 듣자마자 J 는 이미 사실로 받아들였고, 늘 즉흥적으로 결정을 하는 J 는 자기의 의견이 어떤지 물어보는 게 아니라 마음 속으로는 벌써 보스턴을 향해 달리고 있었다.

고속도로 중에 Brooklyn-Queens Expressway(BQE)로 불리는 '278'이라는 도로가 있다. 그 도로는 우리가 처음 왔을 때도 하고 있던 공사가 몇 년이 지나도록 끝이 보이지 않았다. 게다가 엄동설한이 지나고 봄이 오면 도로에는 여기저기 깊이 패인 구덩이들이 지뢰밭처럼 깔려 있어 운전자를 당황케 했다. 브루클린에 살고 있었지만 생활의 중심이 퀸즈에 있었던 우리로서는 타지 않으려야 않을 수 없었던 그 도로를 '공포의 278'이라 불렀다. 이런 이유로 뉴욕의 중고차들은 당연히 상태가 좋지 못한 걸로 알려져 있었고, 이미 J 에게는 두 번의 중고차를 소유한 경험이 있었던 터라 그분의 말이 사실인지 확인할 새도 없이 보스턴으로 가서 차를 사기로 마음을 먹은 것이었다.

---

40 보스턴(Boston)은 매사추세츠(Massachusetts)주의 주도이며 미국에서 가장 오래된 도시 중 하나이다. 하버드, MIT 등 세계적인 대학들이 모여 있다. 뉴욕시에서 보스턴까지의 거리는 약 215 마일(348km)로 차로 약 4 시간 소요된다.

무슨 일을 시작하기에 앞서 계획 세우는 일 자체를 싫어하고 늘 즉흥적으로 살아왔던 J 였지만 이번에는 나름대로 계획을 세웠다. 계획은 간단했다. 2 박 3 일 일정으로 야간열차를 타고 아침에 보스턴에 도착해서 중고차 대리점을 찾아가 차를 산 후, 그다음 날 보스턴 일대를 구경하며 내려온다는 그럴싸한 계획이었다. 정말 그의 말대로 순조로이 이루어진다면 나쁘지 않은 정도가 아니라 미국사람들이 즐겨 쓰는 말, "Great!" 그 자체였다. 그때까지 뉴잉글랜드(New England)[41] 쪽으론 한번도 여행해 보지 못한 때여서 나도 딱 좋은 계절에 더할 나위 없는 좋은 계획이라고 생각했다.

우리는 8 월 마지막 주말을 날로 잡고 실행에 옮겼다. J 는 아침에 맨해튼에 있는 펜스테이션(Penn Station)[42] 으로 전화를 해 기차 시간을 확인했고 은행에 들러 큰마음 먹고 현금 4000 달러를 찾아왔다. 두 번의 중고차 경험으로 2000 달러대 차로는 그리 오래 타지 못할 거라는 걸 이젠 알았기 때문이었다. 오후에 간단하게 베낭에다 여행짐을 꾸렸고 그날 밤 10 시 경에 집을 나섰다. 보통 때 같았으면 집 밖으로 절대 나서지 않았을 시간대였지만 밤차를 타고 가면 1 박 비용을 절감할 수 있었기에 J 는 그 위험한 방법을 선택했고, 고민은 그 많은 현금을 어디에 넣어야 안전할까 하는 것이었다. J 는 고심 끝에 등산용 긴 양말을 신고 돈다발을 둘로 나누어 양말 안에 넣고 긴 바지를 입어 완전하게 가렸다. 그리고 지갑에는 당장 쓸 돈과 혹시 모를 비상시를 대비해 개인수표 한 장도 넣었다. 마치 히말라야 등반을 앞둔 원정대처럼 반드시 성공하고 돌아오겠다는 비장한 각오를 다지고 그

[41] 뉴잉글랜드(New England)는 미 북동부 지역의 6 개 주, 매사추세츠주, 코네티컷주, 로드아일랜드주, 버몬트주, 메인주, 뉴햄프셔주를 이르는 말이다.

[42] 펜스테이션(Penn Station)은 맨해튼 미드타운에 있는, 북미에서 가장 바쁜 기차역이다.

밤에 우리는 길을 떠났다. 우리 동네와는 달리 야심한 시간에도 맨해튼의 기차역에는 수많은 여행객들로 붐비고 있었다. 다들 각자의 사연을 가지고 어디로 가려고 우리와 비슷한 모습으로 이렇게 나와 있는지. 역에 도착하자 그제야 조금 안심이 되었다. J 는 먼저 보스턴행 기차표 2 장을 샀고 거기에는 'DEPARTURE 3:00AM, ARRIVAL 8:00AM' 이라고 쓰여 있었다. 기차표를 손에 들고 보니 정말로 여행 가는 게 실감이 났다. 나 혼자였으면 죽었다 깨어나도 못했을 그 여행의 첫날은 그렇게 시작되었다.

우리는 한참을 기다려 보스턴행 기차에 오를 수 있었고 잠깐씩 눈을 붙이며 불편한 1 박을 기차에서 보냈다. 그러는 동안 기차는 쉼 없이 달렸고, 창밖으로 훤히 동이 터오는 걸 보면서 보스턴이 가까워지고 있음을 알 수 있었다. 마침내 기차는 정각 8 시에 보스턴의 기차역에 우리를 데려다 놓았다. 그 역은 대도시답게 많은 사람으로 붐볐고 모두 바쁘게 어디론가로 사라졌다. 우리는 어디로 가야 중고차 대리점을 만날 수 있는지를 알아봐야 했지만 모두들 빠른 걸음으로 우리 옆을 지나치니 마땅히 누구를 붙들고 물어야 할지도 막막했다. 그러던 중, J 는 그 많은 사람 중에서 가장 시간이 많아 보이는 한 남자에게 다가가 말을 걸기 시작했다. 그는 역 앞에서 구걸하기 위해 앉아 있던 홈리스(homeless) 남자였다. J 는 그에게 뉴욕에서 중고차를 사러 왔는데 보스턴이 초행길이라 모르니 어디로 가면 좋을지 알려 달라고 말을 걸었다. 별 기대를 하지 않고 있었는데 J 는 그에게서 무슨 지하철을 타고 어디로 가라는 뜻밖의 정보를 얻을 수 있었다. 우리는 고마움의 표시로 1 달러를 주었고 그의 말대로 지하철을 탔고 40 여분이 지나 한 외곽지의 중고차 대리점들이 모여있는 동네로 올 수 있었다.

하지만 괜찮은 중고차를 사기란 생각처럼 쉬운 일이 아니었다. 그 와중에 우연히 한 한국분을 만나 보스턴에 대한 정보를 듣는 소중한 기회를 얻을 수 있었다. 그분이 우리를 보고 웃으면서 도대체 누가 그런 소리를 했느냐고. 중고차 시세도 뉴욕과 별반 차이도 없을 뿐 아니라 중고차 시장 규모도 뉴욕보다 작으니 같은 값에 더 못한 차를 사게 될 수도 있고 고르기도 쉽지 않을 거라고 하셨다. 그러고 보니 보스턴은 뉴욕보다 더 눈이 많이 오는 추운 겨울을 보내고 물가도 뉴욕 못지 않게 비싼 곳인데…. 왜 그땐 그 생각을 하지 못했을까? 우리의 야무진 꿈은 보스턴에 도착한 첫날부터 금이 가기 시작했다. 하루종일 발품을 팔며 찾아다녔지만 우리 차를 만나지 못했고 해는 기울기 시작했다. 할 수 없이 내일을 기약하며 우리는 택시를 타고 기사에게 가까운 아무 모텔이나 가자고 했다. 그리고 얼마가 지났을까, 택시 기사분은 어딘지도 모를 보스턴 외곽에 있는 한 모텔에 우리를 내려주고 떠났다.

모텔 오피스에 들어선 J 는 하룻밤을 지낼 방 하나를 달라고 오피스에 앉아 있던 남자에게 말을 건넸다. 직원인지 주인인지 모를 초로의 그 남자는 “ID and Credit Card, please!”라고 응답했다. 이번에는 크레딧카드가 문제였다. 그때까지 J 에게는 크레딧카드가 없었다. 일상생활에서는 불편을 몰랐기에 크레딧카드는 만들 생각조차 하지 않고 살았었다. 왠지 빚진 사람으로 사는 느낌이 싫어서…. 그래서 J 는 현찰로 선불하겠다고 했더니 그는 단호하게 “No!”라고 외쳤다. 이유는 혹시 모를 사건·사고에 대비해서 숙박하는 사람의 신분을 확실한 기록으로 남겨야 하는 숙박업의 법규 때문이었다. 그러니 숙박만큼은 현찰이 소용이 없었다. 차도 없이 크레딧카드도 없이 숙박을 해야 했던 우리는 난감해졌다. 그렇지만 이런 상황에서 물러설 J 가 아니었다. J 는 그에게 크레딧카드 없는 사람은 모텔에서 잠도 못 자느냐고 언성을 높이며 주먹으로 프런트 데스크를 내리쳤다. 그러자, 깜짝 놀란 그는 "Okay, okay!" 하며 방값을 받았다. 그렇게 J 만의 방법으로 그 고단했던 하루를 그곳에서 쉬어갈 수 있게 되었다.

방으로 들어온 우리는 차가 없으니 나갈 수도 없었고 이미 날은 완전히 캄캄했던 터라 방에 비치되어 있던 중국음식점 전단지를 보고 음식을 배달시켜 허기진 배를 채웠다. 이후 씻고 휴식을 취하고 있는데, J 는 방 안을 둘러보다 지역 신문이 있는 걸 발견하고 항목별 광고에서 중고차 매매란을 유심히 들여다보기 시작했다. 그러더니 밤 10 시도 넘은 시각이었는데 한 곳으로 전화를 돌렸다. 아침에 그 홈리스 남자에게 했던 그 말을 시작으로. "Believe or not, I'm from New York to buy a used car…" 그러면서 우리가 묵고 있던 모텔 주소를 주며 신문에서 차 판다는 광고를 보고 전화하게 되었다고. 지금 우리 모텔로 와서 차를 보여줄 수 있느냐고 물었다. 설마 올까 싶었는데 한 시간이 지나서 어떤 차 두 대가 모텔 앞마당으로 들어오는 게 보였다. 보아하니 아버지와 아들 같았다. 혹시 차가 팔리게 될 경우를 대비해 아버지가 함께 온 것이었다. J 는 그 한밤중에 시운전을 해 보러 그들과 떠났고, 얼마가 지났을까 모텔로 돌아왔는데 마음에 들지 않는다고 했다. 우리는 미안했지만 그렇다고 내키지 않는 차를 살 수도 없는 노릇이었다. 그 바람에 그들의 수고는 헛수고가 되었고 그들은 다시 각자의 차를 타고 떠났다. 그 야심한 시간에 웬 정신 나간 사람의 장난 전화로 생각하지 않고 아버지와 아들이 함께 찾아와 주었건만 그 차는 우리 차가 될 운명이 아니었던 것이었다.

다음 날 아침 지도를 보며 고심하던 J 는 보스턴 아래 뉴욕과 더 가까운 로드아일랜드(Rhode Island)[43] 의 주도인 프로비던스(Providence)에 가보자고 하였다. 그래서 모텔에서 다시 택시를 타고 가장 가까운 역으로 와서 기차를 기다렸다. 하지만 그곳은 간이역이어서 프로비던스까지 바로 가는 기차가 없었고, 다른 방도를 찾을 수 없었던 우리는 프로비던스 방향으로 가는 가장 이른 시간의 기차에 차표 없이 올라탔다. 잠시 후 역무원이 지나가며 검표를 하기 시작했다. 그래서 J 는 푯값을 내려고 하자, 그 역무원은 J 에게 "How old is your daughter?"라고 물었다. 이유는 아이의 푯값은 어른의 반값 정도였기 때문이었다. 그의 물음에 J 는 딸이 아니라 아내라고 말했다. 그랬더니 그는 J 를 째려보았다. 아마도 나쁜 치한 정도로 생각하는 듯하였다. 이런 일은 이따금 일어났었다. 그들은 동양인 얼굴에 익숙지 않아 좀처럼 나이를 알아맞히지 못했다. 그럴 때면 J 는 내 실제 나이를 알려 주었다. 그러면 그들은 내게 "You look so young!"이란 칭찬 아닌 칭찬을 했고, 그러면 J 는 다시 "She is So Young!"이라며 내 이름까지 친절하게 공개했다. 그렇게 순식간에 내 신상은 내 뜻과는 무관하게 공개되었고, 주위에서 듣고 있던 사람들은 한바탕 웃곤 했었다. 그렇게 얼마 동안 기차를 타고 가다 다시 다른 교통수단으로 갈아타야 하는 지점에 이르게 되었고, 결국, 우리는 그곳이 어딘지도 모르는 채 내려야만 했다.

프로비던스가 많이 가까워졌기를 바라며 이젠 철로를 따라 걷기 시작했다. J 의 뒤를 따라가다 '키트'와 버지니아로 여행갔을 때

---

[43] 로드아일랜드(Rhode Island)는 미국에서 가장 작은 주로, 뉴잉글랜드 지역의 일부이며 초기 13 개 식민지의 하나로 독립 당시부터 존재하였다.

애팔래치아 산맥의 능선을 따라 이어진 아슬아슬한 산길을 가다 느꼈던 '이러다 죽으면 아무도 모르겠구나!'라는 두려움과 'J 와 살다 보면 앞으로도 계속해서 이런 일을 겪을 수 있겠구나!' 하는 불안감이 나를 찾아와 발걸음을 더욱 무겁게 만들었다. 그렇게 가다 보니 어느새 멀리 고속도로가 보이고 옆에 간이 휴게소 같은 건물이 보였다. 그러자 갑자기 구세주를 만난 듯 반가운 마음에 내 발걸음은 다시 가벼워졌고 J 를 따라 그곳을 향해 열심히 걸어갔다. J 는 그곳에서 공중전화를 찾아 콜택시를 불렀다. 그때 그 지점을 어떻게 정확하게 알려줬는지는 기억이 나지 않는다. J 는 전화했었고 우리는 고속도로변에서 택시가 오기를 마냥 기다렸었다. 그 후 정말 택시가 왔었는지조차 모른다. 왜냐하면 고속도로변에서 기다리고 있는 우리 앞으로 어떤 픽업트럭 한 대가 멈춰 섰고 어디까지 가느냐고 물어 프로비던스라고 했더니 타라고 해서 살짝 망설이다 그의 차를 타고 그곳을 떠났기 때문이다. 그렇게 우연하게 만난 그 젊은 남자 덕분에 우리는 미국영화에서처럼 '히치하이킹(hitchhiking)'을 해서 프로비던스 다운타운까지 편하게 오게 되었다. 오는 동안 우리의 사정을 듣게 된 그는 헤어질 때 "Good luck!"이라며 인사했고, J 는 한사코 사양한 그에게 커피라도 사 마시라며 고마움의 표시로 10 달러를 건넸다. 한국사람의 예절이라고 강조하며. 그에게서 받은 정보로 우리는 지하철을 타고 중고차 대리점들이 모여있는 동네로 갔다.

그때까지 브루클린 집을 나설 때 신었던 그 등산용 양말을 J 는 3 일째 신고 있었고 그 속에 현금 3000 달러를 지니고 있었다. 이미 처음 가지고 떠났던 돈에서 3 일이 지나니 점점 줄어들어 이제는 찻값으로 쓸 수 있는 돈이 3000 달러밖에 되지 않았다. 나머지는 집에 도착할 때까지 쓸 돈으로 가지고 있어야 했기 때문에. 이윽고 어느 대리점에 도착한 우리는 이곳에서 우리 차를 만나야만 했다. 우리를 보자 눈이 빛나기 시작한 그들은 다가와 물었고 J 는 어제처럼 같은 레파토리를 다시 읊었다. 이번에는 특히 이 말을 덧붙였다. “I have three thousand dollars in cash and hide it somewhere of my body, but I cannot tell you in which part of my body!” 코미디 같았지만 J 로서는 진지했다. J 의 말을 듣더니 그들은 더욱 반짝이는 눈으로 우리에게 차 한 대를 보여 주었다. 마즈다(Mazda)에서 만든 은색 해치백(hatchback) 스타일의 작지만 깨끗한 차였다. 그 차는 첫눈에 우리를 사로잡았다. 역시 그들은 프로였고, 우리에게 보여준 그 차는 비록 중고차였지만 반짝반짝 빛나고 예뻤다. 하지만 그 차는 4000 달러짜리였다. 찻값으로 쓸 수 있는 돈이 3000 달러밖에 없었던 우리는 망설였지만 이젠 달리 방법도 없었다. 돈은 점점 줄어들고 있었고 이미 오후로 접어든 때여서 지체하다간 오늘 안으로 집에 못 돌아갈 수도 있겠다는 생각이 우리 마음을 더 조급하게 만들었다. 할 수 없이 J 는 혹시나 해서 가져온 개인수표를 쓰기로 했다. 그렇게 해서 J 는 3 일 동안 양쪽 다리 양말 속에 고이 숨겨왔던 현금 3000 달러와 개인수표로 1000 달러를 만들어 지불하고서 그 빛나는 은색의 귀여운 차를 우리의 세 번째 반려차로 가질 수 있게 되었다. 그 대리점에서 제안한 방법은 자동차 타이틀(Vehicle Title)을 자기들이 가지고 있다가 그 수표가 입금이 되면 그때 우편으로 보내주겠다는 것이었다. 그들의 제안에 좀 찜찜했지만 그쪽 입장도 이해해야 했다. 도대체 뭘 믿고 처음 만난 사람의 개인수표를 받을 수 있단 말인가. 그렇게 협상을 끝내고 우리 차를 인계받으니 벌써 어둑해지고 있었다.

마침내 3 일간의 힘든 여정을 끝내고 이제 우리 차와 함께 집으로 돌아갈 수 있게 된 것이었다. 비록 계획했던 보스턴 구경은 이미 첫날

물 건너갔고 이후 고생만 톡톡히 했지만, 그 여행의 주된 목적이었던 우리 차를 만나 함께 집으로 돌아갈 수 있다고 생각하니 눈물이 날 만큼 기뻤고 감사했다. 그러고는 자동차에 비치된 매뉴얼도 숙지하지 못한 채 우리는 서둘러 그곳을 떠나야 했다. 깜깜한 밤이 되어 뉴욕으로 돌아오는 길에 비가 오기 시작했는데 와이퍼 작동하는 법도 몰라 고속도로변에 비상등을 켠 채 매뉴얼을 들여다본 기억은 아직도 생생하다. 정상 정복이 목표인 히말라야 원정대처럼 떠났던 우리의 첫 뉴잉글랜드 여행은 그렇게 성공적으로 끝을 맺었고 우리에게 평생 잊지 못할 추억이란 선물을 가져다주었다. 물론, 그 후 일주일쯤 지나 기다리던 자동차 타이틀을 우편으로 받게 되었고, 그 귀여운 우리 새 차에게 나는 '은별이'라는 예쁜 이름도 붙여주었다.

14 화

꿈을 향하여 II - "Step by Step!"

Once Upon a Time, 1996

Silkscreen & Lithography

1991년 5월 J는 드디어 졸업을 하게 되었다. 나는 그동안 준비해왔던 TOEFL 시험을 미리 치르고 이후 대학원 입학에 필요한 절차를 하나씩 밟아나가고 있었다. 내가 선택한 학교는 뉴욕시립대학교(CUNY) 중 하나이며, 맨해튼 할렘(Harlem)[44]에 소재한 '시티칼리지(The City College of New York)[45]'라는 과거의 명성을 지닌 학교였다. 시립이라 학비도 사립보다 훨씬 저렴했고 나의 지인이 다니고 있던 터라 미리 학교를 방문할 기회도 얻을 수 있었다. 미대 규모는 작았지만 각각의 전공에 따라 필요한 모든 설비를 잘 갖추고 있어 마음에 들었고, 비록 위치는 할렘이지만 캠퍼스 자체는 오랜 세월을 느끼게 하는 고풍스러운 석조건물들로 이루어져 무척 아름다웠다.

내가 마지막 입학 절차를 밟고 있던 그해 봄학기는 뉴욕에 있는 모든 시립대 학생들이 등록금 인상을 반대하는 대규모의 시위를 벌이던 때여서 모든 행정 업무가 거의 마비되어 가던 상황이었다. 사립학교에 비하면 학비가 훨씬 저렴했음에도 대부분 학생들은 저소득층의 이민자 가정의 자녀들이거나 가난한 나라에서 온 유학생들이었기에 그조차도 부담이 컸던 것이었다. 입학에 필요한 학교의 요구 사항은 이것저것 많았다. 나는 미국에 체류 중이었고 모든 서류는 한국에 계신 엄마께 부탁할 수밖에 없는 상황이었다. 내가 미국에서 준비할 수 있었던 것은 아티스트 자기소개서(artist

---

[44] 할렘(Harlem)은 맨해튼 북부 최대의 흑인 거주구이다. 센트럴파크 북쪽 116번가에서 155번가에 걸쳐 있다. 1950년 이후 1990년대 초까지 흑인들의 주 주거지역으로써 빈민가를 이루었다.

[45] 시티칼리지(The City College of New York; CCNY)는 1847년 개교 이래 뉴욕시립대학교 시스템의 중심축이며 미국 최초의 무료 공립 고등교육기관이다.

statement)와 TOEFL 성적 제출 그리고 2 년 동안 판화 수업을 들었던 마이클 선생님으로부터 받은 한 장의 추천서가 전부였다. 죄송했지만 그 나머지는 모두 한국에 계신 엄마께 부탁했었다. 그 과정에서 몇 번의 우편배달 사고가 있었다. 요즈음은 빠르고 편리하고 정확하게 모든 서류나 입학원서 등을 인터넷으로 하며 또 이메일로 상황을 주고 받고 하지만, 그때는 모든 걸 우편으로 접수하던 시절이었다. 그리고 진행 상황이 궁금하면 한국에선 한밤 중에 미국 현지 시간에 맞춰 국제전화를 할 수밖에 없었다. J 가 입학 준비를 했을 땐 한국에 살던 때여서 그 과정을 다 겪었었다. 그나마 나는 뉴욕에 살고 있었기 때문에 학교에서 빠진 서류가 있으면 내게 전화로 알려주었고 그에 대한 대처를 쉽게 할 수 있었다. 하지만 서류 하나가 계속해서 문제를 일으켰다. 바로 나의 대학성적증명서였다. 서류를 못 받았다며 세 번째 다시 보내라는 학교의 전화를 받고 엄마께 전화했을 때 엄마는 이번이 마지막이라는 최후의 통첩을 하셨다. 이번에 또 못 받았다는 연락이 오면 이건 공부하지 말라는 하나님의 뜻이라고! 엄마께 죄송해서 더는 부탁드릴 수 없었기에 나도 그렇게 받아들이겠다고 했는데, 얼마 후 학교로부터 필요한 모든 서류를 받았다는 소식을 듣게 되었고 마지막에 학교로 찾아가 인터뷰를 거친 후 마침내 고대하던 합격통지서를 받게 되었다.

그해 여름 우리는 더 브루클린에 살아야 할 이유도 없게 되었고 나의 학교가 맨해튼에 있었기에 맨해튼으로 이사할 계획을 세우고 맨해튼으로 우리의 새 보금자리를 위해 찾아 나섰다. 그 당시도 맨해튼은 맨해튼인지라 브루클린보다 월세가 훨씬 비쌌다. 우리가 좋아하던 그리니치빌리지에서부터 학교가 있는 할렘까지 신분광고를 보고 좀 저렴하다 싶으면 다 찾아다녔다. 하지만 찾기란 쉽지 않았다.

그러던 중 아는 화가 한 분이 할렘에 살고 계시다는 소식을 우연히 접하게 되어 전화로 우리 사정을 말씀드렸고 방문하게 되었다. 가서 보니 그 집은 정말로 내가 다니게 될 학교와 아주 가까운 곳에 있었다. 그리고 그분께서는 이제 집수리가 곧 마무리 단계라 아래층에 세를 놓을까 생각하던 중이었다고 말씀하시면서 우리가 화가에다 유학생이니 월세도 우리 형편에 맞게 해주겠다고 하셨다. '어쩜 이렇게 다 맞아떨어질 수가 있지?' 내게는 이 모든 것이 때를 따라 우리의 필요를 아시는 하나님께서 미리 준비해 주신 '여호와 이레'였다. 우리는 그 자리에서 입주하겠다는 말씀을 드렸고, 그리하여 그해 9 월 말에 할렘으로 이사 하게 되었다.

한편, 학교로부터 입학허가서를 받기는 했지만 우편배달 사고로 입학 절차가 지연되는 바람에 가을학기가 아니라 봄학기부터 공부를 시작할 수 있게 되자 영어에 부담을 느꼈던 나는 맨해튼의 68 가에 있는 헌터칼리지(Hunter College)[46]의 ESL(English as a Second Language) 프로그램에 등록해 그해 여름학기부터 다니게 되었다. 레벨 시험을 치르고 시험 결과에 따라 등급을 배정받는데, 6 등급 중 나는 4 등급을 받았다. 등록할 때 질문 중 "How many years have you studied English?"라는 질문이 있었다. 처음 영어를 배우기 시작했었던 중학교 1 학년 때부터 손꼽아 세어 보니 10 년 하고도 몇 년이 더 지난 때였다. 그렇다고 10 년이라고 차마 쓸 수가 없었다. 창피해서. 만약 10 년이라고 썼으면 나를 언어습득에 장애가 있는 사람쯤으로 생각할 것 같았다. 그래서 적당히 3 년이라고 썼다.

---

[46] 헌터칼리지(Hunter College)는 뉴욕시립대학교(CUNY) 시스템을 이루는 대학들 중 하나이다.

우리 반에는 세계 각국에서 온 다양한 언어를 하는 학생들로 20 명 정도 있었다. 그중에는 한국에서 싱글로 온 나보다 어린 학생들도 있었다. 그 학교를 통해 이전의 판화공부를 위해 다녔던 학교와는 다른 경험을 할 수 있었다. 이전의 학교는 그냥 미술 실기에 집중하는 분위기였고 영어를 공부하는 곳은 아니어서 진짜 공부하는 학교 같은 느낌은 없었다. 나는 20 대 초반으로 돌아가 막 대학에 입학한 새내기처럼 들떠서 다시 시작하는 대학생활을 즐겼다. 첫 여름학기 동안은 브루클린에 살 때여서 J 가 차로 데려다주거나 아니면 지하철을 갈아타느라 좀 수고스러웠지만 9 월 말에 이사 하게 되면서부터 집에서 학교까지 한 번에 가는 버스가 있어 갈아타야하는 불편함 없이 가을 학기에는 편하게 다닐 수 있게 되었고, 학교 생활이 익숙해지면서 많은 유학생 친구들도 사귈 수 있어 정말 좋았다.

그 학교를 다니면서 내가 배우고 느낀 미국의 교육은 말하기와 쓰기에 집중되어 있다는 것이었다. 이들의 문화는 '말의 문화'이며 글쓰기는 가장 중요한 기술이었다. 그 프로그램은 몇 개의 과목으로 이루어져 있었는데, 그중 작문 과목은 내게 새로운 도전을 하게 만들었다. 매 시간 그 선생님은 주제를 주며 에세이 숙제를 주셨다. 나는 어릴 적부터 문과 쪽과는 담을 쌓고 살아서 고등학교에 이어 대학도 이과로 진학했는데, 이제 서른이 된 나이에 어릴 적에도 시도조차 하지 않았던 '작문'이라는 신세계에 도전해야 하는 그런 형편이 되어버렸다. 밤을 새워가며 머리에 쥐가 나도록 생각하며 그 선생님의 숙제를 하곤 했다. 그런 나를 보며 J 는 이해하지 못했다. 어차피 대학원 입학은 허락된 상황에 그냥 시간이 남아서 하는 건데 그렇게까지 진지할 필요가 있나 하는 거였다. 그렇지만 나는 기왕 하는 거 제대로 해보고 싶었다. 어느 날 그 선생님께서 '나의 부모님'이란 주제로 숙제를 주셨고, 그 숙제를 하기 위해 그날 밤 부모님을 떠올리며 글을 써내려갔다. 수업 때 그 에세이를 제출했는데 그다음 시간에 선생님께서 내게 뜻밖의 칭찬을 하셨다. 내가 어려서부터 교육을 받기 시작한 이래 단 한 번도 들은 적이 없었던 글쓰기 재능에 대한 칭찬이었다. "Soyoung, you have a gift of writing!" 그분이 한 그 칭찬을 지금도 잊을 수가 없다. 처음이었으니까! 『칭찬은 고래도 춤추게 한다』는 책 제목처럼 그분의 칭찬은 나를 춤추게 만들었다. 그분의 칭찬 한마디에 글쓰기에 대한 두려움은 줄어들었고 대신 자신감이 생겨났다. 미국 교육의 좋은 점 중에 가장 돋보이는 점은 칭찬이라고 생각한다. 눈 닦고 봐도 칭찬할 거리가 없을 것 같은데도 이들은 숨어있는 어떤 작은 부분이라도 끄집어내어 구체적으로 칭찬한다.

또 'Bob'이란 선생님은 문법을 가르치셨는데 지루할 수도 있는 그 수업을 너무나 재미있게 만드셨다. 늘 우리에게 노래를 가르쳐 주셨고, 또 가끔 집에서 직접 만든 빵을 가져오셔서 우리가 먹으면서 즐겁게 수업에 참여할 수 있도록 분위기를 만드셨다. 매번 출석 확인을 하실 때 다른 학생들의 이름은 그냥 호명하시다가 내 순서가 되면 꼭 팝송을 부르셨다. Frank Sinatra 의 <You make me feel so young[47]> 이라는 노래였다. 지휘하시면서 "You make me feel…"까지 부르시다가 "Everybody!" 라고 사인을 주시면 반 전체 학생들이 내 이름 "So Young!"을 함께 외쳤다. 그렇게 우리는 늘 웃으면서 수업을 시작할 수 있었다. 한국에 살 때 사람들로부터 이름 예쁘다는 소리는

---

47 <You Make Me Feel So Young>은 조세프 미로가 작곡하고 맥 고든이 가사를 써 1946 년에 발표한 대중 가요이다. 1956 년에 프랭크 시나트라가 이를 녹음하였다.

가끔 들어본 적이 있었지만, 미국에 와서 내 이름이 이렇게 남들을 즐겁게 하는 이름이 될 줄은 정말 몰랐다. "… And even when I'm old and gray I'm gonna feel the way I do today 'Cause you make me feel so young!"

어느 가을 오후, 수업을 마치고 여느 때와 마찬가지로 집으로 가는 버스를 기다리며 쇼윈도를 구경하다 무심코 유리창에 비친 내 모습을 보게 되었다. 젊음의 상징인 청바지와 운동화 차림으로 백팩을 둘러멘 풋풋한 내 청춘의 자화상이었다. 쇼윈도에 비친 나를 본 순간, 내 마음 속에서 이런 질문들이 나도 모르게 문득 떠올랐다. '그동안 무엇을 그렇게 두려워했던 걸까? 왜 더 일찍, 더 젊었던 이십 대 초반에 와서 공부할 생각을 하지 못했을까? 미국도 다 사람 사는 곳이니 일단 오기만 하면 어떻게든 적응하며 살아가기 마련인데…' 인생에서 가장 반짝반짝 빛나야 할 그 이십 대를 아깝게 허비한 것 같은 느낌이 그때 문득 들었다. 그렇게 나를 제 2 의 대학생활로 행복하게 만들어 주었던 ESL 프로그램은 아쉽게도 5 등급까지만 하고 끝을 맺어야 했다. 마지막 등급인 6 등급을 남겨두고 끝내는 게 못내 아쉬웠고 기왕 하는 거 끝까지 해내고 싶었지만, 봄학기에는 나의 대학원 학기가 시작되었기 때문에 다시 내 꿈을 향한 새로운 도전으로 마음을 다잡으며 새로운 학교에서의 첫 학기를 기다렸다.

15화

새로운 이웃, Harlem

Harlem Night, 2023

우리가 살았던 할렘은 어퍼 맨해튼의 서쪽으로 허드슨 강이 보이는 'Spanish Harlem'이라고 불리는 동네였다. 한국인을 위한 관광 안내책자에는 낮에도 혼자서는 절대로 가면 안 된다는 주의 사항이 있는 그런 곳이었다. 그전까지 살았던 브루클린 동네는 주택가에다 학교가 있어 조용했었는데 이곳은 완전 다른 분위기였다. 색깔로 치자면 브루클린은 담담한 브라운색이었고 할렘은 눈에 완전 자극을 주는 형광색이었다. 대부분의 주민은 남미에서 이주한 히스패닉(Hispanic)[48] 들과 오랫동안 그곳에서 살아왔던 터줏대감 같은 흑인들이었다. 우리집 바로 앞에 있는 브로드웨이에는 주중이든, 주말이든 항상 사람들로 넘쳐났고 그들은 늘 길에서도 흥이 넘치는 라틴음악에 맞춰 춤을 추며 그들만의 인생을 즐기고 있었다. 마치 내일이 없는 사람들처럼 오늘을 즐겼다. 워낙 위험한 동네로 알려져 있었기에 할렘에 대한 좋지 못한 선입견도 있었지만 이미 4 년 동안의 브루클린 생활로 어느 정도 면역이 되어 있었고, 또 뉴욕의 다양성에 제법 익숙해져 가던 때라 새로운 환경에 대한 두려움 따위는 없었다. 동네 주민들은 우리가 관광객이 아니라 새 이웃이 되었기에 우리를 따뜻하게 맞아주었다. 그 브로드웨이에는 많은 상가들이 줄지어 있었는데 그중에는 한국분들이 운영하시는 그로서리, 그리고 생선 가게 등도 있었다. 이사 온 후 처음으로 그 가게들을 들렀을 때 그분들은 내가 한국사람인 걸 알아보시고 반가워하시면서 어떻게 여기에 사느냐고 물으셔서 유학생이라고 말씀드렸더니 그 후부터는 물건값도 깎아주시고 특히, 생선은 항상 신선한 걸로 골라주시곤 하였다.

---

[48] 히스패닉(Hispanic)은 라틴 아메리카의 스페인어권 국가 출신 이주자 및 그 후손을 의미한다.

우리가 살게 된 집은 브루클린에서 살던 집과는 다른 단세대집(single-family house)으로 지하실, 그 위에 1 층 같은 반지하, 그리고 위로 3 층이 더 있는 브라운스톤 스타일의 집이었다. 그 층들 중에서 우리의 새 보금자리는 1 층 같은 반지하로 따로 출입문이 있어 좋았다. 앞 도로변에서 세 칸 정도의 계단을 내려가면 조그만 앞마당 같은 공간이 있고 그 옆으로 철로 된 대문이 있어 그 문으로 들어서면 그 안에 또 현관문이 달린 구조였다. 도로 쪽으로 큰 창문이 있어 채광이 잘 되는 베드룸 한 개가 있었고, 가운데 욕실이, 그리고 뒤편으로 큰 방이 있었는데 거기에 부엌과 거실 공간이 있었다. 거기에 더해 이 공간의 끝에 있는 철문을 열고 나가면 또 제법 큰 뒷뜰이 있었다. 3 층에 살 땐 그 주어진 공간이 전부였는데, 이제는 바깥 공간도 여러 용도로 쓸 수 있어 더 좋았다. J 는 졸업 후 따로 작업실을 빌려야 했는데 이제는 거실 공간을 그의 작업실로 쓸 수 있으니 생활비도 절약할 수 있게 되었고, 거기에 연결된 야외 공간까지 있으니 '금상첨화'였다. 게다가 지하실에는 세탁실과 하드웨어(hardware)를 두는 보관실 내지 작업실이 있어 여러모로 완벽했다. 그리고 바깥 도로변에서 계단으로 올라가 그 집의 현관문으로 들어서면 2 층 같은 1 층에는 다시 부엌과 거실, 그 위로는 침실들과 맨 꼭대기층에 주인인 화가분의 작업실이 있었다.

이곳으로 이사할 때 우리는 살림살이를 '은별이'에다 싣고 왔다. 유학생의 철칙은 짐을 늘리지 않는 것인데 그럼에도 이삿짐이 눈에 띄게 늘어난 걸 알 수 있었다. 하지만 대부분은 4 년간 작업했던 J 의 그림들이었고 그 외는 아직 단출한 살림이었다. '은별이'가 해치백인 덕분에 생각보다 많은 짐을 한번에 실을 수 있었고 그렇게 몇 번의 운반으로 이사를 마칠 수 있었다. 우리 동네 모든 집은 브루클린의 집들처럼 다 붙어있었고 개인 주차장이 집에 딸려있지 않았다. 길에는 요일별로 도로를 청소하는 차가 지나가기에 도로변에 주차할 수 없는 요일과 시간을 알려주는 주·정차 표지판이 있었고 이를 반드시 지켜야 티켓을 받지 않고 잘 지낼 수 있었다. J 는 늘 이것을 잊지 않고 살아야 했었는데 작업에 몰두하다 가끔 잊어버릴 때면 친절한 주민들은 J 에게 "Hey, Brother!"라고 부르며 우리 차 옮길 자리를 미리 확보해 두고 우리 방 창문을 두드리며 알려주었다. J 는 그분들 덕분에 한 번도 주차위반 티켓을 받지 않고 우리 '은별이'를 지킬 수 있었다.

그분들 중에는 지금도 잊을 수 없는 한 분이 계신다. 'Duprey'란 이름의 'Old Black Joe[49]'를 생각나게 하는 인자한 분이셨다. 이분은 자기 소유의 리무진 콜택시 비즈니스를 하셨는데, 콜이 없을 땐 늘 자기 집 앞에 차를 세워두고 차 안에 계시면서 오가는 사람들과 대화를 나누는 게 그분의 낙이었다. 이사올 때 우리가 한국에서 온 유학생이라는 사실을 알게 된 아저씨는 그 후부터 아는 척을 하시며 종종 우리에게 차 안으로 들어오라고 손짓을 하셨다. 차 안은 마치 작은 응접실 같았다. 조그만 바가 있었고 각종 양주도 보였다. 그렇게 뒷자리에 앉으면 그때부터 당신이 한국전(Korean War) 참전용사로 겪었던 전쟁무용담 보따리를 풀어놓으셨다. 바지 밑단을 올려 다리의 총상도 보여주시면서 부산에서 신의주까지 전투를 벌이며 올라갔던 그 40 여 년 전 얘기를 어제 일처럼 생생하게 기억하며 들려주셨다. 전후에 태어난 세대일지라도 한국사람이라면 누구나 6.25 전쟁에 대해 듣고 자라서 알고 있고, 또 나는 아버지로부터 미처 피난가지

---

49 올드 블랙 조(Old Black Joe)는 1860 년 스티븐 포스터가 흑인 노예 '조'를 위하여 지은 곡으로, 흑인 인권의 대표적인 곡으로 불리운다.

못해 서울 수복 때까지 숨어지냈던 얘기, 인민군들에게 발각돼 평양 쪽으로 끌려가시다 개성에서 탈출해 서울까지 걸어서 돌아오셨던 얘기 등 살아오면서 수도 없이 들어왔던 6.25 전쟁 얘기였지만 그 전쟁 무용담을 당시 미군이었던 한 참전용사에게 들었던 적은 단 한번도 없었기에 처음에는 너무도 신기했었다. 그리고 무엇보다 이십 대 초반 그 젊은 청춘을 지구 반대편에 있는 이름도 모르는 나라를 위해 바쳤다는 그 사실에 가슴 깊이 뜨겁게 감사했었다. 그런데 그 일이 계속 반복되었다. 우리가 지나가는 걸 볼 때마다 차 안으로 들어오라고 하셨고 그때마다 아저씨는 녹음기의 재생버튼을 누른 것처럼 똑같은 '부산에서 신의주까지'의 그 아련한 무용담을 늘어놓으셨고 우리는 차 안에 갇혀 마치 처음 듣는 얘기처럼 흥미롭게, 그리고 진지하게 들어야 했다. 그러던 우리는 마침내 간단한 꾀를 내었다. 멀리서 그분의 차가 보이면 자연스럽게 반대쪽 인도로 걸어가기로!

모든 동네가 그렇듯 다 좋은 이웃만 사는 건 아니었다. 길과 길이 만나는 모퉁이에는 마약 딜러로 보이는 사람들이 늘 죽치고 있었고, 그해 가을 헌터칼리지의 ESL 에 다닐 때, 심지어 내가 학교에서 버스를 타고 브로드웨이에서 내려 집으로 걸어올 때면 길모퉁이에 서 있다가 나를 보면서 자기들의 코 밑을 검지로 살짝 문지르면서 "Smoke, smoke!" 해댔다. 그런 일을 겪으면 불쾌하기도 하고 겁이 나기도 해서 본 척도 하지 않고 얼른 집으로 뛰어 들어와 "아니 내가 어디를 봐서 '약'하는 사람으로 보여?"라고 애꿎은 J 에게 따지듯이 묻곤 했었다. 그리고 밤이 되면 종종 어디선가 들리는 총소리와 사이렌 소리 때문에 잠을 설치기도 했다. 그런데 어느 날 밤은 그 소리가 아주 가까이서 들렸고, 다음 날 아침 밖으로 나가 봤더니 우리집 근처의 인도에 핏자국이 있었다. 그 밤에 누군가가 죽은 것이었다. 알고 보니 그는 다름 아닌 학교 가는 길모퉁이에 늘 죽치고 있어서 우리와도 얼굴을 알고 지내던 마약을 팔던 사내로, 간밤에 그들 사이에 이권 다툼이 있었고 그 시비 끝에 총에 맞아 죽었다고 하였다. 영화에서나 나올 법한 악이 지배하는 세상의 사건들이 이곳에서는 일상이었다. 하지만 역시 사람은 환경의 동물이지 않은가? 우리는 점차 이런 환경에 적응하게 되었고, 그 동네 주민으로서 그들과 평온하게 살아가게 되었다.

어둠이 지배하는 밤의 세계와는 달리 빛이 지배하는 낮의 세계는 여느 동네와 같이 밝았다. 142 가에 있는 우리집에서 서쪽으로 조금만 내려가면 바로 허드슨 강변을 따라 있는 리버사이드 파크웨이(Riverside Parkway)를 만날 수 있었다. 그 길 따라 남쪽으로 내려가면 허드슨 강이 보이는 언덕에 아름다운 리버사이드 파크가 있는데, 때때로 아침에 시간적인 여유가 생길 때면 우리는 가까이 있는 동네 빵집에서 빵과 커피를 사가지고 그 공원으로 가 벤치에 앉아 아침을 먹었다. 맑은 공기와 아름다운 강변 풍경을 바라보면서 새로운 하루의 시작을 감사한 마음과 함께 J 는 출근하는 기분으로 다시 집에 있는 그의 작업실로, 나는 학교로 각자의 공간으로 돌아가곤 했었다. 비록 할렘이었지만 맨해튼 안에 살고 있다는 게 그땐 참 좋았다. 가끔 J 는 저녁을 먹은 후 "아아… 빌리지가 나를 부른다!"라고 말하며 그리니치빌리지에 있는 '카페 르 피가로(Cafe Le Figaro)[50]' 나 '카페

---

[50] 카페 르 피가로(Cafe Le Figaro)는 1957 년 그리니치빌리지에 처음 문을 열었으며 밥 딜런, 알 파치노 등 유명인들이 즐겨 찾으면서 뉴욕의 전설적인 명소로 사랑을 받았다.

레지오(Cafe Reggio)[51]'에 가서 우아하게 디저트와 함께 커피를 마시자고 내게 속삭이곤 했었다. 나는 속으로 그 돈이면 차라리 짜장면을 사 먹고 한 끼 밥하는 수고를 더는 게 낫다고 여겼지만, J는 여전히 화가답게 끼니는 그냥 라면이나 밥에 김치로 때우더라도 그런 감성의 시간이 더 소중한 '낭만파'였다. 예전에는 나도 당연히 그런 우아한 분위기를 좋아하는 낭만적인 소녀였지만, 이젠 살림을 하는 주부에다 학생이고보니 '어떡하면 조금이라도 생활비를 줄일 수 있을까?' 아니면 시간과 에너지가 늘 부족한 학생으로서 '어떡하면 한 끼라도 밥하는 수고를 덜까?, 집안일에 드는 시간을 절약할 수 있을까?…' 현실적으로 고심하는 '실속파'가 되었다. 그럼에도 따라나서지 않으려야 않을 수 없는 낭만적인 빌리지의 밤 카페 분위기와 함께 남편과 다시 연애하는 듯한 그 데이트를 아무리 알뜰살뜰 살림하는 주부인들, 그리고 작업과 공부를 병행하느라 늘 시간에 쫓기는 학생인들 어찌 거부할 수 있을까? 나는 마지 못하는 척하며 J를 따라 그 분위기를, 그리고 우리만의 시간을 즐겼다. 이런 소소한 일상의 여유가 그 시절 우리에게는 큰 행복이었고 우리가 누릴 수 있는 정신적인 사치였다.

---

[51] 카페 레지오(Cafe Reggio)는 1927 년 그리니치빌리지에 문을 열었으며 미국에서 처음으로 카푸치노(cappuccino)를 만들어 알린 곳으로 유명하다. 많은 영화에 나올 만큼 실내 분위기가 유럽풍의 고전적인 그림으로 장식되어 있다.

16 화

나의 운전면허증 I

뉴욕에서 운전하기_1993, 2023

미국에 와서 한동안 생활하는 데 있어 기본적으로 필요한 사진이 있는 신분증(Photo ID)조차 없이 불편하게 살았던 시절이 있었다. 하지만 대학원에 들어온 후 드디어 내게도 그런 신분증이라는 게 생겼다. 그건 다름 아닌 학생증이었다. 그동안 지내오면서 포토 아이디를 보여줘야 할 경우가 종종 있었기에 그 사실만으로도 나는 정말 기뻤다. 자신의 신분을 증명하는 일은 살아가는데 매우 중요한 일이었기 때문이었다. 하지만 학생증은 학교 출입을 위한 신분증이지 진짜로 일상생활에 필요한 신분증은 아니었다. 미국에서 일반적으로 '포토아이디'라 함은 운전면허증을 의미하는 것으로 우리나라의 주민등록증 같은 것이었다.

맨해튼으로 이사 오고 난 뒤 J 에게는 내 운전 능력이 필요해졌다. 왜냐하면 맨해튼은 브루클린과 달리 주·정차 규율이 훨씬 까다로웠고 주차할 자리 찾기도 쉽지 않았기 때문이었다. 차를 가지게 된 후로부터 좀처럼 지하철을 이용하려 하지 않던 J 가 그래서 생각해낸 방법은 이랬다. 자기가 어디 볼일이 있을 때면 내가 같이 옆에 타고 가서 볼일 보는 동안 내가 대신 운전석에 앉아 있다가 경찰 단속이 오면 그 자리를 떠나 자기가 올 때까지 우리 '은별이'를 지키는 것이었다. 그런데 문제는 내가 운전면허증을 따기도 전에 그 일을 시키는 것이었다. 그럴 때면 미국에서 운전한 경험이 없던 나로서는 심장이 두근거리다 못해 터질 것 같았다. 하지만 어쩐 일인지 그 시절 내가 J 에게 부탁할 수 있었던 말은 "빨리 와야 해!" 그 말뿐이었고, 나는 차 안에서 '일분이 여삼추' 같은 피 말리는 시간을 안절부절못하며 기다려야 했다. 그 시절은 지금보다 훨씬 인심이 넉넉하던 때여서 운전석에 운전자가 있으면 경찰은 그냥 차를 빼라고만 하고 티켓을 발부하지 않고 그 자리를 떠났었다. 그런 사실을 알고 있었기에 '막무가내'인 J 는 볼일이 있을 때마다 운전 경험도 없던 내게 그런 말도 안 되는 기상천외한 일을 시키곤 했었다.

어느 날 오후 맨해튼 57 가 어느 빌딩에 볼일이 있던 J 는 역시 내게 같이 가자고 했다. 맨해튼의 동서를 가로지르는 57 가는 미드타운에서도 가장 번잡한 도로로, 도로변에 주차는 물론이고 정차도 할 수 없는 곳이다. 그 당시에도 이를 어길 시에는 몇백 달러의 벌금과 함께 벌점까지 받게 된다는 빨간 표지판이 있었다. 그날도 J 는 버젓이 그 표지판 아래 정차를 하고서 '은별이'를 운전 경험도 없던 내게 맡겼다. 자기가 볼일을 보고 올 때까지 나보고 운전석에 앉아 있으라고 하면서. 제정신이 있는 사람이라면 생각조차 할 수 없을 그 일을 J 는 별일이 아니라는 듯 아무렇지 않게 내게 요구하였다. '막무가내'로, '임기응변'으로 살아온 J 는 늘 '괜찮을 거야!', '별일 없을거야!'라는 '해로운 긍정성'을 가지고 있었고, 나는 '혹시라도', '만에 하나라도' 하는 경우의 수를 생각하며 매사에 조심성을 가지고 있어서 그 부분에서 우리는 자주 부딪치곤 했었다.

걱정하는 나를 안심시키고 J 는 빌딩 속으로 사라졌다. 빨리 돌아오겠다는 약속은 받았지만, J 가 떠나자 운전석에 앉아 있던 나는 금세 초조해지기 시작했고 일 분이 한 시간처럼 느껴졌다. J 가 빌딩에서 나오길 눈이 빠지게 기다리고 있는데 느닷없이 한 경찰이 내게로 다가오는 게 사이드미러로 보였다. 숨이 멎을 것 같았다. 경찰은 창문을 내리라고 손짓을 했고 나는 경찰의 지시에 따랐다. 경찰은 당연히 당장 차를 빼라고 했고 그전처럼 그러겠다고 했는데, 그 경찰은 떠날 생각을 하지 않고 내가 진짜로 차를 빼는지 계속해서 지켜보고 있었다. 할 수 없이 나는 차를 서서히 빼는 시늉을 해야 했기에 시동을 걸고 깜빡이를 켜고 핸들에 손을 올리고 오는 차가 있는지 확인하려고 고개를 옆으로 돌려 보았다. 그런데 그 시간대는 오후 퇴근 시간이어서 도로에는 차들로 꽉 차있던 때라 직진신호이었음에도 신호대기하고 있던 차들이 한 대도 지나가지 못하는, 그야말로 옴짝달싹 할 수 없는 상황이 벌어지고 있었다. 그 상황에서 다행히 신호가 다시 빨간불로 바뀌자 그 경찰은 더는 내 차가 빠지는 걸 확인하기까지 기다릴 수가 없었던지 그제야 그곳을 떠났다. 내가 그 피 말리는 사건을 겪고 난 후에야 J 는 "아무일 없었지?"하며 헐레벌떡 뛰어왔다. 돌아온 J 에게 방금 겪었던 일을 얘기하며 다시는 이런 일 따위는 시키지 말라고, 죽는 줄 알았다고 하소연하였다. 그럼에도 J 는 어쨌든 자기는 볼일을 잘 마쳤고 또 내가 무사히 위기를 넘겨 정차위반 딱지도 받지 않았으니 잘된 것 아니냐며 자기로부터 배운 나의 훌륭한 '임기응변' 솜씨를 칭찬하였다. 하지만 내게는 두 번 다시 겪고 싶지 않은 끔찍한 경험이었다.

그 일이 있고 나서, 나의 운전면허증을 따기 위한 긴 도전이 시작되었다. 실은 대학 3 학년 여름 방학 때 우리 대학교 옆에 있던 운전학원에서 나는 처음으로 운전을 배웠었다. 그것도 '1 종 보통' 운전면허에 도전하는 모험을 했었다. 1 종에 도전한 단 하나의 이유는 수강료가 2 종의 반값이었다. 그리고 면허증 딸 때까지 아무런 추가 수강료도 없는 매력적인 조건에 반해 친구랑 함께 등록하고 그 여름을 운전학원에서 살았었다. 그 학원에 있던 트럭들은 거의 폐차 직전의 고물이었고 내 힘으로 핸들을 돌리려면 반쯤 일어서야 했었다. 그렇게 트럭과의 씨름으로 그 여름을 다 보냈었다. 가을학기가 시작되고도 계속되었던 나의 첫 운전면허증에 대한 도전은 한 번의 실패를 경험한 후 두 번째 도전에서 가뿐하게 합격의 영광을 안게 되었다. 그래서 나는 내심 나의 1 종 면허증에 대한 자부심이 있었다. 하지만 그렇게 고생하며 딴 내 자랑스러운 첫 운전면허증은 '장롱면허'가 되고 말았다. 요즘은 어떻게 연수 과정이 이루어지는지 모르겠지만, 그땐 면허증을 따고 나면 각자 알아서 연수해서 초보운전 스티커를 붙인 채 도로 주행이 이루어지던 때였다. 나는 아버지께 연수를 부탁했었고 어느 주말에 시간을 내셔서 첫 운전연수를 맡아 주셨다. 그런데 그게 문제였다. 그 첫날이 마지막 날이 되어 버렸다. 아버지는 떨리는 가슴으로 옆에서 운전하는 딸을 지켜보시더니 폭탄선언을 하셨다. "못하겠다. 나는! 네 다리 몽둥이가 부러지든지 말든지 결혼해서 남편에게 받아!"라는 말로 '운전금지령'을 내리셨다.

그때 하셨던 아버지의 말씀이 10 년 후에 미국에서 이루어져, 봄학기를 끝내고 여름 방학을 맞이하자 그렇게 나는 남편에게 운전수업을 받는 학생이 되었다. 내 운전능력이 필요했던 J 는 기꺼이 나의 운전학원 선생님을 자처하였다. 남편에게 운전을 배우다가 이혼 서류에 도장을 찍게 될 수도 있다는 얘기를 들은 적이 있었지만, 우리에겐 달리 방법이 없었다. 일단 돈을 절약할 수 있었고, 미국에서는 한국처럼 운전 시험장이 따로 있는 게 아니고 자기 차를 가지고 정해진 한적한 동네로 가서 그곳에서 실기 시험관이 자기 차에 타면 주행 시험이 이루어지기 때문에 그 점에서 나는 우리 '은별이'로 연습하는 게 더 편하기도 했다. 그렇게 그해 여름 내내 뉴욕의 근교를 다니며 J 로부터 운전연수를 받았다. 워낙 넓은 땅을 가진 미국이라 운전연수를 받기 좋은 곳은 주변에 널렸었다. 우리가 브루클린 살 때 주로 다녔던 롱아일랜드의 남쪽 해안가는 도로연수 하기에 더할 나위 없는 좋은 지역이었다. J 는 그의 성격에 걸맞지 않게 아주 꼼꼼하게 완전히 정석대로 가르쳤다. 자기는 "바담 풍"하며 자식에게는 "바람

풍”하라고 강요하는 아버지처럼! 조그만 실수도 용납하지 않으며 바로 언성을 높였고 어떤 때는 운전석에서 내리라고 소리쳤다. 안 그래도 운전하느라 정신없는 내게 옆에서 소리를 질러댈 때면 나의 혼은 이미 지구를 떠난 듯했다. 그 누구보다 J의 운전습관을 잘 알고 있던 내가 무엇보다 억울했던 것은 '나'는 해도 괜찮고 '너'는 하면 안된다는, J 식의 마인드였다. 예를 들면, 교차로에 진입하기 전에 신호등이 파란불에서 노란불로 바뀌게 되면 J는 더 속력을 내서 교차로를 건너곤 했었다. 그러다 미처 교차로를 다 건너기도 전에 신호등이 빨간불로 바뀌어져 경찰에게 걸린 적도 있었다. 그럴 때면 J는 경찰에게 노란불은 곧 신호가 바뀌니 속력을 줄여 멈춰서란 뜻이 아니라 더 속력을 내어 빨리 지나가라는 뜻으로 배웠다고 항변했었다. 그간 J가 쌓아온 모든 위반 경력을 알고 있던 나로서는 사람이 정말 이중적으로 보였다. 하지만 처음 배울 때부터 그렇게 배우면 안되는 거라고 J는 단호히 엄포를 놓았고, 또 차 운전은 자칫 목숨이 달린 문제이기도 해서 나도 머리로는 이해가 되었다. 그렇게 나는 호랑이 선생님 밑에서 내 자존심 밑바닥까지 긁혀가며 때로는 눈물까지 쏙 빼가며 운전을 제대로 배울 수 있었다.

그 중에서 가장 힘든 건 단연 평행 주차였다. 우리가 살던 할렘의 집들은 개인 차고도 없는 집들이었고 그래서 다들 자기 집 앞 도로변에 평행 주차를 해야 했었다. 그리고 좁은 땅에 빼곡한 빌딩들로 차있는 맨해튼에서 평행 주차는 필수였다. 이걸 하지 못하면 운전하는 의미가 없었다. 결국, 차를 주차해야 차에서 내려 일을 볼 수 있으니까. J는 내게 진짜 운전학원 강사처럼 친절하게 평행 주차하는 공식을 알려주었지만, 내 노력에도 어쩐 일인지 그 공식대로 잘되지 않았다. 역시 평행 주차는 공식이 아닌 몸의 감각으로 익혀진 경험만이 답이었고 그 경험으로 쌓인 세월이 필요했던 것이었다. 지금까지도 J 가 그 시절 내게 전수해준 평행 주차 공식 이외에도 나는 여러 운전 팁을 기억하고 있다. 그중에서도 가장 잘 쓰고 있는 팁은 주행 중 도로변에 주차되어 있는 차 옆을 지나칠 때 그 차 밑의 공간을 보는 것이다. 그 차에 가려져 내 시야에는 보이지 않지만 혹시라도 그 차 앞으로 길을 건너려는 보행자가 있다면 그 공간으로 보행자의 다리가 보이기 때문이다. 결론적으로 말하자면, 결혼해서 남편에게 운전연수 받으라고 하셨던 아버지의 뜻대로 J 는 내게 훌륭한 운전 선생님이 되어 주었고, 내가 처음으로 운전면허증을 땄을 때 왜 아버지는 내가 간절히 원했던 그 운전연수를 시켜주실 수 없었는지도 나는 너무나 잘 알고 있다.

17화

나의 운전면허증 II

실기시험까지 나의 가장 큰 고민은 실수하지 않고 한번에 J 가 가르쳐준 공식대로 매끄럽게 평행 주차를 성공하는 데 있었다. 이것만 잘 통과하면 실기시험도 문제 될 게 없을 것 같았다. 어느 날 캄캄해서야 도로연수를 마치고 집으로 돌아왔는데 J 가 먼저 내게 평행 주차 연습을 해보자고 제안하였다. 마침 편하게 주차할 수 있는 충분한 공간이 보이기도 했고 운전면허 실기시험도 곧 있던 터라 그러기로 하였다. 처음에는 인내심을 가지고 이래저래 계속 코치를 했으나 싹수가 없어 보였는지 얼마 안 가서 J 는 조수석 차문을 열고 나가면서 평상시에 쓰지도 않던 경어로 "혼자서 천천히 연습 많이 하고 오세요!" 라고 얄밉게 말하며 '은별이'와 씨름하고 있는 나를 두고 그냥 집으로 들어가 버렸다. 하지만 아무리 집 가까운 곳이라 하더라도 그곳은 할렘이고 완전히 깜깜한 밤인데 어떻게 자기 아내를 이렇게 혼자 두고 갈 수 있는지 괘씸하고 서러웠다. 운전할 줄 아는 게 무슨 큰 벼슬인양! 나는 그 밤에 혼자서 한참을 '은별이'와 씨름을 했다. 그러면서 부디 이 서러움을 실기시험 단 한 번의 도전으로 멋지게 성공해서 J 에게 내 운전실력을 보란 듯이 인정받고 싶었다.

이윽고 어느 가을 구름 한 점 없이 맑은 토요일 아침 나는 첫 운전 실기시험에 임했다. 그동안 틈틈이 시간을 쪼개서 연습을 충분히 해왔던 터라 침착하게 평소 하던 대로만 하면 문제없이 잘할 수 있을 것 같았다. 시험 장소는 우리집에서 그리 멀지 않은 브롱스(The Bronx)[52]와 인접한 용커스(Yonkers)라는 동네였다. J 가 조수석에 타고 그곳까지 내가 운전해서 갔다. 그곳은 맨해튼 북쪽으로 고속도로를 타고 조금 올라가야 만나는 곳이었다. 한적한 주택가에 채점지를 든 시험관이 있었고, 실기시험을 보러 온 사람들이 차례대로 자기 차에서 기다리다 그 시험관이 옆자리에 올라타면 주행시험이 시작되었다. 나는 떨리는 가슴을 진정시키며 침착하게 연습한 대로 잘 할 수 있기를 기도드렸다. 그러나 내 의지와는 달리 점점 차례가 다가오자 긴장감은 최고조로 치닫게 되었다. J 는 내게 떨지 말고 연습한 대로만 하면 합격할 거라는 응원의 말을 남기고 차에서 내렸고, 이윽고 내 옆 조수석에 시험관이 앉았다.

그때부터 내 심장은 요동치기 시작했다. 먼저 본인 확인절차를 끝낸 그 시험관은 시험지 같은 종이를 들고서 "Start!"를 외쳤다. 그 순간, 나는 시작하기도 전에 이미 내 몸의 기운이 다 빠져나간 걸 느꼈다. 그럼에도 덜덜 떨리는 손으로 간신히 시동을 건 다음, 떨리는 오른발로 힘겹게 브레이크 페달을 밟은 채로 옆에 있는 기어를 'P'에서 'D'로 옮기려고 손을 뻗었다. 얼마나 긴장하고 손을 떨었는지 기어를 움직일 때 잡는 버튼을 꽉 잡은채로 기어를 'D'로 옮겨야 했는데, 그때 이미 내 손에는 그럴 힘이 남아있지 않았고 야속하게도 기어는 'P' 바로 뒤에 있는 'R'에 걸리게 되었다. 그렇게 된 줄도 모르고 눈으로 한 번 확인조차 하지 않은 채 나는 브레이크에서 발을 살짝 떼기 시작했고,

---

52 브롱스(The Bronx)는 뉴욕시의 5 개의 자치구 중 하나로, 1898 년에 합병되었으며 유일하게 섬이 아닌 대륙에 붙어있는 구이다. 브롱스 동물원과 식물원 그리고 양키 스타디움(Yankee Stadium)이 대표적이며 힙합의 고향이기도 하다.

그 바람에 이런 상황을 알리 없는 우리 '은별이'는 주인이 시키는 대로 얌전하게 뒤로 움직이기 시작했다. 당연히 앞으로 가리라고 예상했던 시험관은 너무 놀라 "Stop, stop!"을 외치며 내 차의 사이드 브레이크를 잡아당겼고 채점지에는 순식간에 수도 없는 사선이 마치 폭우가 퍼붓듯 쏟아졌다. 그러고는 내게 그 종이를 던지며 더 연습해서 오라는 말을 남기고 차 밖으로 나가버렸다.

그 모든 상황을 뒤에서 지켜보고 있던 J 가 운전석 쪽으로 와서 내리라고 하더니 자기가 운전대를 잡고 조수석에 앉은 내게 질책을 쏟아붓기 시작했다. "살다 살다 너 같은 사람은 처음 본다. 어떻게 바퀴가 앞으로 한 번 굴러가 보지도 못하고 떨어지냐. 아마 출발부터 뒤로 간 사람은 세상에 너 밖에 없을 거다! 내가 이해를 하려야 할 수가 없다!"라며 기막혀하였다. 하지만 나 또한 한 번도 예상치 못했던 그 상황을 자초한 나 자신이 너무 한심해서 대꾸도 못 하고 그의 비난에 침묵해야 했다. 늦은 밤 할렘에서 나 혼자 열심히 연습한 평행 주차 실력을 보여주기는커녕 앞으로 가는 주행조차 해보지 못한 채 나의 첫 번째 운전 실기시험은 그렇게 초라하게, 그리고 싱겁게 끝났다.

그 후, 어느 늦가을 주말 아침 다시 두 번째 실기시험 날짜가 잡혔다. 그날도 지난번처럼 다행히 화창한 날씨였고 이젠 제법 운전에 익숙해져 잘 할 수 있을 것 같은 자신감도 들었다. 아니나 다를까 느낌대로 그날은 이미 한번 시험 봤던 경험 덕분에 긴장도 덜 되었고 침착하게 모든 과정이 순조로이 진행되어 갔다. 그러자 긴장이 풀리기 시작했고 속으로 '이번에는 합격하겠구나.' 하는 생각을 하며 여유를 가지게 되었다. 그런 편안한 상황이 전개되자, 그 시험관은 내게 이런저런 말을 걸기 시작했고 나는 그 질문에 대답하느라 운전에 집중할 수가 없었다. 이윽고 거의 도착지점에 이를 즈음에 마지막 STOP 표지판이 있었는데 그걸 미처 보지 못하고 그냥 지나쳐 버렸다. 그 순간, 기다렸다는 듯이 시험관은 “Soyoung! You just made a serious violation!” 이라고 말하며 또 줄긋기를 시작하였다. 너무 억울했다. 내 주의력을 분산시키려 일부러 말을 걸어 시험한 것 같았다. 하지만 한마디의 변명도 할 수가 없었다. 왜냐하면 아무리 조수석에 탄 사람이 말을 시켜도 운전자는 모든 상황에 대처할 수 있는 멀티 태스크(multi-task) 능력이 있어야 하는데 아쉽게도 내 운전실력은 아직 거기까지 이르지는 못했던 것이었다.

시간이 흘러 추운 겨울이 찾아왔고 가을에 끝냈더라면 좋았을 나의 운전 실기시험은 결국 겨울에도 이어졌다. 이듬해 1 월 초 세 번째 실기시험이 있기 며칠 전 뉴욕에는 폭설이 내렸고, 그 일로 모든 도로변에는 쌓인 눈을 밀어놓아 눈더미가 산을 이루고 있었다. 이런 상황이 호재일지 악재일지 걱정스럽기도 했지만 이미 잡아놓은 시험 날짜를 미룰 수는 없었다. 드디어 그 주말 세 번째 시험을 보기 위해 실기시험이 있는 동네로 가보니 그곳도 마찬가지로 집집마다 드라이브웨이에서 치운 눈들이 집 앞 도로변에 수북이 쌓여 있었다. 그리고 이 상황은 다행히 호재로 작용하였다. 시험관은 평행 주차를 완벽하게 할 수 없는 환경이라는 걸 감안했고, 내가 대충하는 모양만 냈는데도 “Okay!” 하며 가자고 하였다. 나 또한 이번에는 끝까지 절대로 방심하지 않고 모든 표지판을 잘 지켰다. 그 덕분에 마침내 세 번 만에 실기시험에 통과해 합격의 영광을 안게 되었다. 그리하여 미국에 온 지 6 년 만에야 드디어 내게도 미국에서 살아가는 데 꼭 필요한 진짜 ‘포토아이디’가 생기게 되었다.

J 는 내가 운전면허증을 딴 기념으로 우리 '은별이' 뒷 유리창에 "New Driver! PLEASE BE PATIENT!" 라는 문구와 함께 양쪽 여백에 스마일 얼굴과 함께 손을 흔드는 모습을 담은 사인판을 만들어 주었다. 그리고 운전면허증을 받은 첫 주말 우리는 집 가까이 있는 리버사이드 파크웨이를 타고 남쪽으로 내려갔다. 그 길은 비교적 교통량이 많지 않은 왕복 2 차선 도로로, 자주 다녔던 익숙한 길이었다. 나는 J 를 의지하고 우리 집이 있는 142 가에서부터 리버사이드 파크웨이의 끝인 72 가까지 조심스레 내려갔다. 주변의 아름다운 풍경을 감상할 새도 없이, 그리고 내 뒤에 따라오는 차가 있는지 신경 쓸 겨를도 없이. 마침내 72 가까지의 나의 첫 주행이 성공적으로 끝났을 때 어디서부터 내 뒤를 계속 따라 왔는지도 모를 뒤차의 운전자는 그제야 내 차를 추월해 지나가며 창문을 내리고 "You did a great job!" 이라고 '엄지척' 을 하며 환한 미소로 나의 성공적인 주행을 축하해 주었다. 난 그때야 상황을 알아차렸고, '내 뒤에서 따라오느라 얼마나 답답했을까?' 하고 생각하니 미안하기도 하고 고맙기도 하였다. 그날 J 가 만들어 붙여준 초보운전을 알리는 귀여운 사인 효과로 나의 첫 주행은 아름답게 마무리되었다.

그렇게 맨해튼에 사는 동안 운전면허증을 딴 덕분에 나는 처음부터 운전연수를 미국에서 번잡한 도시들 가운데 둘째가라면 서러울 맨해튼에서 시작하게 되었다. 그 덕분에 나는 지금까지 횡단보도라는 개념 없이 아무 데서나 도로를 마구 건너는 보행자들, 그리고 운전 매너라곤 찾아볼 수 없는 택시들과 바이커들이 즐비하며 온갖 장애물로 복잡하기 그지없는 그 맨해튼에서 운전하고 평행 주차하는 일을 두려워하지 않는다. 물론, J 가 원했던 그 대리기사 임무도 필요로 할 때마다 훌륭하게 수행할 수 있게 되었다.

18 화

고양이 소동

Cat hanging on Door_1993, 2023

어느 날 늦은 오후, 학교 수업을 마치고 피곤한 몸으로 현관문을 열고 들어서니 우리 거실의 뒤쪽으로 난 철문에 까만 고양이가 매달려 있는 게 보였고, 소스라치게 놀란 나는 소리를 지르며 J 를 찾았다. 현관문에서 그곳까지는 거리가 좀 있었기에 그것이 무엇인지 정확히 알지는 못했지만, J 가 고양이를 좋아하니 그냥 재미삼아 하드보드에 까만 색의 고양이를 그린 다음 오려서 그 문에 붙여 놓은 줄 알았다. 늘 뒤쪽 거실에서 작업을 하던 그였지만 그날따라 그곳은 불이 꺼져 있었고, 나는 알 수 없는 이상한 무언가로 인해 겁이 나서 들어가 볼 엄두조차 낼 수 없었다. 그래서 우리 방에 있던 J 를 보자마자 내가 얼마나 고양이를 무서워 하는지 알면서 그런 장난을 치느냐며 놀란 게 억울해서 다짜고짜 화부터 내었다. 뒷 철문에 고양이 그려 붙여놓은 거 자기가 한 거 아니냐고! 그러자 J 의 반응은 완전히 뜬금없다는 표정으로 내게 무슨 소리를 하느냐고 오히려 반문하였다. 그제야 내 눈에 들어온 장면을 보니 J 는 벽에 붙어있는 전원 콘센트를 다 헤집어 놓고 전깃줄과 씨름하고 있었다. J 가 그런 분야와는 무관하게 살아온 걸 아는 나는 '해결하지도 못할 걸 왜 이러고 있나.' 하는 생각이 들었다. 그러고 보니 그의 머리 위로 김이 피어오르는 것도 보였다. 아마도 몇 시간은 그러고 있었던 듯하였다. 그래서 지금 뭐 하고 있느냐고 물었더니 전기가 나가서 그냥 전원 콘센트를 뜯어보고 있다고 하였다. 실은 그럴 때 두꺼비집을 내렸다 올리면 되는데 말이다. 내 조언으로 다시 전기를 공급받아 그의 작업실이 밝아지자, J 는 내 말을 확인하러 그쪽으로 갔고 나도 그의 뒤를 따랐다. 알고 보니 그렇게 열 받으며 전원 콘센트와 사투를 벌이느라 J 는 그곳에서 무슨 일이 일어났는지 전혀 모르고 있었던 거였다.

전기 공급으로 다시 밝아진 J 의 작업실인 그곳으로 조심스럽게 들어와 보니 아까 내가 본 사지를 쫙 뻗은 고양이 실루엣은 J 의 그림이 아니라 실제 고양이였다. 아직도 그 자세로 철문에 매달려 있었다. 갑자기 진짜 고양이를 보자 비명을 지르며 기겁을 한 나와는 달리, 조금전까지 머리 위로 김을 뿜었던 J 는 갑자기 기분이 좋아져 오늘 한 그의 모든 수고를 보상받은 듯한 표정으로 행복해하였다. 그러면서 내 허락은 받을 생각도 하지 않은 채 너무도 반갑게 문을 열어주었다. J 는 고양이를 정말 사랑했고 나는 싫어했다. 더 정확히 말하면, 눈을 쳐다보는 것조차도 무서워했다. 안으로 들어오려고 그렇게 몇 시간이나 매달렸던 보람이 있었다는 생각이 들었던지, 문이 열리자 그 고양이는 순식간에 들어와 동물적인 본능으로 주변을 탐색했다. J 는 "요년아, 요년아~" 하며 쓰다듬고 좋아서 어쩔 줄을 몰랐다. 그래서 방금 처음 봤는데 어떻게 성별을 아느냐고 물었더니 J 는 자기에게 고양이는 다 '여자'라는 기막힌 답을 하였다. 그랬더니 그 영물 같은 고양이도 금방 상황을 파악했는지 J 에게는 자기 몸을 비비며 애교를 부렸고 무서워서 절절매는 내게는 사나운 얼굴로 날카로운 이를 드러내며 공격적인 행동을 보였다. 누가 자기를 좋아하는지 혹은 싫어하는지 본능적으로 금방 알아차린 것이었다.

J 는 이건 하나님께서 자기를 어여삐 여기사 키우라고 보내주신 선물이라며 키우자고 하였다. 그동안 J 는 늘 내게 자기는 아이 낳고 사는 건 싫고 그냥 고양이 한 마리 키우며 살고 싶다고 말해왔었다. 원래 아이를 좋아하지 않던 사람이기도 했지만, 미국에 와서 그때까지 아이들에게 미술 선생님 노릇을 하면서 살아왔기에 말 잘 듣지 않는 아이들에게 지쳐 있었다. 한번은 다니던 교회에서 어린이 주일이 되어 주일예배가 끝난 후에 연이어 어린아이들의 순서가 있었다. 혹시라도

교인들이 일어서 나갈까 봐 일부러 목사님께서 교인들에게 아이들이 열심히 준비한 순서이니 잠깐만 앉아 있어 달라는 당부까지 하셨다. 그럼에도 목사님의 말씀이 끝나자마자 J 는 혼자 벌떡 일어서더니 영어로 이렇게 말하며 자리를 떠났다. “Kids are my enemies!” 그 순간 부끄러움은 내 몫이 되었고 나도 황급히 그 자리를 떠나야 했다. 그렇게 자기의 자식 대신 고양이를 키우고 싶어 했던 J 에게 나는 ‘나’ 아니면 ‘고양이’, 이 둘 중에 하나를 선택하라고 맞섰다. 처음 보는 고양이와 여태껏 동고동락하며 함께 살아온 아내인 나를 비교해 선택하라는 나 자신도 한심했지만, 이 상황을 해결할 다른 방도가 생각나지 않아 나로서도 어쩔 수가 없었다.

J 가 프랫에 다녔을 때 그의 작업실이 있던 빌딩은 붉은 벽돌로 지어진 조금 오래된 듯한 큰 공장 같은 건물이었다. 입구에 들어서면 중앙 바닥 가운데 커다랗고 둥글게 뚫려 있는 공간으로 보일러실인 지하실이 훤히 내려다 보이고, 그곳을 지나 계단으로 올라가면 이층에 J 의 작업실이 있었다. 그 건물은 어떤 중년 남자 한 분이 관리했었는데 학생들은 그를 “Cat Daddy”라고 불렀다. 그 남자는 결혼도 하지 않은 채 고양이 50 여 마리와 그곳에서 일하며 산다고 하였다. 그러므로 그 건물 전체는 늘 그의 고양이들로 점령되어 있었고 어느 곳에서든지 불쑥불쑥 튀어나올 수 있었다. 그래서 J 를 만나러 갈 때면 혹시라도 고양이를 만날 수도 있다는 마음의 준비를 단단히 하고서야 나는 그 건물 안으로 들어설 수 있었다. 그런 힘겨운 절차를 거쳐 이층에 있는 그의 작업실 문을 열고 안을 들여다보면 그림을 그리지 않고 쉬고 있을 때마다 J 는 어김없이 고양이를 끌어안고 고양이와 행복한 시간을 보내고 있었다. 그런 J 에게 어느 날 뜻밖에 고양이가 선물처럼 그를 찾아온 거였다.

반면에, 나에게는 고양이와 얽힌 아픈 트라우마가 있다. 너무 어렸을 때라 언니와 동생이 함께 있었는지 아니면 나 혼자였는지 그에 대한 기억은 없다. 우리집에는 늘 우리를 돌봐주는 언니가 있었는데 내 기억에 그 언니는 어디서 데리고 왔는지 한번씩 우리 방에 까만 고양이 한 마리를 데리고 들어와 나를 공포로 몰아넣곤 했었다. 지금 생각해 보면 자기 말을 듣지 않고 밥을 잘 먹지 않는 등 자기를 힘들게 한다고 느낄 때마다 내게 겁을 주려고 그런 몹쓸 짓을 했던 게 아닌가 싶다. 내 눈에 그 고양이는 너무나 무서워 보였고, 그럴 때마다 나는 방 한쪽 구석에 있던 아버지의 책상으로 기어 올라갔고 그러면 그 고양이도 내가 있는 그곳까지 순식간에 따라 올라왔었다. 그 책상의 구석에는 예쁜 인형이 담긴 큰 유리상자가 있었는데 나는 울면서 그 위까지 올라가려고 했던 일을 기억한다. 내 머릿속에는 그 기억이 공포로 남아 지금도 고양이를 보면 무서워한다.

J 는 기겁하고 소리 지르는 나를 진정시키랴 자기에게 다가와 요염하게 비벼대는 고양이와 놀아주랴 바빠졌다. 일단 주인이 있는 고양이인지를 확인하기 위해 고양이의 몸을 살펴보던 J 는 목에 꼬리표가 있는 걸 발견하게 되었고, 거기에는 뉴욕이 아닌 다른 주 전화번호가 적혀 있었다. 전화로 확인해 보니 그건 주인 전화번호가 아니라 동물병원에서 예방접종을 하고 달아준 표시였다. 이제는 어떻게 해야 할지 난감해졌다. 주인을 찾아줄 방법도 없고 그렇다고 고양이를 너무나도 무서워하는 아내를 모른 척하며 키울 수도 없는 처지에 놓인 J 는 다시 고양이를 밖으로 내보내고 끼니때마다 먹이와 물을 주며 며칠을 돌봤다. 계속해서 J 의 보살핌을 받게 된 그 고양이는 우리 뒷마당을 떠나지 않았고 밤마다 갓난아기처럼 자기를 잊지 말라는 듯 울음소리로 자기의 존재를 알렸다.

그렇게 난처한 며칠이 지나자 J 도 계속 이대로 둘 수 없다는 판단이 섰는지 맨하탄 내에 있는 동물보호소를 알아냈고 거기로 데려다 주기로 결론을 내렸다. 나는 J 혼자서 데려다 주고 오길 바랐지만, J 는 한사코 함께 가자고 하였다. 자동차라는 좁은 공간 안에 잠시라도 함께 있는 것조차 무서워서 내키지 않았지만, 그곳은 60 가 정도의 이스트 강변에서 가까운 곳으로 주차하는 데 어려움이 있을 수도 있었기에 J 의 말을 따르기로 하였다. 그 대신 J 에게 그곳에 도착할 때까지 고양이가 '은별이'의 트렁크 안에만 머물 수 있도록 잘 가둬 달라고 부탁하였다. J 는 구멍이 나 있는 플라스틱 상자에 고양이를 넣고 그 위에 판을 올려 대충 못나오게 막은 다음 트렁크에 실었고, 불안해 하는 내게 "걱정하지 마! 확실하게 막았어. 절대 못나와!"라며 나를 안심시켰다. 그렇게 우리는 앞좌석에 앉아 잠시 이스트 강변을 따라 이어진 FDR(Frank D. Roosevelt)고속도로를 타고 남쪽으로 내려가고 있었다. 그런데 뒤에서 부스럭거리는 소리가 나더니 갑자기 고양이가 튀어나와 순식간에 우리가 있는 앞좌석까지 날아왔다. 그 순간 나는 비명을 지르며 차문 쪽으로 몸을 붙인 채 울기 시작했고, 놀란 J 는 왼손으로는 핸들을 잡고 오른손으로는 고양이를 잡은 채 나와 고양이를 진정시키며 운전까지 하느라 진땀을 흘려야 했다. 하지만 그 길은 갓길도 없는 고속도로라 임시로 차를 세울 형편도 아니었고 예측도 못 했던 돌발 상황이라 어떻게 손을 쓸 겨를도 없이 그곳에 도착할 때까지 J 는 그 상황을 감수해야 했다. 아마도 J 가 고양이의 능력을 과소평가했거나 아니면 트렁크에 태우고 동물보호소로 데려다주는 게 미안해서 더 확실한 방법으로 가두지 않았을 수도 있다는 생각이 들었다. 그 무엇보다 우리가 간과한 사실은 우리 '은별이'가 해치백 스타일의 차라는 사실이었다. 고양이에게 그 정도의 장치를 뚫기는 '식은 죽먹기'였다.

그 난리를 피운 끝에 마침내 J는 무사히 동물보호소에 그 고양이를 데려다 줄 수 있었다. 그리고 우리는 아무 말 없이 조용히 집으로 돌아왔다. J와 그 고양이에게 미안했지만, 나로서는 정말 어쩔 수 없는 결정이었다. 하나님 운운해가면서까지 나를 설득하려 애썼음에도 그 뜻을 이루지 못한 J로서는 무척 아쉬운 결말이었을 것이다. J에게는 정말 하늘이 준 절호의 기회였을 텐데…. 요즈음 J는 시간이 날 때마다 유튜브로 고양이 영상을 즐겨 찾아본다. 그의 얼굴을 옆에서 바라보고 있노라면 세상에서 가장 행복한 얼굴을 하고 있다. 그래서 난 J에게 이렇게 얘기하곤 한다. 만약에 내가 먼저 세상을 떠나게 되면 그때는 정말 고양이 한 마리 데려다 키우면서 둘이서 행복하게 남은 생을 살라고. 진심으로!

19화

도둑이 든 밤 I

SOYOUNG SUH

Paintings & Prints

M.F.A. THESIS EXHIBITION

Oct.31st - Nov.4th, 1994

reception :

Thursday,Nov.3rd, 5:30 - 8 pm

Gallery Hours : 11 - 5 pm

Compton Goethals Gallery

The City College of New York

140th St. & Amsterdam Av. New York, NY 10031

Mother's Home, 48"x60", Mixed Media on Panel, 1992-94

Mother's Home, 1992-94

Mixed Media on Panel

한창 졸업 개인전(M.F.A. Thesis Exhibition) 준비로 바쁘던 어느 가을밤이었다. 과일을 좋아하는 J는 집에 먹을 과일이 없자, 밤 10 시가 되어가는 시간이었는데도 과일을 사러 나갔다 오겠다고 하였다. 우리 동네와는 달리 집에서 멀지 않은 컬럼비아 대학교[53]가 있는 브로드웨이에서 조금만 더 내려가면 마주치는 110 가 주변에는 그 시간에도 그로서리나 식당들이 열려 있었고 사람들로 활기찼었다. 그래서 J는 늦은 시간에도 가끔 그곳까지 가서 과일을 사오곤 하였다. 나는 그러라고 하고 집에 혼자 남아 과제를 하고 있었다. 이후 한 30 분쯤 지나자 J는 한 손 가득 과일이 담긴 봉지를 들고 들어왔다. 귀찮음을 무릅쓰고 다녀온 덕분에 J는 먹고 싶었던 과일을 먹을 수 있었고 기분 좋게 나보다 일찍 잠자리에 들었다. 그즈음에 나는 여러 과목에서 쏟아지는 과제들과 졸업 개인전 준비로 바빠서 항상 J보다 훨씬 늦은 시간이 되어서야 일과를 끝내고 잘 수 있었다. 보통은 배려해서 아내의 자리가 침대의 안쪽이겠지만 우리의 경우는 반대로 J의 자리는 창가 쪽에, 그리고 내 자리는 방 입구에서 가까운 쪽이었다. 나중에 잠자리에 드는 사람이 먼저 자리에 든 사람의 수면을 방해하지 않기 위한 배려였다.

그날 밤도 평상시처럼 자정을 넘긴 뒤에야 모든 할 일을 끝내고 침대로 들어가 피곤한 몸을 눕힐 수 있었다. 우리 방은 도로변에 있었기에 낮에는 햇살이, 밤에는 가로등 불빛이 새어들어왔다. J는 이미 한잠이 들어 코를 골며 자고 있었고, 나도 빨리 잠들고 싶었지만 잠을 쉽게 이룰 수 없었다. 그 시절 스트레스로 인한 불면증으로 그날

---

[53] 컬럼비아 대학교(Columbia University)는 1754 년에 설립된 사립 연구 중심 명문 대학교로, 아이비리그 대학 중 하나이다.

밤도 잠이 들기까지 한동안 몸을 뒤척이며 이 생각 저 생각, 생각이 꼬리에 꼬리를 물다 몇 시인지도 모르게 살짝 잠이 들었는데 우리 방 밖 복도에서 인기척이 느껴졌다. 처음에는 그냥 대수롭지 않게 생각했었다. 왜냐하면, 우리 복도를 거쳐야 지하에 있는 세탁실을 쓸 수 있었기 때문에 우리 복도는 공용이었고 가끔 위층에 사시는 분들이 밤에도 세탁을 하러 내려왔기 때문이었다. 순간 위층에 사시는 선교사님이 지하실에 빨래를 하려고 내려왔나 생각하고 다시 잠을 청하려 하는데 갑자기 "달그락!" 하고 우리 방문의 손잡이 돌아가는 소리가 났다. 그 순간 내 몸의 온 신경은 곤두섰고 이어 우리 침실의 문이 열리고 있는 걸 느낄 수 있었다.

겨우 찾아왔던 잠은 이미 달아나 버렸고 눈을 감은 채 이 상황을 파악하려고 머리를 굴렸다. 아무리 한집에 같이 사는 선교사님이라 해도 한밤중에 우리 층을 거쳐야 내려갈 수 있는 지하실에 빨래를 하러 가는 일 그 자체만으로도 실례인데 그것도 모자라 남의 침실을 열어 본다? 그건 말도 되지 않는다는 생각이 들자 내 눈은 저절로 떠졌다. 순간 본능적으로 이불을 머리끝까지 뒤집어쓰고 "악!" 하고 비명을 질렀다. 누군가가 방 입구에 서서 자고 있는 우리를 쳐다보고 있는 것이었다. 방 안은 어두웠지만, 그는 우리 복도의 불을 켜두고 있었고 또 바깥에서 어슴푸레 새어 들어오는 가로등의 불빛으로 나는 분명히 그가 외부의 침입자임을 알 수 있었다. 이 모든 상황을 다 파악하는 데 걸렸던 시간은 아마 몇 초쯤이었을 것이다. 내가 그를 도둑으로 인지하는 데…. 그리고 끔찍하게도 그와 나 사이는 불과 2 미터 정도밖에 되지 않았다.

내 비명 소리에 놀라 꿀잠에서 갑자기 깨어난 J 는 벌떡 일어나 영문도 모른 채 덩달아 비명을 질러댔다. 그러고 나서 "왜, 왜, 무슨 일이야?"라고 물었다. 우리 방 안을 들여다보고 있던 그 도둑은 내 비명 소리에 놀랐던지 순식간에 사라지고 없었고, 그제야 정신을 차려 복도로 나와 보니 현관문과 바깥의 철문 모두 열려 있었다. 하지만 자다가 혼비백산한 J 는 "911, 911!"을 되내이며 아직 그가 집 안에 있는지 없는지 확인이 안 된 상황이니 위층으로 올라가 전화를 하자고 내게 귓속말을 하였다. 우리집 전화를 놔두고 굳이 위층의 전화를 쓰자는 J 의 생각이 한밤중에 괜한 소란으로 이어질 것 같은 생각도 들고 이미 도둑은 우리집 밖으로 달아난 상황인 듯했지만, 섣부른 판단을 내리기엔 우리의 생사가 걸릴 수도 있는 일이어서 나는 J 의 뜻을 따라 위층으로 조용히 올라갔다. 전화는 부엌과 거실이 있는 1 층 입구에 있었다. 사실 도둑을 우리 방에서 눈으로 본 사람은 나인데 J 는 나보다 더 심한 공포에 빠져 있었다. 크게 심호흡을 하더니 J 는 떨리는 손가락으로 9, 1, 1, 다이얼을 돌렸다. 신호음이 울렸고 곧이어 그쪽에서 답하는 소리가 들리자, J 는 간신히 입을 떼기 시작하였다. 떨리고 긴장된 작은 목소리로 "A thief broke into my house!" 그러자 그쪽에서 다급히 우리집 주소를 묻고 있는 게 수화기 너머로 들렸다. 그런데 J 는 너무 놀란 나머지 우리집 주소를 잊어버렸는지 '5'로 시작해야 하는 우리 주소를 계속해서 "1…, 1…." 그러고 있었다. 그래서 내가 옆에서 침착하게 우리집 주소를 또박또박 불러주었고, J 가 내 도움으로 겨우 그 일을 마쳤을 때 바로 2 층에서 방문 여는 소리가 들렸다. 순간 J 는 그 도둑이 그곳에 숨어있다 '911'로 도움을 청하는 우리를 공격하려고 접근하는 걸로 착각하고 극도의 공포에 질린 목소리로, "He is still here. Please help me!" 라고 말하고는 황급히 전화를 끊었다.

알고 보니 주무시던 선교사님들이 아래층의 인기척을 듣고서 확인하러 내려오신 거였다. 우리는 모두 자다가 얼빠진 사람들처럼 서로를 멍하니 쳐다보며 이 상황을 맞닥뜨리고 있었는데 전화를 끊은 지 채 2, 3 분이나 지났을까 "쾅, 쾅!" 세게 현관문을 두드리며 "N.Y.P.D.!"라고 다급하게 외치는 목소리가 들렸다. 문을 열고 얼핏 밖을 보니 얼마나 위급하다고 느꼈으면 동쪽으로 일방통행인 우리집 앞 도로를 역주행해 다른 차들과 반대방향으로 두 대의 경찰차가 우리집 앞에 세워져 있었다. 그리고 맨 앞에 대장님이 손에 권총을 든 채 들어오고 뒤따라 여러 명의 경찰이 장총을 들고 뒤따라 들어왔다. 이제 우리를 이 위험에서 구할 경찰이 왔으니 '살았구나!' 하는 생각이 드는 순간, 내 눈 앞에는 또 한 편의 미국영화에서 익숙하게 봐왔던 장면이 펼쳐졌다. 숨 막히는 긴장감 속에서도 나는 관객이 되어 도무지 지금 우리집에서 일어나고 있는 이 일이 현실이라는 생각이 들지 않았다. 지난번 뉴잉글랜드 여행 때 경험했던 히치하이크가 '드라마' 장르였다면 이번에는 '범죄 액션' 장르였다. 그날 태어난 후 처음으로 진짜 무기를 내 눈으로 직접 보게 되었다. 그리고 그들의 민첩하면서도 절제된 행동은 영화 속 배우들의 액션과 완전히 똑같았다. 아니 배우들이 경찰의 액션을 실감나게 연기하는 거겠지만…. 그들은 대장의 지시에 따라 일사불란하게 벽에 몸을 완전히 붙인 채로 벽을 따라 움직이며 방문이나 벽장문을 열 때도 벽에 몸을 붙인 채 재빨리 열고 난 후 그 안을 확인하였다. 절대로 공간 한가운데 그들의 몸을 노출하지 않았다. 그렇게 먼저 우리가 있던 1 층을 수색한 경찰은 우리에게 이곳은 안전하니 여기에 머물러 있으라고 하였다. 그러고 나서 그 경찰팀은 계단을 내려가고 올라갈 때에도 건물 벽에 몸을 밀착시킨 채로 지하부터 맨 꼭대기 층까지 문이란 문은 다 열어보며 집을 이 잡듯이 뒤졌고 혹시나 아직 집 안에 머무르고 있을 지도 모를 도둑을 찾아다녔다. 그동안 우리는 아직도 혼비백산한 얼굴로 함께 1 층에 모여 있었다.

이윽고 경찰이 우리에게로 와서 집 안에는 도둑이 없다는 사실을 알려주었고 유일한 목격자인 내게 그 현장에 관해 묻기 시작했다. 나는 그 순간을 떠올리며 생각나는 대로 그 상황을 진술하였고 내가 본 그의 인상착의에 대해서도 알려주었다. 그 후 경찰이 없어진 물건이 있는지 확인해 보라는 말에 우리는 다시 우리 층으로 조심스럽게 내려와 J 의 작업실로 쓰던 거실을 살펴보니 모든 것이 그대로 있었고 다시 우리 방으로 들어가 보니 학교 갈 때 메고 다니던 내 가방만이 자기 전에 두었던 곳에 있지 않았다. 사실 우리 방에는 TV 외에도 컴퓨터 그래픽스에 필요한 애플컴퓨터, 프린터 그리고 스캐너까지 있었다. 하지만 그것들은 창가 쪽 구석에 있는 내 책상 위에 있어 방문 입구와는 거리가 있기도 했고 우리를 깨우지 않고 그 무거운 물건들을 들고 나갈 수 있었을는지는 모르겠다. 어쨌거나 우리 방문이 열리는 순간 나는 잠에서 깼고 그가 할 수 있었던 유일한 행동은 방문 입구에 있던 내 가방을 들고 달아나는 것이었다. 그래서 가방이 없어졌다고 알렸더니 경찰은 그 가방에 대해 아주 상세하게 물었다. 무슨 상표냐, 모양이 어떠냐, 색깔은 뭐냐, 재질은 뭐냐, 그리고 안에 뭐가 있었느냐, 그 가치를 환산하면 얼마나 되느냐 등. 하지만 그 가방은 학교 갈 때 들고 다니려고 차이나타운에서 10 달러 주고 산 그냥 캔버스 천으로 만든 보잘 것 없는 어깨에 메는 가방이었고, 그 안에는 경찰들이 말하는 그런 가치 있는 어떤 것도 없었다. 다만, 그 가방 안에는 내게 있어 그 어떤 것들보다 더 소중한 나의 졸업 개인전을 알리는 200 장의 엽서가 있었다. 그동안 그 엽서를 만드느라 고생도 했었고 하필이면 그날 오후 인쇄소에서 찾아와 이제 내일이면 교수님들과 동료 학생들에게 나눠

주기로 되어 있던 터라, 잊지 않기 위해 그날 밤 자기 전에 미리 넣어둔 것이었다. 그런데 하필 문 입구에 놔둔 그 가방을 그 짧은 시간 안에 들고 달아난 것이었다. 경찰들에게 그 얘기를 했지만 그들은 뭐 대수롭지 않게 생각하는 듯하였다. 왜냐하면, 경찰들은 그 엽서가 내게 어떤 가치와 의미를 지니고 있는지에 대해 모르기도 했고 돈으로 환산할 수도 없었기 때문에 그건 그들에게 중요치 않았다. 그들은 무엇보다도 아무런 인명피해가 발생하지 않은 사실에 안도했고 그다음으로 어떤 물질적 피해가 있는지에 대해서만 관심이 있었다. 그렇게 모든 조사가 끝나자, 그들은 문단속 잘하라는 말을 남기고 떠났다.

20화

도둑이 든 밤 II

경찰이 떠나자 우리는 모두 도둑이 머물렀던 우리 층으로 내려왔다. 그제야 그날 밤 도둑이 우리집을 어떻게 침입했는지 그 경로를 파악할 수 있었다. 그것은 J 의 실수로 빚어진 사건이었다. 밤늦게 과일을 사러갔다가 집으로 돌아온 J 가 두 손을 써서 닫아야 할 철문을 한 손으로 닫은 게 화근이었다. 평상시에 그 문을 닫으려면 한 손으로는 문을 고정하고 다른 한 손으로 빗장쇠를 내려야 했다. 그런데 그날 밤 J 의 손에는 무거운 과일 봉지가 들려져 있었기에 J 는 한 손으로 문을 고정하지 않은 채로 빗장쇠만 내리고 잘 닫혔는지 확인하지도 않고 안으로 들어온 거였다. 겁도 없이 할렘에서, 그것도 한밤중에! 처음 이사 왔을 때만 해도 늘 조심하며 살았었는데, 그새 몇 년을 아무 문제 없이 살다 보니 익숙해져 방심을 한 것이었다. 얼핏 J 가 보기에는 닫혀진 듯했겠지만, 시간이 지나자 그 철문은 자연히 열린 상태로 방치되었고 그걸 본 도둑은 웬 횡재냐며 쉽게 우리집 안으로 들어올 수 있게 된 것이었다. 하지만 우리집 안에는 현관문이 하나 더 있었고 그 문은 다행히 잠겨져 있었는데, 그 도둑은 어떻게 우리집 안으로 들어올 수 있었을까? 여기에 놀라운 비밀이 있었다.

우리가 늘 디디며 지나다니던 그 철문과 현관문 사이에는 조그만 공간이 있었는데 그 바닥에 비상시를 대비해서 만들어 놓은 듯한 맨홀이 있었던 거였다. 우리는 그때까지 그곳에 그런 게 있는지조차 몰랐었다. 그 도둑은 열려 있는 철문으로 일단 들어오기는 했으나 현관문이 잠겨 있자 어떻게 알았는지 그 무거운 맨홀 뚜껑을 들어 올리고 그 밑으로 내려간 거였다. 그제야 그 뚫려 있는 동그란 구멍 속을 들여다보게 되었고, 거기에는 생각지도 못했던 지하실로 통하는 비밀 계단이 있었다. 그 도둑은 그렇게 지하실을 통해 우리 층으로 올라올 수 있었고, 여차하면 도망가야 할 상황에 대비해서 잠겨있던 현관문도 미리 활짝 열어 놓음으로써 퇴로를 확보해 두는 치밀함도 보였다. 그 도둑의 침입 경로를 확인해 보니 적어도 30 분 이상은 우리집 안에 머물러 있었던 것 같았다. 그 도둑이 철문을 프리패스한 후 우리집 안으로 숨어들어와 우리 방문을 연 그 순간까지 그가 한 수고에 비해 그가 얻은 성과물은 너무나 초라했다. 그에게는 아무짝에도 쓸모없는 내 가방이 다였으니. 아! 한 가지 더 있었다. 그 도둑은 우리 화장실에 시그니처인양 큰일을 보고 갔다. 어릴 적 우리집에 도둑이 든 적이 있었는데 그때도 그렇게 해놓고 갔었다. 그런데 이번에도 같은 일이 벌어진 것이다. 미국이나 한국이나 도둑들의 습성은 같은가 보다!

그 밤에 J 는 남자 선교사님과 함께 그 도둑이 머물렀던 화장실을 소독하며 복도를 청소했고 나는 다른 여자 선교사님들과 1 층에 같이 있었는데, 거의 한 시간쯤 지났을까 다시 문 두드리는 소리가 났다. 열어 보니 아까 온 경찰관 중 한 명이었다. 그리고 그의 손에는 내 가방이 들려져 있었다. 다시는 못 볼 줄 알았던 가방을 보니 너무 반가워서 어디서 찾았느냐고 물었더니 몇 블록 떨어진 곳에 있는 어느 집 입구 계단 밑의 후미진 구석에 버려져 있는 걸 발견했다고 하였다. 가방에 대해 그렇게 꼬치꼬치 묻더니 찾아주려고 그랬구나 하는 생각이 들자 나는 그들의 수고에 진심으로 감사하였다. 하지만 그 가방 안에는 아무것도 들어있지 않았다. 도둑은 그 엽서 다발이 돈다발이길 바랐겠지만, 아닌 게 밝혀지자 화가 나서 쓰레기통에 쑤셔 처박았거나 아니면 길에다 버렸는지 그렇게 공들여 만들었던 나의 졸업전을 알리는 그 소중한 엽서는 사라지고 말았다. 그럼에도 한밤중에 그것으로 사건을 종결짓지 않고 그 일대를 계속 수색하여 빈 가방이라도 찾아서 갖다 주는 그 성의가 정말 고마웠다. 그동안 길에서 지나다니는 경찰차를 보거나 아니면 각종 사건·사고 현장을 다루는 뉴스에서나 봐왔던 그 유명한 'NYPD'를 그날 밤은 우리가, 그리고 우리집이 사건의 중심이고 현장이 되어 그들이 펼치는 액션을 직접 눈으로 볼 수 있었고, 또한 그들이 그들의 주요 업무인 치안 유지를 위해 얼마나 최선을 다하고 있는지 직접 경험하는 기회가 되었다. 그렇게 한밤중의 한바탕 소동은 결국 끝이 났고 새벽녘에야 우리는 겨우 잠을 청할 수 있었다.

몇 시간 뒤 잠에서 깨어난 J는 아직도 그 공포에서 깨어나지 못한 듯 얼이 나간 사람처럼 보였다. 비몽사몽인 상태로 일어나 앉아서 자기의 머리를 긁적였는데, 그때 갑자기 자기의 오른쪽 시야에 살짝 잡힌 자기 새끼손가락을 보고 "으으윽!" 하고 소스라치게 놀라며 몸을 떨고 있는 J를 보게 되었다. 자기 손가락을 보고도 놀라는 J를 보며 참으로 어이가 없었다. 도둑을 직접 눈으로, 그것도 우리 침실에서 본 사람은 나인데…. 이런 위기의 순간을 통해 나는 J가 나보다 얼마나 더 겁이 많은 사람인지를 알 수 있었다. '외유내강'이 아닌 '내유외강'의 사람이란 사실을 그때 깨달았다. '내가 J로부터 보호를 받아야 할 대상이 아니라 J가 나로부터 보호를 받아야 할 대상이구나!' 하는 생각마저 들었다.

나는 일단 아침을 먹고 학교로 가서 전날 밤 집에 도둑이 든 사실을 알렸고 다시 졸업전 엽서를 만들어야 했다. 그리고 그날은 일찍 학교에서 돌아왔다. 그런데 어젯밤 아니 오늘 새벽에 왔던 경찰로부터 전화가 왔다. 우리집으로 와서 지문 채취를 하겠다고. 우리는 천만다행으로 죽거나 다친 사람도 없었고 또 도둑맞은 물건이라 하기에는 너무도 초라한 내 가방이 다여서 그것으로 사건이 싱겁게 종결된 줄로 생각했었다. 그런데 그걸로 끝난 게 아니었다. 정확한 시간으로 말해, 오늘 이른 새벽 '911'로 걸려온 우리의 전화를 받고 경찰이 출동했을 때는 현재 벌어지고 있는 상황인 줄 알고 인명피해를 막는 데 주력했다면, 이제는 범인을 잡기 위해 다시 수사력을 발휘하려는 것 같았다.

오후에 우리집에 들른 경찰은 우리 방 안의 TV 등 가전제품과 문 손잡이처럼 그의 지문이 남겨져 있을 만한 곳이란 곳은 죄다 지문을 채취하였고, 나는 옆에 서서 어린아이처럼 경찰이 하는 그 장면을 구경하였다. 이제는 CSI: NY[54]를 보고 있는 듯하였고 범죄의 현장이 우리집이고 우리 침실이라는 사실조차 잊은 채 드라마를 보고 있는 듯 심지어 재미있어 보이기까지 하였다. 그 당시에는 지금과 같은 방법은 아니었겠지만 처음 보는 나로서는 신기하기만 했다. 그 경찰은 무슨 007 가방 같은 키트세트에서 무슨 흰색의 가루를 꺼내 지문이 있을 만한 곳의 표면 위에 뿌리고 붓질을 조심스럽게 하였다. 과연 이 수고로 결정적 증거인 그 도둑의 지문을 채취해 내고 그것을 이용해서 그를 찾아낼 수 있을 지에 대해 나는 궁금했었다.

---

54 CSI: NY는 2004년부터 2013년까지 방영된 TV 시리즈로 미국의 과학수사 드라마이다.

그 후 이틀인가 지났을 즈음 경찰로부터 또 한 통의 전화를 받게 되었다. 이번에는 그 도둑을 잡은 것 같다는 내용이었다. 며칠 전 지문을 채취해 가더니 그들의 데이터베이스(database)에서 일치하는 누군가를 찾은 것이었다. 나는 경찰의 수사력과 자기들의 맡은 바 임무에 대한 책임의식에 감탄하였다. 그게 그들의 본업이며 당연히 해야 할 일을 한다고 생각할 수도 있지만. 그냥 문이 열려 있어 들어와본 것 같은 좀도둑이란 생각을 했었는데 이렇게까지 사건이 커질 줄은 생각지도 못했었다. 문제는 내게 경찰서로 와서 그 도둑이 맞는지 얼굴을 확인해 달라는 것이었다. 그 말에 겁이 더럭 났다. 그 도둑을 본 사람은 나밖에 없었으니 이 일은 나 외에는 우리집에 사는 그 누구도 대신 할 수 없는 일이었지만 나는 주저하였다. 경찰은 내가 무엇을 두려워하는지 알고 걱정하지 말라고 안심시키면서 나는 그를 볼 수 있지만 그는 나를 볼 수 없을 것이라고 말했다. 하지만 용기가 나지 않았다. 그 어슴푸레한 불빛에 몇 초였을까 잠깐 본 게 다인데 그의 얼굴을 특정하기가 나로서는 어렵기도 하였고 무엇보다도 그 도둑이 나를 다시 보게 될까 두려웠다. 만일 그런 일이 또 발생한다면 그때는 나를 가만히 살려두지 않을 것 같았다. 그래서 잠시 망설이다가 경찰에게 그 사람의 얼굴을 기억하지 못하니 내가 경찰서에 가더라도 확인을 해 줄 수 없을 것이라고 말했고, 내가 가지 않으므로 해서 그 사건이 그 뒤로 어떻게 종결되었는지 알지 못한다. 내가 아는 한 그날 밤 우리집에 든 도둑 사건은 그것으로 끝을 맺었다.

‘911’은 미국에서 위급한 상황을 맞았을 때 누구든지, 심지어 어린아이들조차 알고 있고 쓸 수 있는 긴급전화번호이다. 우리는 그 후로도 살면서 두어 번 더 쓴 적이 있었다. 하지만 그날 밤처럼 다 그런 영화 같은 장면이 연출되지는 않는다. 그 일을 겪은 후 알게 되었는데,

전화 내용과 수화기 너머로 느껴지는 위급성을 직감해서 위급한 상황에 따라 등급을 매긴다고 들었다. 한번은 우리가 알고 지내던 지인과 얘기를 나누다 그녀가 겪은 '911' 경험담을 들은 적이 있었다. 그녀는 소매치기를 당한 후 '911'에 전화를 했는데 경찰이 출동조차 하지 않았다고 푸념을 하였다. 그보다 나은 경우는 오긴 오더라도 이미 상황이 다 끝난 뒤 30분 내지 1시간쯤 있다가 마지못해 오는 것처럼 오기도 한다고 들었다. 우리의 경우도 마찬가지로, 그날 밤 우리집에 도둑이 들었다고 전화를 했을 때 만약 그 상황이 이미 끝난 상황이라고 판단되었더라면 아마 그 소동은 조용히 끝났을 수도 있었을 것이다. 하지만 '911'로 전화했을 때 J의 다급하고도 절실했던 그 마지막 외침은 그 상황을 실제상황으로 판단케 했고, 가장 높은 등급인 1등급을 받기에 충분했던 것이다. "He is still here. Please help me!"

21 화

꿈을 향하여 III - 탐색의 시간

The Memory II, 1993
Lithography & Silkscreen

돌이켜 생각해 보면 내 인생에서 가장 반짝반짝 빛나던 시절이 아니었던가 싶다. 이제 막 30 대에 들어섰고 뉴욕에서 순수미술을 제대로 공부하고 싶었던 내 꿈이 드디어 현실로 이루어지는 시간이었다. 보통의 경우는 대학에서 기본적인 전공 분야를 정하고 대학원에 들어가면 대학에서의 전공을 살려 그 분야 중 한 곳을 더 전문적으로 공부하게 되지만 내 경우는 달랐다. 20 대 중반에 미국에 와서야 비로소 전공하기로 마음먹은 판화 이외에도 막상 대학원에 들어와 보니 나를 유혹하는 다른 분야들이 있었다. 그것은 포토그래피(Photography)와 컴퓨터그래픽스(Computer Graphics)였다. 이 두 전공분야는 우리 미대의 강점으로 설비도 정말 좋았고, 12 학점 이상이면 초과 학점에 대한 추가적인 학비가 없어 학점만 잘 관리할 수 있으면 전공과 관계없이 배우고 싶은 과목들을 원하는 대로 들을 수 있었다. 그래서 나는 내 능력을 최대치로 끌어올려 판화 전공에 필요한 필수과목들 외에도 부전공으로 포토그래피와 컴퓨터그래픽스 과목들을 학기마다 단계별로 수강할 수 있었다. 그 도전은 내가 아티스트로서 나의 적성을 찾아가는 탐색의 시간이었다.

학교 분위기는 정말 좋았다. 나를 포함한 세계 여러 나라에서 온 유학생들과 미국 학생들로 다양한 연령층을 이루고 있었고 교수님들도 권위적이지 않고 너무도 친절히 대해 주셨다. 교수님들은 대부분 첫 시간에 그냥 자기의 이름을 부르라고 하셨다. 처음에는 교수님의 이름을 부른다는 그 자체가 어색했지만, 시간이 조금 지나게 되자 익숙해지게 되었다. 이후 교수님들과 정말 가깝게 지내게 되어 그분들의 작업실도 방문하고 집에도 초대받아 J 와 우리 동기들과 함께 놀러 가기도 하였다. 정말 인간미 넘치는 좋은 분들이셨다. 학기가 끝날 땐 물론 교수님들이 학생들의 학업 성취도를 평가해서 학점을 주지만,

학생들도 교수 평가서를 작성해야 했다. 서로에게 자기 맡은 일에 대한 책임을 공평하게 지우는 장치인 것 같았다. 그래서 그런 권위적이지 않은 친밀한 분위기가 이루어졌을 수도 있었겠지만, 그보다는 미국 사회에 형성되어 있는 전반적인 문화적 특성이라고 느꼈다.

첫 학기 드로잉 수업 때 사실 나는 작지 않은 충격을 받았었다. 한번은 교수님께서 자화상을 과제로 주셨다. 그래서 J 에게 조언을 구했다. 그냥 내가 알던 그런 자화상은 아니어야 한다는 J 의 조언을 듣고 고심 끝에 나는 내 얼굴을 최대한 추상적 느낌으로 그려갔다. 그다음 시간에 둘러앉아서 과제 한 걸 내놓고 순서대로 한 명씩 앞에 나와 자기의 작품을 설명해야 하는 난감한 일을 겪었다. '화가는 그림으로 이야기하는 사람'이라는 한국에서의 사고방식은 미국에서 통하지 않았다. 한국에서의 미술교육과 미국에서의 그것이 극명한 차이로 드러나는 시간이었다. 내가 ESL 프로그램에서 느꼈던 '말의 문화' 그 자체였다. 그 문화적 차이는 내가 모든 수업을 받는 데 걸림돌로 큰 부담이 되었다. 항상 작가는 자기 작품에 대한 미학적인 개념을 글로, 그리고 말로 표현할 수 있어야 했다. 나는 그날의 수업을 지금도 생생하게 기억한다. 부끄러움은 오롯이 아시아에서 온 유학생들의 몫이 되었기 때문이었다. 우선 종이에다 사람의 얼굴과 같은 형상을 그려 온 학생들은 우리뿐이었고, 그걸 본 교수님께서 이렇게 말씀 하셨다. "Once upon a time, a century ago, it used to be an art but not anymore…." 그렇게 일주일 동안 고심하며 그려간 내 자화상은 더는 예술로 인정받지 못하는, 마치 유효기간이 지나 쓰레기통에 버려지는 식품에 불과했다. 어떤 미국 친구들은 평면이 아닌 입체 조형물을 들고 와서 자기 자화상이라 했고, 내가 보기엔 정말 웬 뚱딴지같은 걸 들고 왔나 싶었는데 그들은 그게 자신의 자화상이라며 그럴싸한 말로 덧입혔다. 그들의 얘기를 들으면서 "꿈보다 해몽이 좋다!"는 우리 속담이 떠올랐다. 나는 그들의 작품에 감탄한 게 아니라 그들의 작품을 포장하는 말솜씨에 감탄했었다. 그리고 그 수업시간에 교수님께서 하신 말씀이 머리로는 이해가 되었지만, 솔직히 마음속으로는 그래도 명색이 드로잉 수업의 과제인데 도를 지나쳐도 너무 지나친 것 아닌가 하는 생각을 그때 했었다.

그나마 실기 과목들은 이론 과목에 비해 시간적 소모는 많았지만 눈에 보이는 결과물이 있으니 상대적으로 쉬웠다. 하지만 미술 이론(Art Theory) 같은 이론 수업은 정말 힘들었다. 학위에 필요한 필수 과목이라 피할 수도 없었고 직진 외에는 다른 방법이 없었다. 수업은 항상 원탁에 둘러 앉아 주제를 놓고 토론해야 했고, 그럴 때면 나는 늘 침묵으로 일관했다. 존재감 없이, 투명인간처럼! 그러나 한 명씩 앞에 나와 발표를 해야 할 때는 시간이 빨리 앞으로 감겨 내 순서가 지나거나 아니면 그 수업 날이 오지 않았으면 하고 늘 바랐었다. 하지만 그런 일은 절대 일어나지 않았고 항상 월요일 아침 첫 시간에 있던 그 수업은 일요일부터 스트레스로 내게 심한 두통을 가져다 주었다. 정말 영어가 모국어가 아닌 유학생들에게는 너무나도 힘든 시간이었다. 한번은 내 발표 차례가 다가오자, 궁리 끝에 그 수업을 위해 마치 배우가 대사를 외우며 연기를 하는 것처럼 나도 그렇게 하기로 마음먹고 일주일 동안 최선을 다해 준비를 하였다. 그리고 마침내 그날이 왔고 나는 외운 대로 힘겹게 준비한 오디션 같은 프레젠테이션을 마쳤다. 그리고 나자 그 교수님께서 내게 물으셨다. 지금 발표한 내용을 다 외워서 했냐고. 그래서 할 수 없이 그렇다고 실토하였다. 그 순간 '망쳤구나!' 하고 실망스런 얼굴을 감출 수가 없었다. 내가 생각해도 내 연기는 어설펐고 대사도 자연스럽지 못했기 때문이었다. 그런데 교수님은 최선을 다해 준비한 내 성의에 중점을 두셨고 오히려 잘했다고 뜻밖의 칭찬을 하셨다. 그때 얼마나 힘들었으면 졸업한 뒤에도 한동안 꿈에 그 수업을 하는 내가 나타나 꿈에서조차 이게 꿈이기를 간절히 바랐었다.

부전공으로 선택했지만 내가 전공보다 더 좋아했던 분야는 포토그래피였다. 기초부터 시작해서 사진전공에 필요한 모든 과목을 차례로 수강했었다. 판화전공으로 들어와 판화실보다 암실에 더 오래 머물렀던 것 같다. 이유는 판화 작업을 할 때면 늘 체력적인 한계에 부딪히곤 했기 때문이었다. 우리 학교에 있던 동판화 프레스기가 수동이어서 프린트를 할 때면 힘들게 팔로 돌려야 했는데, 한번은 작업하는 내 모습을 옆에서 구경하던 한 남학생이 한다는 소리가 "That's a part of your work! That's why I can't help you." 라며 곧 도와달라는 소리를 들을 것 같았는지 먼저 내게 얄밉게 선수를 쳤다. 그냥 귀찮고 싫어서 안 도와줬는지, 아니면 정말로 그렇게 생각해서 그런 말을 했는지는 모르겠지만 아마도 후자보단 전자였다는 생각이 들었다. 작업을 할 때, 남의 도움을 받는 것도 싫었고 어쩔 수 없이 도움을 바라게 되는 나 자신도 싫어서 나는 내 전공인 판화보다 남의 힘을 빌리지 않고 내 힘으로 해낼 수 있는 포토그래피에 더 매료되어 갔다. 시간이 날 때면 어김없이 카메라를 둘러메고 맨해튼의 구석구석을 누비며 뉴욕에서만 느낄 수 있는 멋과 미를 찾아 다녔다. 온종일 다리가 아프도록 걸어 다니며 흑백 필름 한 통을 다 쓰고 나면 저녁에 학교로 돌아와 곧장 암실로 향했다. 그곳에서 필름에 담긴 이미지들은 여러 과정을 거치게 되고 마지막으로 인화지가 현상액이 든 트레이에 담기게 될 때면, 마치 요술을 부리듯 그 속에서 서서히 제 모습을 드러냈었다. 그러면 나의 힘들었던 하루의 작업이 보상을 받는 듯했다.

암실에서의 한 시간은 일 분 같았다. 저녁에 들어가면 아침에 나오기가 일쑤였다. 하지만 포토그래피에 푹 빠져 살던 때라 힘든 줄도 모르고 살았었다.

그 시절 J 와 함께 즐겨 가던 장소가 있었는데, 그곳은 브루클린의 윌리엄스버그(Williamsburg)와 그린포인트(Greenpoint) 사이의 이스트 강변이었다. 지금은 'DUMBO'처럼 개발되어 뉴욕의 젊은이들이 가장 살고 싶어 하는 동네 중 하나로 강변을 따라 조성된 공원과 고급 아파트들 그리고 그들의 삶을 충족시키는 예술적인 감각이 돋보이는 다양한 가게들로 탈바꿈하여 30 여 년 전의 그 모습을 상상조차 할 수 없게 되었지만, 그 시절 그곳은 폐허였다. 바로 눈앞에 마주하는 강 건너의 현대적인 고층 빌딩들로 빼곡한 맨해튼과 절묘한 대조를 이루고 있었다. 내 눈에는 그런 극적인 대비가 참 매력적으로 다가왔다. 마치 전쟁이라도 치른 것처럼 건물들은 무너져 있었고 그 일부만이 남아 주변의 잡초와 함께 묘한 분위기를 연출했었다. 마치 '현재의 시간'과 '과거의 시간'이 공존하는 듯했다. 그곳에서 나는 '현재의 나'와 한국에서 보낸 '어릴 적 나'의 이미지들이 오버랩되는 경험을 하였고 그것을 통해 내 작품세계의 실마리를 찾을 수 있었다. 그리고 지붕도 날아가고 없는 그 건물의 잔해 속으로 겁도 없이 들어서면 조금 전까지 누군가가 살아온 듯한 삶의 흔적들도 발견할 수 있었다. 열정적으로 나는 그곳의 이미지들을 내 필름에 담았고 그 이미지들은 다시 판화 작업과 그 프린트들을 이용한 회화 작업에 고스란히 스며들게 되었다. 그리고 그런 작업들을 통해 아티스트로서의 나의 세계를 조금씩 찾아가게 되었다.

포토그래피만큼이나 나를 신세계로 이끌었던 분야는 컴퓨터 그래픽스였다. 나는 초기 '386 세대'여서 컴퓨터에 대한 지식이나 사용해 본 경험 없이 대학을 졸업했었다. 사실, 그 시절에는 전공을 떠나 우리가 살아가는 데 굳이 컴퓨터를 알아야 할 필요가 없었다. J 가 처음 프랫에서 공부를 시작했을 때인 1988 년에도 글쓰기 과제물을 위해 타자기를 샀었다. 그런데 몇 년 만에 시대가 바뀌어 내가 학교에 다니기 시작한 1992 년 초에는 아날로그 시대에서 디지털 시대로 진입하고 있었다. 이제 시대는 누구에게나 컴퓨터 사용을 요구했고 학교에서는 그 수요를 충족하기 위해 컴퓨터를 가르쳐야 했다. 그 당시 우리 미대의 컴퓨터랩(Computer Lab)에는 최신의 애플컴퓨터들이 설치되어 있었다. 그 시절은 오직 애플컴퓨터로만 그래픽스를 할 수 있었기 때문이었다. 나는 암실과 컴퓨터랩을 오가며 '물 만난 물고기'가 되었다. 특히, 컴퓨터그래픽스는 내 성향과 참 잘 맞았다. 판화 작업과는 다르게 육체적으로 힘들지도 않았고 나 같은 계획형 인간에 적합한 '단계적인(step by step)' 컨셉도 마음에 들었다. 처음 기초 과목들을 마치고, 컴퓨터그래픽 디자이너로서 반드시 알아야 하는 여러 전문적인 프로그램도 접하게 되었다. 그중에서 '포토샵(Photoshop)'이 단연 최고였다. 사진을 좋아하던 내게는 정말 매력적인 프로그램이었다. 작업을 하는 과정에서 하나의 '효과'를 만들려면 지금은 한 번의 클릭으로 쉽게 만들 수 있지만, 그 당시는 '포토샵'이 세상에 나온 지 얼마 되지 않을 때여서 열 개의 '채널'을 거쳐야 하나의 '효과'를 만들 수 있는, 지금으로서는 상상할 수도 없는 불편함과 어려움이 있었다. 우리 미대에서 제공되는 컴퓨터그래픽스 전공은 순수미술이 아니라 응용미술 분야였지만 나는 열심히 모든 과정을 이수했다.

그리고 졸업할 즈음에 이 세상에 '인터넷'이라는 새로운 세계가 존재한다는 사실을 알게 되었다. 교수님께서 수업 시간에 이런 신세계가 있다는 걸 보여 주셨다. 그때는 지금처럼 이 세상에 사는 모든 사람이 거의 다 인터넷을 사용하며 그 네트워크(network)로 온 세계가 하나로 연결된 새로운 세상에서 살게 될 줄은 상상조차 하지 못했었다. 그 당시 인터넷은 가히 최첨단 테크놀로지였고, 내가 마지막 학기를 남겨 두고 있었을 때 교수님께서는 웹디자인(Web Design) 과목을 개설하셨다. 그리고 교수님은 내게 그 과목 수강을 권유하셨지만 나는 망설이다 수강하지 않았다. 지금 생각하면 그 부분이 아쉽기도 하지만, 그때는 그전까지의 경험만으로도 충분하다고 생각했었다. 그리고 내 생각대로 그 컴퓨터그래픽스 경험은 졸업 후 나를 급변하는 시대의 흐름에 잘 적응하며 따라갈 수 있게 만들었다.

내 꿈을 향하여 1992 년 봄학기부터 시작해서 1995 년 봄학기까지의 3 년 반이라는 짧지 않은 시간 동안 나는 내 인생에서 가장 열정적이고도 치열한 삶을 살았었다. 그 학창시절은 아티스트로서 '나'를 찾아가는 탐색의 시간이었고, 내게 너무나 다양한 경험과 잊지 못할 추억을 선물로 안겨 준 소중한 시간이었다. 그 경험들은 그 후의 내 삶에 큰 자산이 되었고, 그로써 내가 찾아왔던 아티스트로서의 내 정체성을 확고히 세워 나갈 수 있었다. 그리고 무엇보다 내게 의미 있었던 삶의 변화는 그 경험 덕분에 처음 '아트'라는 신세계를 만났을 때부터 내 곁에서 무한한 의지와 힘이 되어 주었던 J 에게 그 후로는 보답하며 살아갈 수 있게 되었다는 점이다. 왜냐하면, J 는 시대의 변화 속에서도 전혀 물들지 않고 아직도 홀로 아날로그 시대의 삶을 지향하며 가장 순수한 방법인 손과 붓만을 고집하는, '찐' 순수미술(Fine Art)을 추구하는 화가이기 때문이다. 그런 J 가 컴퓨터와

스마트폰이 없는 삶은 상상조차 할 수 없는 요즘 같은 신세계에서도 넉넉히 살아갈 수 있도록 나는 내 컴퓨터 활용 능력과 경험으로 그의 든든한 의지처가 되었고, J 가 원했던 그 '내조자' 로서의 역할도 충분히 감당할 수 있게 되었다.

22화

긴 터널 I

Window of the Heart, 1994
Silkscreen, Woodcut, Acrylic on Panel

지금까지 35 년간의 뉴욕살이 중 1 년 남짓 뉴저지에서 살았던 적이 있다. 우리의 뉴욕살이에서 '외도'와도 같았던 그 기간은 36 년간의 결혼 생활 중 가장 힘들었던 시간을 포함하고 있다. 그 기억은 마치 빛도 없는 캄캄한 긴 터널 속에 혼자 갇힌 것 같은, 다시는 떠올리기조차 싫었던 경험이었지만 그 또한 내 인생의 한 부분이었고, 그래서 삭제될 수는 없다고 이제는 담담히 이야기할 수 있다.

1995 년 봄 내가 졸업할 무렵이 되자 더는 할렘에 살아야 할 이유가 없어졌다. 졸업전을 앞두고 있던 지난 가을에 도둑 사건도 있었고 주차 문제도 늘 신경 쓰였으며 무엇보다 이제 우리에겐 둘의 작업 공간이 필요하게 되었다. 처음 미국으로 올 때 눈물을 흘리며 가족들과 이별을 했었고 두렵고 떨리는 마음으로 뉴욕에서의 삶을 시작했지만, 이제는 뉴욕의 매력에서 빠져나오기 싫어졌다. 우리는 아직 젊었고 솔직히 아티스트로서의 기회가 보장될 것 같은 이곳을 떠날 수가 없었다. 그리고 아직도 우리의 삶은 온통 '아트'에만 집중되었던 시절이었다. 그래서 생활할 수 있는 주거 공간보다는 작업을 할 수 있는 넓은 공간을 얻는 데 관심이 있었다. 이상하리만치 그 시절 브루클린 쪽의 이스트 강변에는 허름한 공장 같은 건물들이 많았고 많은 젊은 아티스트들이 그런 공간에서 주거와 작업을 함께 하며 살았었다. 원래 미국의 법으로는 엄격히 구분되어 있지만 아티스트들은 법을 초월하여 사는 사람들이기도 하고, 그들의 쪼들리는 주머니 사정으로 인해 작업 공간과 주거 공간을 함께 씀으로써 돈을 절약할 수 있는 방법이기도 해서 그들은 개의치 않았다. 그렇게 공장 같은 건물의 한 공간을 세 얻어서 그들만의 아지트로 멋지게 꾸며 놓고 그 속에서 그들만의 삶을 살았다.

우리는 그때까지 아티스트로서의 그들의 삶이 멋져 보였고 우리도 졸업 후 그렇게 살아보고 싶다는 생각을 하며 지내왔었다. 그래서 그해 봄부터 시간이 날 때마다 예전에 J 의 작업실이 있던 DUMBO 지역에서부터 윌리엄스버그, 그린포인트까지의 브루클린의 이스트 강변을 따라 이어진 동네를 차례로 올라가며 작업실 겸 거주를 함께 할 수 있는 로프트(loft)를 찾아다녔다. 한 달 정도 찾아다녔지만 뉴욕시 내에서 우리 형편에 맞는 로프트를 찾는다는 게 쉽지 않았다. 결국, 뉴욕을 떠나기 싫었지만 그즈음에 J 가 찾은 새로운 직장과 여태까지 아이들에게 미술을 가르쳐오던 곳이 뉴저지에 있던 터라 마지못해 지경을 넓혀 허드슨 강변의 뉴저지 지역까지 찾아다니기 시작하였고 그러다 마침내 지역신문에 실린 광고를 통해 한 로프트를 만날 수 있었다. 그곳은 허드슨 강을 사이에 두고 맨해튼과 마주보는 위호켄(Weehawken)이라는 동네의 한 허름한 2 층짜리 공장 건물의 2 층으로, 겉모습과 다르게 안은 넓은 공간에 완벽한 인테리어로 꾸며져 있었고 월세 800 달러라는 믿기지 않는 조건이었다.

맨해튼의 서쪽과 뉴저지 사이에는 강폭이 제법 넓은 허드슨 강이 흐르고 있고 그 사이를 연결하는 2 개의 해저터널[55]과 우리가 걸어서 건넌 적이 있던 조지 워싱턴 다리 하나가 있다. 뉴저지를 가기 위한 이 3 가지 방법 중에 우리의 새로운 보금자리인 그 로프트로 가려면 맨해튼 미드타운과 뉴저지를 연결해 주는 링컨 터널을 건너야 했다. 맨해튼에서 그 터널을 통과해서 나오면 터널을 중심으로 왼편에

---

[55] 2 개의 해저터널: 1927 년에 개통된 로어 맨해튼과 뉴저지주의 저지시티를 연결하는 홀랜드터널(Holland Tunnel)과 미드타운과 뉴저지주의 위호켄을 연결하는 링컨터널(Lincoln Tunnel)이 있다.

야구의 탄생지인 호보켄(Hoboken)이라는 동네가 있고 오른편에 우리 동네가 된 위호켄이 있는데, 그 동네는 허드슨 강이 내려다보이는 언덕 위에 자리 잡고 있었다. 그 언덕 위에서 바라보는 강 건너 맨해튼의 스카이라인 뷰는 파노라마처럼 펼쳐져 낮은 낮대로 밤은 밤대로 늘 우리에게 환상적인 장면을 선사하였고, 바로 잡힐 듯 눈앞에 보이는 풍경처럼 뉴욕과의 거리도 그 터널만 지나면 금방이어서 더할 나위 없이 좋았다. 그리고 무엇보다도 우리가 살게 될 그 로프트는 뉴욕의 그것과는 비교도 되지 않을 만큼 모든 면에서 우리를 충족시켰다. 우선 가격에 비해 실내 공간이 엄청나게 넓었고 옥상 야외 공간도 쓸 수 있어 더 좋았다. 화가들의 로망은 늘 넓은 공간에서 맘대로 펼쳐놓고 작업해보는 거라 우리 또한 그런 넓은 공간에 대한 갈망이 있던 터였다. 우리는 보자마자 선뜻 임대 계약서에 사인하고 이사를 결정하였다. 우리의 빠른 결단에 있어 결정적인 요인이 공간의 크기에 있기도 했지만 이전에 살던 사람 또한 아티스트여서 그녀가 만들어 놓은 멋진 인테리어도 큰 몫을 하였다.

사인하기에 앞서 그 건물주는 우리에게 두어 가지 문제점에 대해서 알려주었다. 하지만 그때는 우리 둘 다 첫눈에 반한 상태여서 그게 별로 문제가 되지 않았고 귀에 들어오지도 않았다. 이리저리 다 따지면 결국 선택할 수 있는 게 아무것도 없고 모든 결정엔 그 정도의 문제점은 안고 가야 한다고 생각하였다. 그가 말한 문제점은 1 층이 방직 공장이라는 것과 우리가 살게 될 2 층의 공간이 주거 공간이 아니라는 것이었다. 그는 이어 이전에 살던 아티스트도 아무런 문제없이 잘 지냈으니 아마 앞으로도 문제없을 거라고 하였고, 혹시 있을지도 모를 빌딩국의 점검에 대비해서 무슨 상호를 만들어, 예를 들어 'J's Art Studio' 처럼, 그냥 건물 입구에 상호 같은 명패를 붙이면 아무 문제가 없을 거라고 하였다. 그는 그 상업용 건물의 주인으로서 주거를 하려는 우리에게 그가 줄 수 있는 일종의 팁을 준 셈이었다. 왜냐하면, 미국의 법에는 주거용 건물과 상업용 건물이 엄격히 구분되어 있으므로 상업용 건물에서는 주거를 할 수 없기 때문이었다. 우리는 그렇게 하겠다고 했고, 그 후 그의 말처럼 그 부분이 문제가 되지는 않았다. 하지만 문제는 다른 데 있었다. 내 인생에서 가장 길고 깜깜한 터널에 갇힌 것 같은 암울했던 시간이 점점 다가오고 있었다.

내가 학교에 다니는 동안에도 J 는 그전부터 계속 해왔던 뉴저지에 있는 학원에서 아이들에게 미술을 가르치는 일을 하며 취업 비자 신분을 유지하고 있었다. 하지만 이제 내가 졸업을 하면 우리 둘 다 석사 학위를 받게 되니 우리가 미국에 온 목적을 달성한 셈이었고 더는 체류를 해야 할 이유가 없었다. 하지만 이곳에서의 삶이 익숙해져 한국으로 돌아갈 마음이 내키지 않았다. 그러니 미국에서 계속 살아가려면 우리에게는 우선 '먹고사는 일'이 해결되어야 했다. J 는 취업 비자를 가지고 있었으나 영주권자나 시민권자가 아니어서 취업하는 일에 어려움이 있었고, 무엇보다도 그의 전공이 세상을 살아가는 데 굳이 필요치 않은 순수미술이어서 그 상황을 더욱 어렵게 만들었다. 그럼에도 이제는 진짜 직장다운 직장이 있어야 했다. 그렇게 구직을 위해 애쓰던 중 내가 졸업하기 전인 그해 봄에 J 는 신문광고를 통해 뉴저지에 있는 한 그림 그리는 회사에 취직할 수 있게 되었다. 그런데 정말 다행이라 여겼던 그 일이 우리의 결혼 생활에 신뢰를 깨뜨리는 계기가 되어 버렸다.

J 에게 그곳은 미국에 온 후 풀타임으로 일하는 첫 직장이 되었고 그가 시작하는 첫 사회생활이 되었다. 우리가 처음 만난 후 그때까지

늘 학교나 교회를 통해 만나게 된 사람들, 나를 통해 알게 된 친구들 등 내가 아는 사람은 J 도 아는 사람이고, J 가 아는 사람은 나도 아는 사람이었다. 그렇게 우리의 삶은 모든 부분에서 공유되고 있었다. 그런데 그 직장에서 일을 시작하게 되면서 처음으로 그런 삶에서 벗어나 J 에게는 나와 공유할 수 없는 직장 동료들과의 인간적인 유대 관계가 형성되기 시작했고, 그러다 그 속에서 한 동료와 '썸' 인지 '로맨스' 인지 흔히들 말하는 '바람'을 피우게 된 것이었다. 그동안 J 자신조차 모르게 가둬두고 있었던 그의 자유로운 영혼의 방랑기가 제어되지 않고 풀려 버린 거였다. 나는 직감적으로 달라져 가는 J 를 느낄 수 있었고, 뉴저지로 이사 온 후 그 일은 들통이 나고 말았다.

J 는 '포커페이스(Poker face)'가 되지 않는 사람이다. 그는 고개를 떨구었고 내게 미안하다고 했지만 용서를 빌지는 않았다. 그런 그에게서 내가 맨 처음 느꼈던 감정은 '당신이 어떻게 나한테 이럴 수가 있어?'라는 배신감이었다. 그다음은 십여 년의 세월 동안 함께 만들었던 J 와의 소중한 추억들을 이제는 내 인생에서 삭제해야 한다고 생각하니 마음이 아렸고 뒤이어 상실감과 우울감이 따라와 나를 힘들게 만들었다. 다시 홀로서기에 대해 생각해보았다. 처음 뉴욕에 왔을 때보다는 정신적으로 많이 성장했다고 믿고 있었지만, 막상 이런 일을 겪으며 혼자 사는 삶에 대해 생각해보니 난 달라진 게 없었다. 여전히 두려웠다. 홀로 사는 삶은! 처음으로 혼자서 언니네를 찾아갔었던 나의 '첫 홀로서기' 후, 세상 안으로 들어와 자신감을 가지고 당당하게 세상과 맞서 살아갈 수 있는 '나'로 성장한 줄 알았다. 그동안 꿈을 향해 살아왔고 학교를 통해 그것을 실현한 것으로, 알에서 깨어나와 이제는 제법 세상을 살아가는 데 자생력이 있는 중닭 정도는 되어있는 줄 알았다. 그런데 그것은 나만의 착각이었다. 나는 아직도

어미 닭의 보호가 필요한 병아리에 머물러 있었던 것이었다. 다만 예전에는 부모님이 만들어준 보호막 안이었다면, 결혼한 후로는 J 가 만들어준 보호막 안으로 그 공간만 바뀌었을 뿐 여전히 보호받으며 살아온 것이었다.

J 는 내게 미안해하면서도 이제 더는 자기의 도움이 필요 없을 것 같다고 말했다. 그의 말을 듣고서 생각해 보았다. 처음 K 대 대학원에서 만났을 때는 J 로부터 '눈에 보이지 않는 것' 인 정신적인 면에서 많은 도움을 받았다면 미국에 온 후로는 '눈에 보이는 것' 들인 물리적이고도 실질적인 도움을 줄곧 받으며 살아왔었다. J 가 있어서 내 마음껏 큰 나무판자에 목판화 기법을 가미한 회화 작업도 할 수 있었고, 거기에 나무 프레임(frame)까지 더해져 완성된 그 무거운 작품을 전시할 때도 내 힘으로는 불가한 운반 문제를 어려움 없이 해결할 수 있었다. 그리고 내가 좋아했던 브루클린의 이스트 강변에 있던 그 폐허의 이미지들을 카메라에 담으려고 그곳을 찾았을 때에도 겁 없이 그 일대를 누비고 다닐 수 있었다. 그리하여 졸업전까지의 모든 과정을 J 의 도움 덕분에 성공적으로 끝맺을 수 있었다. 3 년 반 이라는 긴 시간을 나는 내가 꿈꾸던 그 삶을 사느라 정신없이, 남편을 챙길 겨를도 없이 살아온 반면, J 의 입장에서 보면 나를 처음 만난 순간부터 그때까지 쉼 없이 내 필요에 따라 늘 준비된 조력자로 살아온 셈이었다. 물론, 남편이니 아내를 도와주는 게 당연하다고 여길 수도 있지만. 일방적으로, 나는 '받는 사람' 이었고 J 는 '주는 사람' 이었다. 여기에 문제가 있다는 사실을 그때 처음 깨달았다. 'J 는 여태까지 나를 자기의 아내가 아니라 예전 실기실을 함께 썼던 그 동료로 생각하며 살아왔구나!' 그러고 나서 다시 생각했다. '이 어둡고 긴 터널에서 언제쯤 벗어날 수 있을까?' '이 터널의 끝에는 또 어떤 길이 나를 기다리고

있을까?' '누구의 딸, 누구의 아내가 아닌 진정한 나 자신, 내 이름으로 살아갈 수 있을까?' 이런 막막한 물음들은 계속해서 내 안에서 나를 괴롭혔고 답이 없는 시간은 흘러만 갔다.

내가 그 고통의 긴 시간을 보내고 있는 동안 언제부턴가 J는 조금씩 예전의 모습으로 돌아오고 있었다. 이후 그가 예전의 모습을 완전히 되찾았을 때, 나는 J에게 그 바람이 그냥 기분 좋게 스치고 지나간 산들 바람이었는지 아니면 가슴을 에는 칼바람이었는지 묻지 않았다. 다시 끄집어내어 그 실체를 마주하고 싶지 않았다. 살다 보면 예고도 없이 불쑥불쑥 찾아오는 불청객처럼 우리는 불시에 긴 터널에 갇힌 것 같은, 앞이 캄캄한 시간을 맞게 될 때가 있다. 그럴 때 '이 또한 지나가리라!' 하는 마음으로 견디다 보면 어느새 그 터널을 벗어나 다시 숨 쉴 수 있는, 햇살 가득한 세상 밖으로 나와 있는 자신을 발견할 수 있지 않을까? 36년간의 나의 결혼 생활에서 비록 짧았던 두세 달의 경험이었지만, J의 바람은 '허리케인'과 같아서 내 마음 깊은 곳에 아직도 그 바람이 할퀴고 지나간 상흔이 남아 있다. 그때는 일 년 중 가장 화사하게 눈부신 계절이었지만 잔인하게도 내게는 한 줄기 빛조차 없었던 어둡고 적막한 계절이었다.

이사한 지 한 달쯤 지난 어느 날 아침에 우리 집주인과 우연히 만난 적이 있었다. 나는 학교 일로 맨해튼으로 가려고 나서던 중이었고 그도 맨해튼에 볼일이 있어 가는 참이라며 차를 태워주겠다고 해서 감사히 그의 차를 타게 되었다. 사람을 만나면 미국사람들의 처음 나누는 인사는 보통 "Hi, How are you doing today?"이다. 그러면 대개 습관적으로 "I'm doing fine!"으로 답한다. 그런데 나의 안색을 살피던 그는 "How are you doing?" 대신에 대뜸 "Are you happy?"라고 물었다. 그 순간 내 마음속 깊은 곳에 남몰래 숨겨둔 비밀을 들킨 것만 같았다. 그래서 그의 물음에 빈말이라도 "Yes, I am!"이라고 대답할 수가 없었다. 그 시절 나는 이 세상에서 가장 외롭고 쓸쓸한 얼굴을 하고 다녔을 테니까!

23화

긴 터널 II

그 로프트로 이사 온 계절은 늦봄에서 초여름으로 넘어가던 시기였다. 졸업 후 나는 컴퓨터그래픽스 쪽의 일자리를 구하고 있었고 몇 군데 인터뷰도 했었다. 하지만, 잘 되지 않았다. 순수미술을 전공한 사람은 석사학위를 땄어도 그것으로 직장을 찾을 수는 없었다. 한국이라면 대학에서 시간강사로 일하면서 생계를 이어가며 작품 활동을 병행함으로써 화가로서의 경력을 쌓아가는 게 가능하다. J 역시 그렇게 했었고. 하지만 미국에서는 그 일조차 쉬운 일이 아니었다. 더구나 유학생의 신분으로…. 졸업 후 엄마로부터 직장을 구할 수도 없는, 즉 돈도 벌 수 없는 전공을 왜 했느냐는 비난을 받은 적이 있었다. 그때 나는 침묵했었다. 할 말이 없었기 때문이었다. 솔직히 난 그때 돈을 벌기 위해 사는 삶은 저차원적인 삶이고 적어도 그 위의 무엇을 추구하며 사는 삶이 고차원적인, 이상적인 삶이라고 생각했었기에 엄마의 그 비난을 나와는 말이 통하지 않는 사람의 말로 치부하였다. 내 꿈은 아티스트로서 뉴욕에서 순수미술을 제대로 공부하는 것, 그게 다였다. 그 후의 일은 생각지 않았다.

졸업하기 한 해 전에 서울에서 판화제가 열렸었다. 그전까지 J와 나는 한국을 방문할 때마다 틈틈이 개인전을 했었고, 단체전에도 참가하며 우리의 작품들로 우리를 알려왔었다. 그리고 부부전도 함께 연 적이 있었다. 하지만 판화제에 참가했을 때는 나 혼자 그 전시를 위해 출국했었다. 그때 JFK 공항에서 탑승하기를 기다리다 문득 이런 생각이 스쳐 갔다. '지금 죽어도 여한이 없다!' 정말 그랬다. 왜냐하면, 내 꿈을 이루었다고 생각했기 때문이었다. 내 꿈은 거기까지였다. 그러나 막상 졸업을 하고 나니 '어떻게 먹고살아야 하나?' 하는 이런 피하고 싶은 현실적인 문제에 부딪히게 되었고, 나는 이때를 대비해 열심히 배워둔 컴퓨터그래픽스 쪽으로 일자리를 찾으려고 했던 것이었다. 교수님들은 기회가 있을 때마다 우리에게 현실이 녹록지 않음을 많이 알려주셨고 졸업이 다가오자 마음 준비를 하며 지내왔는데, 막상 사회로 나와 보니 현실은 더 냉혹했다. 내 컴퓨터그래픽스 능력과 영어 실력은 출중하지도 못했고 체류 신분 또한 취업하는 데 있어 가장 중요한 요건인 합법적인 취업 신분이 아니어서 내게까지 기회가 오지 않았다. 그 와중에 J가 불러일으킨 '허리케인'을 맞았고 내 몸과 마음은 지칠 대로 지쳐 있었다.

그 사이 J의 '썸녀'는 떠났고, J도 정신적인 방황에서 돌아오려니 휴식과 회복의 시간이 필요했던지 내게 여름휴가로 동북부 여행을 제안하였다. 그래서 우리는 7월 말 동쪽 해안을 따라 캐나다 국경에 인접한 메인(Maine)주의 아카디아 국립공원(Acadia National Park)[56]까지 가는 일주일가량의 여행을 떠났다. 그동안 나 혼자 먹구름 가득한 세상 안에 갇혀 살고 있었는데 길을 나서 세상 밖으로 나오니 내가 마주한 세상은 너무나도 밝고 아름다웠다. 그 여행은 우리에게 새로운 마음으로 새 출발 할 수 있는 에너지를 가져다주기에 충분하였다. 8월 초, 여행에서 돌아와 보니 자동응답기에 몇 통의

[56] 아카디아 국립공원(Acadia National Park)은 미대륙의 동북부 끝, 캐나다와 국경을 맞대고 있는 메인주에 있는 국립공원으로 1919년 2월에 그랜드캐년과 함께 13번째로 지정이 되었다.

메시지가 있었다. 졸업 후 여행 전까지 이력서를 몇 군데 보냈었고 불합격 통보를 받았던 적도, 아직 기다리고 있는 곳들도 있었다. 그중 한 곳에서 연락을 해온 것이었다. 요즘 같았으면 스마트폰이 있으니 어디에 있든지 바로 답을 할 수 있지만, 그 당시로서는 자동응답기가 전화 기능에 추가로 연결되어 있는 것만으로도 그전까지 경험했던 많은 불편을 해소해 주는 수준이었다. 하지만 여행 중이었기에 나는 바로 확답을 하지 못했고, 혹시나 하는 마음으로 그곳에 전화해봤지만 이미 내 기회는 날아가고 없었다. 언제 취직이 될지 모르는 상황에서 계속 기다리며 '취준생'으로 머무를 수 없었던 나는 J의 제안으로 그가 다니는 회사에서 함께 일하게 되었다. 마음에 내키지는 않았지만 새로운 마음으로 심기일전해서 그해 가을부터 J와 함께 그곳에서 일을 시작했다. 그럼에도 우리의 삶은 늘 빠듯했고 그 끝에 혹독한 겨울이 기다리고 있었다.

점점 기온이 내려가자 우리 로프트의 문제점이 하나씩 드러나기 시작하였다. 그 로프트의 문제점은 법적으로 살 수 있는 공간이니 아니니 하는 그런 문제가 아니었다. 문제는 일층에서 밤낮으로 쉼 없이 돌아가는 기계 소음과 혹독한 겨울 동안 넓은 공간을 데워야 하는 난방에 있었다. 겨울이 되자 강변 언덕 위에 있던 우리 건물은 칼바람을 맞았고, 거기다 공장건물이다 보니 단열재를 넣은 내벽 없이 단순히 벽돌로만 세워진 건물이어서 그 외벽 하나로 북동부의 매서운 추위를 막기에는 어림도 없었다. 우리 로프트에는 대형 창고 같은 데서 쓰는 큰 히터가 천장 가까이에 매달려 있었지만 아무리 히터를 켜도 그 높은 천장과 그 뻥 뚫린 넓은 공간을 데울 수가 없었다. 우리는 날씨 좋은 계절에 이사를 왔기에 겨울의 추위 따위는 생각지도 못했었고 그렇게 매력적으로 탁 트인 넓은 공간을 좋아라 했었는데, 그 장점으로 여겨지던 요소가 이제는 치명적인 단점이 되어 그곳에서 생활하는 데 가장 큰 걸림돌이 되어버렸다.

그해 12 월 나는 심한 독감에 걸렸고 죽을 것처럼 온몸이 아팠다. 우리 로프트에는 샤워실은 있었지만 욕조가 없었기 때문에 그때 내 소원은 따뜻한 목욕을 하는 거였다. 그러자 J 는 그 주말 오후 뉴저지 남쪽으로 짧은 1 박 2 일의 여행을 제안하였다. J 는 무작정 어디를 가겠다는 계획도 없이 길을 나섰고, 나는 어디라도 들어가면 욕조는 있겠지 하는 마음으로 그를 따라 나섰다. 겨울철이라 낮도 짧아져 금세 어둑해 가는데 모텔을 찾지 못해 계속 헤매다 완전히 어둠이 짙게 깔린 후에야 겨우 한 곳을 찾게 되었다. 반가운 마음에 '이제 살았구나!' 생각하고 우리 방을 들어와 보니 그 모텔은 하고많은 모텔 중에 하필 욕실에 욕조가 없는, 샤워실만 있는 그런 모텔이었다. 참으로 서글펐다. 욕조에 따뜻한 물 받아 몸 한번 푹 담그며 휴식을 해보고 싶은 생각밖에 없었는데 그게 정말 그렇게 이루기 힘든 꿈같은 일인가 하는 생각을 했었다. 어디였는지 기억조차 없는 그 동네는 저녁을 먹을 만한 곳도 없어 '던킨 도너츠'로 저녁을 때우며 허기지고 아픈 몸을 달래며 어서 날이 새기만을 기다렸던 그 처량한 밤의 기억이 아직도 남아있다. 그렇게 로맨틱하게 좋아 보였던 로프트에서의 삶은 내게 이래저래 아픔만 가져다주었다. 사실, 성공한 아티스트의 삶을 꿈꾸며 뉴욕으로 이주해 온 많은 젊은 아티스트들이 예술의 허상에 빠져 젊었을 때는 건강이 받쳐 주니 호기롭게 겁없이 막살다 나이 먹으면서 여기저기 몸에 고장이 나서 결국은 그 생활을 청산하고 고향으로 돌아가거나 심지어 요절하는 경우도 더러 있다고 들었다. 아티스트는 정말로 타고난 보헤미안인 것이다!

그렇게 울적한 연말을 보내고 이듬해인 1996 년 1 월 초가 되자, 설상가상으로, 뉴욕 일대에 기록적인 폭설을 동반한 눈폭풍이 찾아왔고 우리는 미처 대비하지도 못한 채 그 재난을 맞이하게 되었다. 이미 예보가 있었지만 그 예보를 대수롭지 않게 여겼는지 아니면 그때 일하느라 바빴는지 비상식량을 미리 준비해 놓지 못했었다. 뒤늦게 밤에 집 근처에 있는 조그만 가게에서 먹을 만한 뭐라도 사려고 갔더니 빈 선반들만 덩그러니 남아있었다. 마치 '지구 최후의 날' 같은 재난영화 속 한 장면을 보는 것 같았다. 그 섬뜩한 기분을 뒤로하고 다음 날 자고 일어나 창밖을 보니 이미 온 세상은 하얗게 눈으로 뒤덮여 있었고 아직도 거센 바람과 함께 거칠 줄 모르는 눈이 계속 퍼붓고 있었다. 그리고 길에는 사람은커녕 개미 새끼 한 마리 보이지 않았고 차들도 이미 눈 속에 파묻혀 가고 있었다. 갑자기 온 세상이 멈춘 듯하였다. 당시에 뉴욕은 줄리아니 시장 재임 시절이었는데, 뉴욕 일원에는 비상사태가 선포되었고 구급차와 경찰차를 제외한 모든 차량에 대해 통행 금지명령이 내려졌었다. 줄리아니 시장은 온종일 TV 에 나와 "Stay home safely!"를 외쳐댔고, 그날 아침 우리 로프트의 창가 벽 안쪽에는 고드름이 맺혀 있었다. 그렇게 냉동고 같았던 그 로프트에서 우리는 얼어 죽지 않고 살아남아 결국 며칠 만에 세상 밖으로 나올 수 있었다. 그런 끔찍한 경험을 한 뒤 나는 생각해 보았다. 사람이 육체적 고통과 정신적 고통을 겪을 때 어느 편이 그래도 견디기 쉽다고 여길까? 보통의 경우는 정신적 고통보다는 육체적 고통이 견디기 쉬울 거라 생각한다. 하지만 그 로프트에서 둘 모두를 겪은 나는 그때 알았다. 육체적 고통 또한 정신적 고통만큼이나 견디기 힘들다는 사실을!

그 로프트로 이사 온 후 1996 년 초까지 정신적, 육체적 고통을 모두 경험한 우리는 잠시 한국에 나가 있기로 하고 짐을 꾸렸다. 한국에 나가기 전에 캘리포니아로 가서 서부 여행을 하고 그곳에서 한국으로 가는 일정을 세웠다. 맨 처음으로 떠났던 서부 여행은 친정아버지의 회갑 기념으로 여행사를 통해 단체 관광팀에 끼어갔던 패키지 여행이었다. '동부 촌놈'이라 불리던 우리는 처음으로 동부를 떠나 서부의 대표적인 관광지를 두루 구경하는 꿈같은 기회를 얻을 수 있었다. 무엇보다 그 여행은 미국에 온 후 처음으로 부모님, 언니네 그리고 우리가 함께했었던 뜻깊은 여행이었다. 그럼에도 여행이 주는 특별한 감동과 추억을 우리에게 가져다주지는 못했었다. 하지만 두 번째 서부 여행은 이전의 여행과는 완전히 달랐다. 우리는 LAX 공항(Los Angeles International Airport)[57] 에서부터 차를 렌트해서 캘리포니아주(California)에 있는 데스밸리(Death Valley)[58] 를 시작으로, 네바다주(Nevada)와 유타주(Utah)를 거쳐 애리조나주(Arizona)의 그랜드캐년(Grand Canyon)[59] 과 모뉴먼트밸리(Monument Valley)[60] 그리고 뉴멕시코주(New Mexico)의

[57] LAX 공항(Los Angeles International Airport)는 로스앤젤레스 국제공항으로, 특히 아시아 태평양(Asia-Pacific)지역 목적지로 향하는 관문으로 세계에서 가장 인기있는 공항 중 하나이다.

[58] 데스밸리(Death Valley)는 캘리포니아주 북동부 시에라네바다(Sierra Nevada)산맥에 있는 분지로 지구상에서 최고 기온(섭씨 56.7 도)을 기록한 곳이다. '죽음의 골짜기'라는 이름 답게 아주 가혹하고 살벌한 환경이지만 마치 외계행성에 온 것 같은 신비로운 풍광으로 유명하다.

[59] 그랜드캐년(Grand Canyon)은 애리조나주 북서부 고원지대가 콜로라도 강에 침식되어 생긴 협곡이다. 그랜드캐년 국립공원의 면적은 약 5000 평방킬로미터로, 남한 면적의 5% 정도이다 1979 년에 유네스코 세계유산으로 지정되었다.

[60] 모뉴먼트밸리(Monument Valley)는 유타주와 애리조나주 경계의 콜로라도 고원에 있는 붉은 사암으로 이루어진 계곡이다. 유타주의 163 번 국도의 남쪽 방면으로 보이는 그 경관은 여러 영화에도 나올 만큼 신비롭다.

화이트샌드(White Sands)[61]까지 장장 3000 마일을 달리며 동부와는 전혀 다른 서부의 매력을 찾아 시간의 얽매임 없이 발끝 닿는 대로 자유롭게 다녔다. 가장 미국적인 여행이라 할 수 있는 자동차 여행의 즐거움 그 자체였다. 보며, 느끼며, 먹으며, 쉬며…. 그 시절에도 우리는 지도 한 장에 의지해서 아침에 눈 뜨면 출발하고 오후 해 질 녘이면 'VACANCY'라고 불 밝힌 모텔을 찾아 하루 묵어가는 그런 클래식한 여행을 했었다. 그때 그 여행을 통해 만난 대자연을 바라보며 지구라는 행성이 이 우주에서 얼마나 아름다운 별인지 처음으로 깨달았다. 27 년이 지난 지금까지도 변함없이 내가 가장 사랑하는 곳인 모뉴먼트밸리에서는 눈물이 날 만큼 좋았다. 이른 아침, 길에서 처음으로 마주했던 고요하고 적막한 공기 속의 그 아득한 풍경! 시간이 멈춘 듯 아직도 문명의 때가 묻지 않은 그 모습 그대로 수억 년의 세월 동안 모진 풍파를 견디며 우리 앞에 서 있는 그 대자연의 숭고함 앞에서 내 존재는 먼지처럼 느껴졌고, 그동안 무엇을 위해 그렇게 애쓰며 살았나 하는 생각이 들자, "내 손으로 한 모든 일과 내가 수고한 모든 것이 다 헛되어 바람을 잡는 것"이라 했던 '전도서'의 말씀이 생각났다. 그리고 내가 고통이라 여기며 나 스스로를 힘들게 했던 그 시간조차 이 대자연 앞에서는 정말 부질없는 시간이었다는 생각이 들었다.

[61] 화이트샌드(White Sands)는 뉴멕시코주 남쪽에 있는 툴라로사(Tularosa) 분지에 있다. 석고의 흰 모래가 약 800 평방킬로미터의 면적을 덮고 있으며 원래 화이트샌즈 내셔널 모뉴먼트였으나 2019 년 12 월 국립공원으로 승격되었다.

24 화

다시 새로운 시작

어느 날, 2003
Lithography & Acrylic

몇 개월의 한국에서의 생활을 마치고 여름에 다시 그 로프트로 돌아왔다. 한국에 머무는 동안 J 는 한 대학에서 실기 수업 중 한 과목을 맡아 한 학기 동안 강의를 하기도 했었다. 하지만 이제는 우리 둘 다 한국에서의 삶에 적응하기가 힘들어졌다. 그래서 다시 미국에서의 삶을 이어가기로 하고 돌아오게 된 것이었다. 우리가 살던 뉴저지의 그 동네는 비록 손에 잡힐 듯 뉴욕의 맨해튼과 아주 가까운 거리였음에도 터널을 통과해야만 뉴욕을 갈 수 있다는 사실이 생활에 엄청난 불편을 가져다주었었다. 결국, 좋지 않은 기억만 남겼던 그 로프트 생활을 청산하고 뉴욕으로 돌아오기로 마음 먹었다.

우선 차를 사기로 하였다. 일단 차가 있어야 움직일 수 있으니까. 할렘에서 우리의 발이 되어 주었고 나에게 운전면허증을 선물해 준 '은별이'는 뉴저지로 이사 오기 전에 이미 명을 다했었고, 뉴저지로 이사 온 후 새 차를 샀었지만 갑작스러운 귀국으로 팔아버린 상태였다. 다시 중고차를 찾던 어느 날 지역신문에 실린 한 광고가 눈에 들어왔고 J 는 바로 차주인에게 연락을 취했다. 그 차 주인은 우리에게 남편이 홍콩으로 발령을 받아 갑자기 차를 내놓게 되었다는 얘기를 들려주며 이 차는 정말 자기가 아끼며 문제없이 잘 타고 다녔던 차라고 강조하였다. 원래 중고차를 살 때 주인에게 차를 팔려는 이유를 묻는 게 첫 번째 질문이다. 차를 팔려고 할 때는 다들 나름의 이유가 있으니까. 예상한 질문이 나오자 준비했다는 듯 그녀는 자기가 아끼던 이 차를 팔 수밖에 없는 이유를 그렇게 우리에게 호소하며 이 귀여운 차와 헤어져야 하는 현실을 아쉬워하였다. 빨간색의 해치백 스타일의 너무나도 깜찍한 차였고 마일리지도 2 만 마일밖에 되지 않았다. 우리는 그 자리에서 사기로 결정을 내렸고, 그 귀여운 차는 우리의 다섯 번째 '반려차'가 되었다. 그 이름은 'Geo Storm!'. '스톰'과 함께 그 여름이 다 가도록 집을 찾아다녔다. 처음 정착했던 브루클린의 이곳저곳을 다니며 우리가 살게 될 집을 찾아다녔지만 조건을 맞추기가 힘들었다. 결국, 지경을 넓혀 퀸즈 지역에서도 찾기 시작했고, 그해 가을로 접어든 때 오랜 수고 끝에 퀸즈의 한 동네인 엘머스트(Elmhurst)라는 동네에서 우리의 다섯 번째 보금자리를 찾을 수 있었다.

퀸즈는 브루클린 같은 멋스러움은 없는 평범한 지역이었지만 생활하기에는 훨씬 편리한 지역이었다. 우리가 살게 된 그 동네는 아시아에서 이주한 사람들이 주류를 이룰 정도로 많았고 우리 집주인 또한 한국분이셨다. 새 보금자리가 된 우리집은 개인 집 3 층으로 삼각 프리즘 모양의 지붕 밑 다락방 같은 곳이었다. 얼핏 보면 작아 보이는 공간이었지만 있어야 할 건 다 있었다. 침실 하나와 가운데 욕조가 있는 욕실 그리고 작은 부엌과 거실을 겸한 공간까지…. 우리가 지냈던 뉴저지의 그 로프트 공간의 크기에 비하면 소꿉놀이하는 것 같았지만 난 훨씬 좋았다. 이사를 온 후 두어 달이 지나 초겨울의 문턱에 들어섰지만 이젠 두렵지 않았다. 아무리 추운 겨울이 온다 해도 뉴저지에서 겪었던 그 겨울보단 나을 거란 믿음이 있었다. 우리집이 작아진 관계로 J 는 그린포인트에 소재한 대형 공장 건물 안에 있는 조그만 작업실을 구했고, '스톰'은 충성스런 '반려차'가 되어 몇 년 사이 불어난 J 의 많은 그림 짐들을 그 작은 몸으로 여러 번에 걸쳐 다 실어날랐다. J 는 다시 좁아진 그의 작업실에 대해 불평을 쏟아내며 사실 우리에게 그냥 잠만 자고 나오는 곳인 이런 주거 공간이 왜 필요하냐며 이런 공간은 우리에게 사치라고 말하였다. 하지만 내 생각은 달랐다. 사람은 역시 주거하도록 만들어 놓은 공간에서 사는 게 맞고 일은 일하도록 만들어진 공간에서 하는 게 맞는다고 생각하였다.

다시는 로프트 생활을 하고 싶지 않았다. J 의 불만에 아랑곳하지 않고 나는 우리의 새 보금자리가 된 그 공간을 내 취향껏 예쁘게 꾸몄고 그 안에서 사람의 온기를 느꼈다. 말 그대로 "Home! Sweet home!"을 느끼며 오랜만에 내가 사는 공간에서 아늑함과 포근함을 느꼈다.

뉴욕에서 다시 시작된 우리의 삶은 그렇게 이어졌다. J 는 여전히 뉴저지에 있는 학원에서 아이들에게 미술을 가르쳤고 그 외 시간은 그의 작업실에 틀어박혀 작업을 하며 보냈다. 그의 삶은 여전히 화가로서의 삶에만 맞추어져 있었다. 반면에, 나는 따로 작업실이 없기도 했고 또 판화는 공방이 있어야 작업이 가능하였기에 예전에 다녔던 '아트 스튜던트 리그'에서 일주일에 두 번씩 판화 작업을 하며 아티스트로서의 삶을 이어갔다. 그리고 나머지 날들은 프리랜서로서 코네티컷주에 소재한 한 건축 관련 제품을 생산하는 회사로부터 컴퓨터그래픽스 분야의 상품 패키지 디자인하는 일을 맡게 되면서 나름의 결실 있는 프로페셔널한 삶을 이어갈 수 있었다. 이때를 위해 학교에서 열심히 익혔던 컴퓨터그래픽 기술과 나의 재능을 활용할 수 있어서 기뻤고 그 일로 가계에 보탬이 되어 감사했다.

우리의 생활이 평범하게 흘러가던 어느 날 오후, J 에게 전화를 걸 일이 있어 수화기를 들었다가 갑자기 장난기가 발동했다. 왜 그런 생각을 갖게 됐는지…. 아마도 J 의 바람으로 겪은 안 좋은 기억 때문에 나의 무의식은 더는 그를 신뢰하지 못해서 시험해보고 싶어졌는지도 모르겠다. "Hello?" 수화기 너머로 J 의 덤덤한 목소리가 들리자 나는 코를 잡고 목소리를 변조했다. "어머, 선생님! 안녕하세요? 그동안 잘 지내셨어요?" J 는 좀 당황하는 듯 하더니, "저, 누구신지…." 그래서 더 단계를 높여 "아잉. 제 목소리 잊으셨나 봐요!" 하며 애교가 듬뿍

들어간 콧소리를 내었다. 그러자 앙탈 섞인 내 말투에 J 는 갑자기 달달한 목소리로 이렇게 말하였다. "으응…, 힌트 줘용!" 기가 막혔다. "힌트"라는 말도 웃겼지만 "줘용!" 이라는 표현에 더 어이가 없었다. "아…, 기억하지 못해 죄송합니다. 혹시 힌트 주실 수 있으세요?"도 아니고 하다못해 "힌트 주세요!"도 아니고, 내가 그랬다고 자기도 따라서 애교를 듬뿍 실은 목소리로 "으응…, 힌트 줘용!"이라니! 한 번도 들어본 적 없었던 어린아이의 수줍은 목소리였다. '남자 아니랄까 봐!' J 는 아직도 정신을 못 차렸던 것이었다. 아니 그냥 더 기회가 없었을 뿐이었다. 나는 깨달았다. 내 꾀에 내가 걸려들었다는 걸! 열 받아서 "뭐? 으응…, 힌트 줘용? 죽을래?" 했더니 그제야 나인줄 알고 J 는 내 장난에 속아 넘어간 게 분했든지 아니면 자기의 속내를 들켜 민망했든지 그것도 아니면 정말로 묘령의 여인이 아니어서 실망스러웠는지 그냥 "끊어!" 하고 전화한 용건을 묻지도 않고 끊어버렸다. 아마도 그 모두가 얼른 전화를 끊어버린 이유일 것이다. 내가 얻은 그날의 교훈은 '다 알려고 하지 마라. 그러다 다친다!'였다. 아무리 아내이고 남편일지라도 서로의 내면 깊은 곳까지 다 들여다볼 필요는 없다는 것이다. 서로를 위해, 그리고 무탈한 결혼 생활을 위해! 이런 마음가짐이야말로 부부로 살아가는 이들에게 꼭 필요한 '삶의 지혜'가 아닐까?

사실, J 주변에는 가끔이라도 만나서 술잔을 기울이며 회포를 푸는 화가 동료나 친구가 없었다. 그런 교제를 체질적으로 싫어하였다. 그래서 그런 삶이 보편화되어 있는 한국에서 그의 정착을 더욱 힘들게 만들었었다. 그의 생활은 남들이 이해하지 못할 정도로 지극히 단순하였다. 하지만 J 는 그런 자기의 삶에 대해 전혀 개의치 않았다. J 는 자기가 만들어 놓은 그만의 세계에서 자기 혼자 행복하게 살고 있었다. 내가 아는 한, 그의 세계를 유일하게 들락거리는 사람이 나였다. 내가 놀러 오면 반가울 때도 있고 때론 성가실 때도 있고. 그런데 그날 묘령의 여인으로부터 뜻밖의 전화를 받았으니 순간 가슴에 작은 파문이 일었을 수도 있었겠다. 그러나 적어도 내 눈에 비친 그의 일상은 섬처럼 단절된 그곳에서 그림과 함께 전혀 외롭지 않은, 오히려 그런 고독한 삶을 즐기는 듯한 모습이었다.

J 와 나 자신을 비교해 볼 때면, 나는 늘 내가 뼛속까지 "찐" 순수예술가는 아니라고 생각한다. 아트를 사랑하지만 그것이 내 인생의 전부일 수는 없다. 아티스트로서의 삶이 내 삶의 중요한 부분을 차지하고 있는 건 맞지만 그것만이 내 존재의 이유와 목적이 되지는 못한다. 그냥 나는 이 세상에 사는 모든 사람이 걸어가는 그 길로 내 삶 또한 이어지길 바랐다. 성인이 되면 결혼하고 그렇게 새 가정을 이루고 아이를 낳아 키우면서 부모가 되는 그런 평범한 우리네 인생을 원했다. 그런 생각이 없었다면 굳이 결혼을 하지도 않았을 것이다. 결혼 후, 처음에는 계속 연애하는 기분으로 둘이서 그렇게 각자 하고 싶은 공부도 하며 프로페셔널 아티스트로서 각자의 길을 걷는 게 너무도 좋았었다. 더욱이 그런 삶이 내가 꿈꿔왔던 뉴욕에서의 삶으로 이루어지니 나 스스로도 만족했었고 더 바랄 게 없었다. 그런데 그 생활이 10 년째 이어지니 J 와 나 사이에도 변화가 필요했다. 이제는 나도 아이가 있는 가정을 이루며 J 와 룸메이트나 실기실 동료와 같은 관계가 아니라 진짜 가족으로 살고 싶었다. 결혼 전, 나는 J 에게 말한 적이 있었다. J 가 '위대한 화가'가 되기 보다는 '성실한 생활인'이 되기를 원한다고. 그런데 함께 살다 보니 깨달았다. J 는 보헤미안 기질을 지닌 타고난 예술가였던 것이다. 그는 10 년 동안 달라진 게 없었다. J 는 남들처럼 평범한 가정을 이루며 사는 삶보다 타고난

예술가의 기질을 가진 그답게 창작 작업에만 올인(all-in)하는 그런 예술가의 삶을 원했다. 그래서 우리가 다시 새로운 시작으로 뉴욕에서의 삶을 위해 주거 공간을 마련했을 때 J 는 우리의 새 보금자리를 필요치 않은 공간이라며 불평해댔던 것이었다. 차라리 이 공간을 위해 지불해야 하는 월세를 더 넓은 작업실을 구하는 데 썼으면 하는 게 그의 바람이었다. 졸업 후 이 부분은 우리의 결혼 생활에 갈등 요인으로 등장하였고 그때마다 우리 둘은 좁혀지지 않는 평행선 위를 걷고 있었다. 그 시절, 나는 다른 결혼한 여자들처럼 '누구의 엄마'로 사는 삶을 꿈꾸게 되었고 기회 있을 때마다 J 를 설득했지만 돌아오는 반응은 늘 똑같았다. 자기는 아이 말고 고양이 한 마리 키우며 살면 행복할 거라고! 그럼 나는?

25 화

결혼의 조건

The holy of holies, 2020
Acrylic, Collage on Board

나의 부모님은 두 분 다 1930년대에 태어나셔서 일제 강점기를 거치시고 6.25 전쟁을 겪으시며 살아오신, 지금의 우리 세대는 감히 상상조차 할 수 없는 파란만장한 삶을 살아오신 분들이다. 그럼에도 두 분은 요즈음의 우리 세대가 운운하는 '사랑'과는 비교도 되지 않을 사랑을 하셨고, 적어도 내 관점에서는 평생을 '연애지상주의자'로 산 분들이셨다. 우리 딸들이 20대에 들어섰을 때 엄마는 가끔 아버지와 연애하실 적 얘기를 들려주시곤 하셨다. 1950년대 후반, 두 분은 대구의 한 병원에서 근무하시다 만나게 되셨다. 매일 일이 끝나면 먼저 끝난 사람이 다방에서 기다리다 같이 저녁을 먹고 영화도 보고 심지어 그 시절에 춤을 추러 다닌 적도 있다고 하셨다. 그러다 늦게 귀가하게 되어 외할머니께 혼이 난 적도 많았다고 말씀하셨다. 요즈음 젊은 세대의 데이트와 크게 다르지 않았던 것 같다. 두 분은 그렇게 운명처럼 만나 사랑을 했고 그 결실로 결혼하셨고 행복한 가정을 이루셨다. 아버지는 엄마를 딸처럼 생각하셨다. 아버지는 키가 큰 편이셨고 엄마는 작으시다. 아버지는 우리 딸들에게 이런 말을 하시곤 하셨다. 여자는 호주머니에 넣어 다니고 싶을 만한 사이즈가 딱 좋은 거라고! 아버지의 지극히 개인적인 취향이었겠지만…. 그 덕분에 우리 딸 셋은 키 큰 아버지는 하나도 닮지 않고 작은 엄마를 닮아 다 키가 작다. 아마도 아버지의 우월한 DNA를 한 명도 물려받지 못한 딸들을 위로하기 위해 하신 말씀인지도 모르겠다. 하여간 아버지의 눈에 아담한 엄마가 너무도 사랑스러우셨던 건 확실하다. 아버지는 종종 남들에게 딸이 넷이라고 말씀하셨다. 엄마가 맏딸이고 그다음이 언니부터 차례로….

미국에 온 지 2년쯤 지났을 무렵 차가 있던 우리는 집에서 좀 더 가깝고 크지 않은 한인 교회로 옮겨 다니게 되었다. 그리고 그 교회에서 성가대로 나는 알토, 그리고 J는 테너로 봉사하게 되면서 교회 식구들과 가까워지는 계기가 되었다. 그 성가대의 한 집사님으로부터 놀랍게도 부모님의 젊은 시절의 얘기를 들을 수 있었다. 대부분 미국에 오신지 오래되신 집사님들과 장로님들로 구성되어 있던 그 성가대에서 우리는 완전 '영계' 였다. 그래서 그분들은 우리를 잘 챙겨주셨고 책장에 고이 꽂아두었던 앨범 속의 빛바랜 사진들처럼 오래된 그분들의 인생사도 들려주시곤 하셨다. 그분들 중에 내 옆에서 같이 알토 파트를 하시던 집사님이 계셨는데, 어느 날 그분의 인생 이야기를 듣게 되었다. 그분은 파독 간호사로 독일에서 일하시다 그곳에서 파독 광부로 오신 지금의 남편이신 장로님을 만나 미국으로 이민을 오시게 되었다고 하셨다. 그 이야기 중에 그분의 간호대학이 부모님께서 근무하시던 병원 부속대학이었다는 사실을 듣고서 내 부모님도 그 병원에서 일하셨다고 말씀드리게 되었다. 그랬더니 그 집사님은 내게 부모님에 관해 물으셨고, 기억을 더듬으시더니 갑자기 내 손을 붙잡고 너무나 반가워하시면서 그 유명했던 커플의 자제를 만나게 되어 영광이라고 말씀하셨다. 나는 부모님을 무슨 이유로 '유명한 커플' 이라 표현하셨는지 그때까지 몰랐었다. 그분은 그때를 회상하며 부모님의 젊은 시절 얘기를 들려주셨다.

그 시절은 우리 세 딸이 태어나기도 전인 부모님의 신혼 시절이었다. 그분은 간호대학 학생으로 기숙사에 살고 계셨는데 매일 아침 같은 시간에 출근하시는 두 분의 모습을 지켜보셨다고 하셨다. 그 집사님뿐만 아니라 그 기숙사의 많은 여학생들이 창 너머로 늘 그 모습을 봐오셨다고 하셨다. 서로 손을 꼭 잡은 채 그 기숙사 담장을 따라 병원으로 걸어서 출근하셨던 두 분을! 키가 큰 아버지는 성큼성큼 걸으시고 엄마는 옆에서 종종걸음으로 너무나 다정하고 행복한 부부의 모습으로! 그 집사님의 얘기를 들었을 때, 마치 오래된 영사기로 흑백 필름을 보고 있는 듯 신혼의 엄마와 아버지가 매일 함께 출근하시던 그 모습이 내 눈앞에 펼쳐졌다. 그렇게 미래의 행복한 결혼생활을 꿈꾸던 그 간호대학의 여학생들에게 내 부모님은 선망의 대상이 되셨던 거였다. 그 집사님은 졸업하신 후 부모님께서 일하셨던 그 병원에서 일하게 되면서 출근길만 지켜봐 왔던, 그 선망의 대상이었던 내 부모님을 알게 되셨고 한동안 같이 근무하시다가 독일로 가셨다고 하셨다. 나는 그 집사님과 이렇게 인연이 닿아 부모님의 젊은 시절 이야기를 들을 수 있게 된 것에 참으로 감사했었다. 오랜 세월이 지나 이역만리 미국의 한 작은 교회에서 알게 된 집사님으로부터 내가 태어나기도 전의 부모님 신혼 시절의 이야기를 들을 수 있었던 게 정말 기적 같았다. 살면서 그럴 확률이 얼마나 될까?

나는 늘 그 또래의 소녀들이 꿈꾸는 그런 드라마나 영화에서 보는 로맨틱한 핑크빛 연애를 꿈꿨었다. 하지만 나의 대학 생활은 남들 다 하는 풋풋한 연애 한 번 없었던, 무채색의 밋밋하고 단조로운 삶이었다. 그래서 4 학년 졸업을 앞두고 학교에서 열렸던 파티에도 참석하지 못 했었다. 다들 애인을 데리고 참석하는데 난 파트너를 데려올 수 없었기 때문이었다. 그때는 대학 4 학년 무렵이면 부모님의 지인들로부터 아니면 전문 직업으로 하는 뚜쟁이들로부터 집으로 중매가 들어오는 시절이었다. 나도 그 무렵부터 부모님의 지인들 소개로 몇 번의 맞선을 본 적이 있었다. 그럴 때마다 부모님의 면을 생각해서 나가긴 했었지만 나 자신이 참 초라하게 여겨졌다. 마치 내가 시장에서 팔리기 위해 진열된 상품 같다는 생각을 지울 수가 없었다. 상대의 조건을 미리 알고 나와서 첫 대면부터 결혼을 전제로 이야기를 나눈다는 것이 정말 체질적으로 싫었다. 몇 번의 노력에도 아무런 성과가 없자 엄마는 급기야 내게 연애를 하라고 압력을 넣기 시작하셨다. "나도 연애결혼했고, 네 언니도 연애결혼했고…. 넌 왜 연애도 못 하냐?" 한 마디로 우리집의 전통이니 내가 그 전통을 지켜내야 한다는 말씀으로 들렸다. 압박을 참아오던 나는 대학원에서 마침내 나의 마지막 '자.만.추.'의 기회를 얻을 수 있었고, J 와 연애에 이어 결혼에 골인함으로써 엄마의 바람대로 우리집의 그 연애결혼 전통을 깨지 않고 이어갈 수 있게 되었다.

J 와 나는 결혼하기 전 서로의 결혼 조건에 대해 대화를 나눈 적이 있었다. 그때 나는 통 크게 세 가지를 내세웠다. 첫째, 조강지처 바꾸지 말 것! 둘째, 종교 바꾸지 말 것! 그리고 마지막으로 전공 바꾸지 말 것! 아마 그때 내가 바꾸지 말 것에만 강조했던 이유는 이미 그때에도 나는 J 의 변덕스러운 기질을 잘 알고 있었기 때문인 것 같다. 첫 번째 조건이었던 "조강지처 바꾸지 말 것!"은 부모님처럼 행복한 결혼 생활을 유지하고 싶어서 한 말이기도 했고, 그 시절 이혼은 지금처럼 흔하지도 흉이 되지 않는 시절이 아니어서 나 같은 '범생이'는 감당하기 힘든 일이 될 거라 여겼기 때문이다. 또 완벽주의 기질이 있는 나로서는 내 인생에 그런 오점을 남기고 싶지 않아 그렇게 말했었다. 한 마디로, 나는 잘할 자신 있으니 당신만 잘하면 된다는 얘기였다. 하지만 뉴저지의 로프트에 살 때 나는 이혼을 생각해본 적이 있었다. 그때 처음으로 우리의 결혼 생활에 위기를 맞았었지만 내가 잘 견뎌서 그 위기를 넘겼다. 그러니 J 가 그 첫 번째 조건을 잘 지켜서 지금껏 우리의 결혼 생활이 유지되고 있는 것은 아닌 것이다. 그다음, 두 번째 조건인 "종교를 바꾸지 말 것!"은 종교적 신념이 서로 다른 사람들이 결혼한 후 겪는 신앙적 갈등을 알고 있었기 때문이었다. 나는 부모님으로부터 신앙의 유산을 물려받아 기독교 중에서도 장로교에서만 성장한

배경을 갖고 있다. 한편, J는 군대에 갔을 때 집안에서 유일하게 세례를 받았고 우리가 결혼을 앞두고 있을 무렵부터 교회에 다니기 시작했기 때문에 혹시나 하는 마음에서 그 조건을 내세웠었다. 하지만 J는 미국에 온 후로 종교는 기독교를 유지했지만 그의 성향에 따라 자유로운 영혼처럼 기독교 안에 있는 수많은 교파, 장로교, 감리교, 침례교, 성결교 등을 마음대로 갈아타며 많은 교회를 옮겨 다녔다. 나는 성격적으로, 그리고 체질적으로 그런 게 맞지 않았지만 J는 못할 게 없었다. 한번은 J에게 우리가 뉴욕을 떠나서 새로운 곳으로 이사를 해야 하는 상황이라든지 아니면 옮기지 않으면 안 될 어떤 피치 못할 사정이 있는 것도 아닌데 어떻게 그렇게 쉽게 교회를 옮겨 다닐 수가 있냐고 물었더니 "네가 종교를 바꾸지 말랬지, 교회를 바꾸지 말라는 소리는 안 했다!"라는 기상천외한 답을 하였다. 그리고 그런 자기와 결혼을 했으니 나는 당연히 자기의 뜻을 따라야 하며 그게 나의 숙명이라고 하였다. 마지막 세 번째 나와의 결혼의 조건으로 "전공을 바꾸지 말 것!"이라고 한 건 아마도 그의 변덕이 심한 성격 탓에 우려에서 나온 소리일 수도 있었겠지만, 전공을 바꿔 본 경험이 있던 나로서는 내가 보낸 그 힘든 시간들을 J를 통해 다시 겪고 싶지 않아서였다. 그리고 무엇보다도 화가로서 그를 좋아하게 되었기에 나는 '그림'과 'J'를 분리하여 생각할 수 없었기 때문이었다. 하지만 이 세 번째 조건은 나의 기우였다. 굳이 내세우지 않아도 될 조건이었다. 지금까지 변함없이 가장 잘 지켜온 나와의 결혼 조건이었다.

나의 조건을 듣고 난 뒤, J는 나보다 더 통 크게 내게 단 하나의 조건을 내세웠다. "내 그림 따라오지 마!"였다. 주변의 동료 화가들로부터 부부 화가들이 자주 듣는 말이 "그림이 서로 닮아간다, 대신 그려준 거 아냐?" 등 창작하는 그들에게 있어 가장 중요한 정체성을 건드리는 말이었다. J 는 미리 내게 경고함으로써 남들로부터 그런 말을 듣고 싶지 않았던 거였다. 덧붙여 그런 소리를 들으면 화가로서 자기에게보다는 내게 더 안 좋은 영향을 끼칠 거라고 하였다. 그때 나는 그가 했던 말의 의미를 알았고, "걱정하지 마! 안 따라갈테니!"라고 답하였다. 그의 그림을 좋아하지만 흉내 내고 싶지 않을 뿐 아니라 내가 따라 하려야 할 수가 없는 그런 그림이다. 왜냐하면, 그의 그림은 곧 J 그 자체이기 때문이다. 나와 J 는 완전히 다른 부류의 사람이기 때문에 그림 또한 비슷할 수조차 없는 것이다. J 가 내세운 단 하나의 그 결혼 조건은 나를 알지 못한 데서 비롯된 기우였고 그것은 굳이 내세울 필요조차 없었던 조건이었다. 물론, 나는 이 조건을 지금까지도 잘 지켜오고 있다.

이렇게 우리는 서로에 대해 잘 알지도 못한 채로 남들과는 전혀 다른 결혼의 조건을 걸고 결혼하였고 올해로 36 년째 결혼 생활을 이어오고 있다. 처음 신혼 때 내가 느꼈던 J 는 결혼 전 내가 학교에서 알던 그 J 가 아니었다. 그것은 그가 결혼 후 달라진 게 아니라 내가 결혼 전에는 J 에게서 보고 싶은 것, 즉 신선하게 여겨졌던 좋은 부분만 봐왔기 때문이었다. 그런데 결혼하고 함께 살다 보니 세상에 달라도 이렇게 극과 극인 사람이 만나 부부로 살아갈 수 있을까 싶을 정도로 같은 성향이라고는 눈을 씻고 찾아봐도 없었다. '아트'라는 공통의 분모를 빼고 나면 J 에게서 나와 같은 부분이라고는 그 어떤 것도 찾아볼 수 없었다. 그가 '불'이라면 나는 '물'이고, 그가 '토끼'라면 나는 '거북'이다. 그가 '별책부록'이라면 나는 '교과서'이고, 그가 '몽상가(dreamer)'라면 나는 '현실주의자(realist)'이다. 인간의 유형으로 나누자면 그는 '우뇌형 인간'이고 나는 '좌뇌형 인간'이다. 이렇게 서로 정반대 성향의 우리가 부부로 한 공간에 살아가게 되니 연애 시절에 별로 염두에 두지 않았던 그 '다름'이 극명하게 드러났었다. J 는 나를 이해할 수 없었고 나는 J 를 이해할 수 없었다. 그러니 얼마나 부딪히며 살았을까? 얼마 전에 내가 즐겨 보는 유튜브의 한 채널에서 이혼에 관한 이야기를 들은 적이 있었다. '결혼의 이유'가 '이혼의 이유'가 된다는 내용이었다. 듣자마자 나는 그게 무슨 뜻인지 금방 알아들었다. J 와의 결혼생활을 통해서!

요즈음의 젊은 세대는 결혼의 조건으로 사랑을 넘어 결혼 후의 현실적인 생활에 대해 구체적인 의견을 나누고 함께 이룰 새 가정에 대해 서로의 합의가 이루어지면 결혼이 성사된다고 들었다. 어찌 보면 그것이 현명한 젊은 세대다운 생각이고 결혼 후에 혹시 맞게 될 수도 있는 위기의 가능성을 최소화하는 방법일 수도 있겠다. 하지만 우리의 경우는 완전히 달랐다. 서로 간에 "…하지 말 것!"에 대해서만 얘기했지 우리가 만들어갈 새 가정을 위해 "…하자!"라는 계획 같은 건 전혀 없었던, 남들이 듣기엔 다소 비현실적이나 그때 우리로서는 진지했던 그런 결혼의 조건을 걸고 시작한 남다른 결혼 생활이었다. 그러다 보니 서로에게 맞출 수 있기까지 우리는 수많은 '시행착오'를 겪어야 했다. 그럼에도 나는 부모님의 결혼 생활을 통해 부부가 같은 분야에서 일하면서 서로의 고충을 이해하고 소통하는 걸 지켜봤기 때문에 나도 결혼을 한다면 부모님처럼 같은 분야의 사람과 결혼을 해야지 하고 생각했었다. 부모님의 살아오신 모습처럼 부부간의 대화에 공감대가 있어 서로 이해하고 소통하는 그런 부부의 삶이, 그런 결혼 생활이 참 좋아 보였다. 그 부분에 있어서 J 와 함께하는 지금까지의 결혼 생활이 내가 꿈꿔왔던 삶으로 만족스럽고 그것이 우리의 건강하고 행복한 결혼 생활을 유지하는 비결이자 반석이라고 확신한다. 우리는 '아트'라는 공통분모를 가지면서도 완전히 서로 다른 성향의 개인인데 이렇게 함께 인생을 나누니 '다름'이 오히려 강점이 될 수 있다는 사실을 덕분에 알게 되었다. 서로에게 없는 부분을 백업(backup)할 수 있으니까! 나는 J 로부터 내게 없는 부분을 채우고 J 는 나로부터 자기에게 없는 부분을 얻는다. 그렇게 나의 '좌뇌'와 그의 '우뇌'가 만나 우리는 하나의 '뇌'가 되었다. 신혼 때 J 는 늘 내게 입버릇처럼 말했었다. "나는 형이상학을 담당할테니 너는 형이하학을 담당해!" 이 말은 J 가 농담처럼 한 말이었지만, 어찌 보면 그의 말은 진담이 되었다.

26 화

11 년 만의 선물

이식의 첫 드로잉, 2001 이식 3 살 때

1997 년은 슬픔 뒤에 기쁨이 찾아왔던 우리에게는 잊을 수 없는 한 해였다. 새해가 오고 얼마 지나지 않아 J 의 누님으로부터 한 통의 전화를 받게 되었다. 나의 시어머님, J 가 사랑하는 어머니의 병환 소식이었다. 그 전화를 받고 나는 가슴이 철렁 내려앉았다. 그 내용을 어떻게 J 에게 전해야 할지 걱정이 앞섰지만, 저녁에 작업실에서 돌아온 J 에게 조심스럽게 그 내용을 전하였다. 시어머님은 오래전부터 지병을 앓아오셨던 터라 소식을 접한 J 는 눈시울을 붉혔지만 내가 걱정했던 만큼의 충격은 없이 차분하게 우선적으로 해야 할 일들에 대해 계획을 세웠다. 다음 날로 J 는 신문에다 서브리스(sublease) 광고를 내어 우리가 한국에 나가 있을 동안에 우리집에 들어와 살 사람을 구하기 시작하였고, 나는 하던 일들을 1 월 안에 마무리 짓기로 하고 한국행 비행기편을 알아보았다. 이렇게 해서 J 는 뒷정리를 한 후 한국으로 나오기로 하고 나는 2 월 초에 먼저 한국으로 나오게 되었다. 앞으로 겪게 될 일들이 내 인생에서 한 번도 경험해 본 적이 없는 힘든 일이 될 것 같은 불안감으로 두려움이 앞섰으나, 이미 나는 30 대 중반의 성인이었고 누구나 살면서 언젠가는 겪게 되는 일이기에 스스로 마음을 다잡았다. J 는 내가 먼저 떠나던 날 내 손을 잡고 "너무 마음고생 하지 마라!" 며 내 마음을 읽는 듯 따뜻한 위로의 말을 건넸다. 그 한 마디는 내게 큰 위안이 되었고 감당해낼 힘이 되었다. 다행히 내가 먼저 한국으로 나오고 얼마 되지 않아 J 도 곧 뒤따라 나오게 되었다. 이후 우리 온 가족은 모든 일상을 중단하고 어머님께 집중하며 조금이라도 더 삶을 이어가시길 바랐지만 현대의학조차 도움이 되지 못했고, 결국 우리는 다가올 일에 대해 마음의 준비를 하며 그 시간을 견뎠다. 그렇게 어머님은 우리가 한국으로 나온 지 두 달을 못 넘기시고 사랑하는 가족을 두고 홀로 먼 길을 떠나셨다. 처음 겪은 그 경험은 우리 모두에게 힘든 시간을 안겨 주었다.

어머님이 하늘나라로 가시고 우리 가족 모두가 아직도 지치고 슬픔에 잠겨 있을 때, 나는 뜻밖에 우리에게 천사가 찾아온 걸 알게 되었다. 그 소식은 슬픔에 잠겼던 우리 가족 모두에게 큰 기쁨과 위로가 되었고, 어머님께서 가시면서 우리에게 주고 간 선물이라며 진심으로 축하해 주셨다. 그리고 그 소식은 사랑하는 어머니를 떠나보낸 J 에게도 위로는 물론 다시 살아갈 이유가 되었다. 결혼한 지 11 년 만의 일이었다. 드디어 바라고 바라던 나의 소원이 이루어진 것이었다. 나는 불안한 현실 속에서도 감사한 마음과 긍정적인 생각만 하려고 매 순간 다짐하였다. 그리하여 지금의 정신적인 힘듦이 태아에게 전달되지 않기를 바랐다. 천사가 찾아온 걸 알게 된 그 순간부터 나는 본능적으로 나 자신보다 아이를 더 생각하는 엄마가 되어 버렸다. 부모님께서도 그 소식에 당연히 기뻐하셨지만, 당신의 딸이 앞으로 겪게 될 출산과 육아 문제에 대해 걱정하지 않을 수 없으셨다. 아버지는 한국에서의 출산을 권유하셨지만 나는 어떻게든 알아서 잘할 테니 걱정하지 마시라며 미국행을 고집하였다. 엄마는 내게 아이 싫어하는 남편인데 어쩌려고 외국에서 힘들게 아이를 키우려고 하느냐며 손주를 만나게 될 기쁨보다는 그 일을 오롯이 혼자 감당하게 될 딸을 걱정하셨다. 완강한 내 뜻에 부모님은 더 만류하지 못하셨고, J 와 나는 다시 미국으로 돌아올 수 있었다. 실은 미국으로 다시 들어갈 준비를 하면서 아기 백과 한 권을 샀었다. 출산부터 일 년간의 아기의 성장 과정이 상세히 잘 설명되어 있는 그 책에 의지하여 어떻게든 헤쳐나갈 각오로 무장되어 있었다. 왜냐하면, 여자로서 나는 연약했지만, 엄마가 될 나는 이미 강해져 있었기 때문에!

뉴욕의 우리집으로 돌아왔을 때, 나는 드디어 J 와 아기까지 비로소 완전체로 한 가정을 이룰 수 있다는 기대감으로 설레기도 했으나 막상 내 인생에서 아직 가본 적 없는 새로운 길, 엄마의 길을 향해 가고 있다는 사실에 두렵기도 하였다. 그런 감정들을 뒤로하고 그다음 날부터 병원을 알아보기 시작했다. 감사하게도 알고 지내던 한 가정으로부터 맨해튼에 있는 한 병원을 소개받았고 며칠 후 그 병원을 찾아가게 되었다. 그 병원에는 임산부를 위한 좋은 프로그램도 있었고 한국 간호사분도 계셨다. 직원분들의 도움으로 일사천리로 수속을 밟을 수 있었고 나는 그 스피디함에 놀랐다. 왜냐하면, 미국에 살면서 그동안 한 번도 그들의 일처리가 신속하다고 느껴본 적이 없었기 때문에. 한국을 떠나올 때 부모님께 걱정하지 마시라고 큰소리를 쳤었지만, 사실 그날 병원을 방문하기 전까지 내내 불안했었다. 수속 과정에서 특이하게 느꼈던 점은 오직 나의 건강 상태 그리고 과거의 병력과 내 부모님에 관한 신상과 건강에 대한 정보만 묻고 기록하는 것이었다. 남편에 대해선 지금 같이 살고 있느냐는 것 그리고 J 의 신상 정보가 다였다. 속으로 의아해 했지만 곧 알게 되었다. 내 속에서 자라고 있는 이 새 생명이 지금 함께 사는 남편의 아이냐 아니냐가 그들에게는 중요치 않았고 다만 지금 그들 앞에 있는 나는 태어날 아이의 친모가 확실하니 나와 내 부모님에 관한 정보만으로 충분한 것이었다. 그것은 과연 미국다운 합리적 사고였다.

일주일 후 J 와 나는 다시 병원을 찾았다. 여러 가지 검사를 하기 위해서였다. J 는 그 전날 나에게 초음파 검사를 받을 때 의사에게 꼭 아이의 성별을 물어보라고 했었다. 그전까지 아이 갖는 일에 관심조차 없었던 사람이 막상 아이를 가지게 되니 기왕이면 아들이었으면 하고 바라는 듯했다. J 는 왜 알려고 하느냐는 혹시 모를 물음에 대비해 아직 아기용품을 준비하지 못해서 그런다는 핑곗거리까지 친절하게 일러주었다. 사실 나도 J 못지 않게 아들이길 간절히 바랐다. 어릴 때 나는 '왜 우리집에는 아버지를 제외하면 오빠나 남동생 같은 남자가 없을까?' 하고 생각했었다. 엄마는 언젠가 딸만 낳아서 아버지께 죄송했었다고 우리 딸들에게 속내를 털어놓으신 적이 있었다. 그게 생물학적으로 전혀 엄마의 잘못이 아닌 걸 아시면서도. 적어도 우리가 어렸을 때 엄마는 못내 아들 없음을 속상해 하셨다. 그런 엄마에게 나는 별 도움이 안 되는 둘째 딸이었다. 늘 집안 친척들로부터 첫째인 언니도 아니고 셋째인 동생도 아닌 둘째인 나를 향해, "네가 아들로 태어났더라면 참 좋았을 텐데…" 하는 말을 듣고 자랐다. 그래서 어렸을 때 나는 정말로 딸로 태어난 게 내 잘못인 줄 알았다. 그런 좋지 못한 기억으로 커서 결혼하면 꼭 아들 낳기를 바랐다. 그 후, 우리 세 딸은 모두 결혼했고, 언니도 아들 하나, 동생도 아들 하나를 두고 있어 나만 아들을 낳으면 완벽할 것 같았다. 엄마는 하나도 낳지 못한 아들을 딸들이 결혼해서 하나씩 차례로 손자를 안겨 드리니 정말 행복해 하셨다. 그러다 세상이 바뀌어 요즈음은 딸 있는 부모를 부러워하는 세상이 되었고 딸들만 가진 우리 엄마는 비로소 아들 가진 남들을 더는 부러워하지 않게 되셨다. 그런 엄마를 보며 나이 들수록 엄마에게는 아들보다 딸이 더 필요하며 딸과 친구 같은 사이로 속깊은 얘기를 나누며 노년을 외롭지 않게 지낼 수 있다는 걸 알지만 나는 아직도 정신을 못 차리고 있다.

이윽고 2층에 있는 진찰실에서 검사를 하던 의사는 내가 묻기도 전에 내게 아이의 성별을 아느냐고 물었다. 아직 모른다고 답하자, 그는 "It's a boy!"라며 축하해 주었다. 이어 스크린으로나마 나의 '꼬물이'를 만날 수 있게 아이 몸의 구석구석을 보여주시며 건강하게 잘 자라고 있다는 말씀도 해주셨다. 그리고 나의 반응으로 내가 아들을 원했다는 걸 눈치채셨는지 아이의 신체 사진들을 부분적으로 찍고 난 뒤 그것을 다시 한 장의 사진으로 만들면서 아들을 상징하는 그 부분을 펜으로 마크까지 해서 내게 선물로 주셨다. 그 사진을 보는 순간 나는 입꼬리가 올라가 입을 다물 수가 없었다. 애써 감정을 숨기려 했지만 숨길 수가 없었고, 1 층에서 기다리던 J 는 멀리서 한 손에 사진을 들고 입이 귀에 걸려 다가오는 나를 보자마자 내가 말하기도 전에 아들이라는 걸 알 수 있었다. 그래도 나는 확실하게 개선장군이 승전보를 알리듯 J 에게 의사가 준 사진을 내밀며 환호성을 질렀다. “아들이래!”

기쁘게 집으로 돌아온 J 는 그날 밤부터 그가 가지고 있는 모든 시집을 가져다 자기 앞에 쌓아놓고 한 권씩 읽으며 마음에 와 닿는 단어를 찾기 시작하였다. 과연 J 다운 발상이었다. 시를 사랑하는 J 는 아이의 이름을 짓기 위해 시집에서 영감을 얻으려했다. 아이의 이름 짓는 일에 우리는 서로 생각이 같았다. 왜 아직도 중국 문화의 영향권 아래 잘 알지도 못하는 한자를 써서 이름을 짓느냐며 순수 우리말을 찾아 아이의 이름을 짓자고 합의하였다. 그리고 마침내 J 는 몇 권의 시집을 읽다가 내게 “이삭 어때?”라고 물었다. 듣는 순간 너무나도 내 마음에 와 닿았다. ‘이삭’이란 단어가 J 의 눈에 들어와 우리 귀한 아들의 이름이 되게 하신 건 하나님의 뜻이고 우리에게 베푸신 하나님의 은혜라고 생각하였다.

성경에 나오는 ‘이삭’은 ‘아브라함’이 100 세에 낳은 귀하디귀한 아들이다. 그 아브라함은 하나님의 지시로 본토와 친척을 떠나 믿음 하나로 하나님이 지시한 땅인 ‘가나안’이란 곳에서 타향살이를 시작했고 ‘믿음의 조상’이 되었다. 우리가 지금껏 걸어온 우리의 인생 여정 또한 고국을 떠나 먼 이국땅에서 나그네로 살아가는 그의 삶과 닮아 있었고, 우리 세대로서는 비교적 늦은 나이인 마흔에 귀하게 얻은 아들이어서 '이삭 아빠'가 되는 J 또한 성경의 그 아브라함과 닮기를 나는 감히 바랐다. 그리고 태어날 '이삭' 또한 성경의 '이삭'처럼, 그리고 나처럼 신앙의 유산을 물려받아 하나님의 자녀로 살아가길 간절히 바랐다. '이삭'이란 이름을 듣는 모든 교회분은 우리가 성경의 '이삭'을 따서 아이의 이름을 지은 것으로 아신다. 자녀의 미국이름을 지을 때 그들의 자녀가 성경에 나오는 훌륭한 믿음의 인물들처럼 되기를 바라며 성경에 나오는 이름들로 자녀의 이름을 짓기 때문이다. 하지만 우리는 시집에서 발췌한 순우리말 '이삭'을 따서 먼저 아이의 한국이름을 지었고 그 덕분에 미국이름도 자연히 성경에 나오는 그 '이삭'을 따라 'Isaac'으로 정했다. 그렇게 해서 J 는 '이삭 아빠', 그리고 나는 '이삭 엄마'가 되었다.

27 화

첫 만남

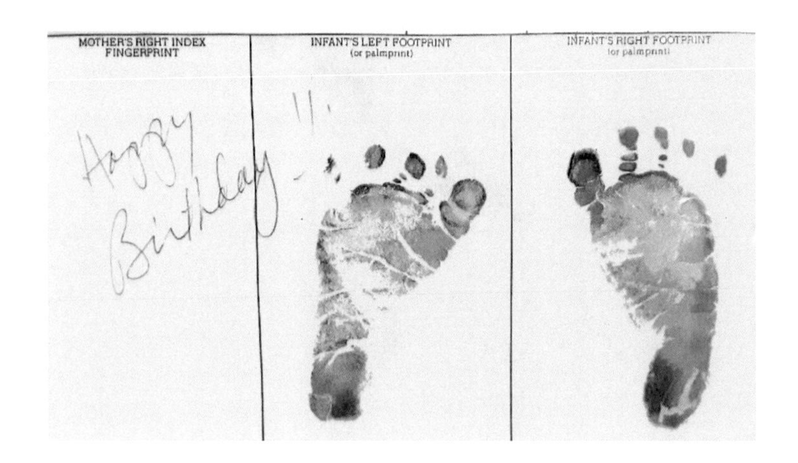

첫 발자국, 1997

출산예정일이 11 월에 있었고 내 생일도 11 월에 있어서 겸사겸사 엄마가 11 월에 오시게 되셨다. 안심을 못 하셨던 부모님은 우리나라 전체가 IMF 외환위기를 맞아 경제적으로 힘들었던 시기였음에도 결국 그렇게 결정을 하셨다. 그동안 나는 정기검진을 열심히 다니며 나와 아이의 건강상태를 늘 점검받아 왔었고 일주일에 한번씩 있던 라메즈 교실도 다니며 출산 시에 도움을 받을 수 있는 호흡법을 배우고 나름대로 출산 준비를 해왔었다. 그리고 그곳에서 여러 명의 임산부를 만나 출산과 육아에 대한 정보를 공유하며 동지애도 나누었고 육아에 필요한 모든 물품도 미리 구입해 놓았다. 웃기는 사실은 그전까지는 어디를 가야 영유아용품을 살 수 있는지조차 몰랐다는 것이다. 그리고 길을 다녀도 아이들은 눈에 들어오지도 않았었다. 그런데 내가 임신을 하고 보니 온 세상에 아이들만 보였다. 길에도, 놀이터에도, 공원에도…. 알고 보니 우리 주변이 아이들로 가득 찬 세상이었다.

이제 만삭이 되어서 잠조차 제대로 잘 수 없는 내게 엄마는 그래도 아기가 배 속에 있을 때가 편하다고 말씀하셨고, 앞으로 잠 한번 푹 자는 게 소원이 될 거라며 이제 낳아보면 알게 될 거라고 겁을 주셨다. 나는 엄마로부터 직장생활을 하며 자식 셋을 다 만삭까지 일하시다 출산하셨다는 얘기를 들었었다. 어떻게 가능했을까? 내가 이렇게 만삭이 되고서야 나보다 더 작은 엄마가 참으로 위대하게 느껴졌다. 우리 엄마가 '여자는 약해도 어머니는 강하다!'의 대표주자 같다는 생각이 들었다. 엄마는 내게 아이가 엄마 배 속이 불편해야 나올 생각을 한다며 매일 운동 삼아 걸어서 집 근처에 있는 백화점을 가자고 하셨다. 그래서 마지막 2 주를 백화점으로 매일 '출근'하기 시작하였다. 엄마와 내가 백화점에 들어설 때면 안에 있던 직원들과 쇼핑하러 온 사람들은 내게 왜 백화점을 왔느냐며 빨리 병원으로 가라고 걱정스러운 표정으로 한마디씩 건넸다. 그렇게 남들이 보기에도 내 배는 곧 터질 것 같은 풍선처럼 부풀어 있었지만, 우리 아들은 내 배 속이 정말로 편안했는지 나올 생각을 하지 않았고 그렇게 초조하게 시간만 흘러갔다. 엄마가 오신지 3 주차에 접어든 월요일 새벽, 드디어 기다렸던 기미가 보였고 나는 병원으로 응급전화를 했었다. 간호사로부터 집에 혼자 있느냐, 병원에 동행해 줄 사람이 함께 있느냐, 그리고 지금부터 진통이 진행되면 빨리 병원으로 와야 한다는 말을 듣고 이제 정말 때가 왔구나 하고 마음을 가다듬고 여차하면 병원으로 달려갈 수 있게 싸두었던 모든 필요한 짐도 다시 점검했었다. 하지만 매 순간, 매일을 기다렸지만 더 이상의 진전은 이루어지지 않았고 결국 정기검진하기로 되어 있던 그 주 금요일이 되어서야 병원을 찾아가게 되었다. 그리고 오전에 진찰을 하던 의사는 유도분만을 하는 게 좋겠다는 소견을 말했고 나와 J 는 동의했다. '드디어 오늘이 D-day 이구나!' 라고 생각하니 살짝 긴장이 앞섰지만, 한편으로는 고대하던 우리 아들 '이삭' 을 만나게 될 기쁨으로 설레었다.

맨해튼 그린위치빌리지에 있는 병원이어서 입원 전까지 그곳에서 시간을 보내다가 늦은 오후가 되어서야 입원을 하게 되었다. 엄마는 "내가 순산했으니 너도 순산할거다. 딸은 엄마 닮는다." 라며 불안해할 딸을 격려해 주셨고 그 말씀에 나는 마음의 안정을 찾았다. 이날을 이 세상에 있는 모든 어머니에게만 허락된 특별한 경험의 축복된 시간이라 생각하였고 어머니의 생으로 이제 새로운 인생을 출발하는 나 자신이 이 시간을 잘 감당할 수 있기를 기도했다. 엄마와 나 그리고 J 까지 그렇게 한 방에 같이 있으며 출산을 기다렸다. 침대에 누운 후 나는 온갖 장비들로 둘러싸인 채 유도분만주사를 맞았고 의사와 간호사는 계속해서 모니터링하며 왔다갔다하였다. 엄마는 출산하는

데 무슨 장비가 이렇게 많이 필요하냐며 기막혀하셨다. 출산의 경험이 세 번이나 있으셨고 병원에서 일하시면서 늘 봐왔던 익숙한 풍경이라 딸이 앞으로 겪을 고통의 무게와 시간에 아무런 걱정조차 없으셨던지 구석의 의자에 앉자 졸기 시작하셨고, J 는 그 와중에 엄마와 자기가 먹을 저녁을 사러 나갔다가 음식을 들고 돌아왔다. 엄마와 J 는 산실까지 따라는 왔지만 그게 다였다. 더는 나를 위해 해줄 역할이 없었다. 그냥 옆에서 기다려 줄 뿐이었다. 이제 나는 전쟁터에 홀로 나서는 군인 같았고 오늘의 이 막중한 사명은 오롯이 나와 아기 둘이서 감당해야 할 임무라는 사실을 그때 깨달았다. 그렇게 나만 홀로 온갖 장비들로 둘러싸인 침대에 누어서 새 생명이 무사히 세상 밖으로 나오길, 그리고 내가 그 일을 잘 감당해내길 바라고 또 바랐다.

현대의학의 힘은 놀라웠다. 예정일이 지나도록 나올 생각조차 하지 않던 아이는 그렇게 의학의 도움을 받자 드디어 열 달 동안 편안하게 잘 지냈던 엄마의 배 속을 떠나 이제 세상 밖으로 나오려고 준비를 하는 듯, 나에게 진통으로 그 사실을 알려 주었고 그 일은 정말 빠르게 진행되었다. 나는 처음부터 무통분만을 원했고 그 덕분에 참기 힘든 고통의 무게를 줄일 수 있었다. 많은 임산부가 혹시 아이에게 해가 될까 하여 이 극한의 고통을 마취주사 없이 견딘다는 이야기를 들었지만 나는 그 고통을 감당할 자신이 없었다. 그렇게 현대의학의 도움을 받아서 내 방은 그날 밤에 가장 소용한 산실이 되었다. 그동안 열심히 배워 익혔던 라메즈 호흡법으로 호흡하며 주기도문과 사도신경을 번갈아 되뇌이면서 나의 정신을 그것에 집중하려 했고 이 시간이 빨리 무사히 끝나기만을 기도했다. 이윽고 밤 12 시가 되자 간호사는 10cm 가 다 열렸으니 이제부터는 있는 힘을 다해 “Push!” 하라며 내게 할 일을 알려주었다. 그 간호사는 미국분이었는데도 많은 한국

산모를 경험했던지 내게 한국말로도 "힘 줘, 힘 줘!"라고 말하면서 힘들면 참지 말고 소리치라고 하셨다. 그래서 최선을 다해 힘을 주고 애를 썼지만, 아이는 엄마의 노력에도 전혀 도움을 받지 못했고 다섯 시간 동안 계속 힘든 시간만 흘러갔다. 결국, 더는 산모인 내게 남아 있는 힘도 없어 보이고 나와 태아의 바이탈 사인(vital signs)도 경계에 오게 되자 그때서야 위험에 처할 수 있다는 판단이 섰던지 의사는 외과적인 방법을 쓰기로 결정하였다. 의사의 결정이 내려지자 모든 일은 순식간에 빠르게 진행되었고, 그렇게 우리 아들 '이삭'은 현대의학의 도움을 받아 힘들게 세상 밖으로 나올 수 있었다.

의사는 우리 아들이 세상 밖으로 나오기 직전에 J 에게 "Stay! You will see. Your son is coming!" 이라 말하였다. 여태 기다리다 잠시라도 자리를 뜬 사이 아이가 나와 그 기다렸던 순간을 놓치게 될까 봐 일부러 친절하게 알려준 거였다. 하지만 의사의 말을 듣자마자 J 는 이내 도망치듯 방을 나가버렸다. 참으로 청개구리 같은 심성을 가진, 이해할 수 없는 남편이었다. 남들은 아내의 손을 잡고 눈물을 흘리거나, 아니면 그 역사적인 순간을 기록으로 남기려고 출산하는 과정을 비디오카메라로 촬영하느라 정작 눈으로는 직접 보지 못하는, 웃지 못할 진지함이 있거나 아니면 더 과감하게 직접 탯줄을 자르는 경험까지, 어떻게든 남편과 아버지로서의 사명감으로 뭐라도 하려고 하는데 J 는 과연 'J'다웠다. 차라리 의사가 그때 그에게 머물라는 소리를 안 했으면 어땠을까 하는 생각을 해봤다. 내내 함께 있다 하필 그 마지막 순간을 피하는 그의 심리를 이해할 수는 없었지만 아마도 두려움 때문이었으리라! 할렘에 살 때 도둑이 들었던 밤, 그가 얼마나 겁이 많은 남자인지 그때 깨달았었다. 그럼에도 이 중요한 순간에 도망치듯 나가버리는 J 를 보며 나는 J 가 나와 아이에게 믿음직스러운 남편과 든든한 아버지로서의 울타리가 되어 주지 못할 것 같은 생각에 서운한 마음이 들었다. 그렇게 J 는 그 역사적인 순간을 함께 하지 못했고 오직 나만이 나의 소중한 생명인 '이삭'이 태어나는 그 새벽을 함께했었다. 의사는 번쩍 아이를 들어 올렸고 아이는 세상 밖으로 나온 순간 처음으로 엄마인 나와 눈이 마주쳤다. 나는 기쁨의 눈물을 흘렸고 우리 모자의 생명을 구한 그 의사분과 간호사분께도 감사의 인사를 드렸다.

이후 의사는 내게 조그만 종이를 내밀었다. 거기에는 우리 아들 이삭의 출생 정보가 적혀 있었고 "Happy Birthday!"라는 문구와 함께 앙증맞은 아기의 두 발바닥 도장이 찍혀 있었다. 내가 미국에서 경험한 출산까지의 모든 의료서비스는 너무나도 훌륭했고 감동적이었다. 2 박 3 일의 입원을 마치고 퇴원 절차를 밟을 때 간호사는 내년에는 딸을 만들어 다시 오라는 인사를 내게 건넸다. 새 생명을 무사히 얻을 수 있었던 건 정말 감사했지만, 다시 겪을 힘든 과정을 생각하니 한 번으로 충분하다고 생각이 들어 나는 답하지 못하고 그냥 미소만 지었다. 병원 밖으로 나오니 늦가을의 풍경이 우리를 맞이하였다. 그 시기는 일년 중 미국사람들이 가장 들떠있는 추수감사절과 크리스마스가 이어지는 감사와 기쁨이 넘치는 홀리데이 시즌으로, 빌리지 길거리는 벌써 예쁜 크리스마스 장식과 함께 사람들로 붐비고 있었다. 그 순간 나는 오랫동안 병원에 머물러 있었던 것처럼 바깥 세상의 모든 것이 새롭게 느껴졌다. 마치 새 가정을 이루는 우리를 축복해 주는 듯하였다. 그렇게 결혼한 지 11 년 만에 J 와 나에게 우리 아들 '이삭'이 선물처럼 찾아왔다.

28화

"Are You an Alien?"

White Sands Impression_1996, 2023

미국에 사는 교포들은 나그네와 같은 이민자로 고단한 삶을 살지만 대부분 가족 전체가 이민을 와서 함께 살거나 아니면 가까이 살면서 추수감사절이나 크리스마스 등 미국의 큰 명절이나 가족 행사가 있으면 모이고 뭉치고 자주 함께하며 그것으로 서로가 위안을 얻고 또 살아가는 동력을 얻는다. 하지만 대부분의 교포와는 다르게 우리의 미국생활은 유학생 신분으로 시작된 생활이어서 이곳에 산다는 느낌보다는 잠시 머문다는 느낌으로 10 년을 지내왔었다. 처음 몇 해 동안은 언니네가 필라델피아에 살아서 가족과 함께하는 추수감사절과 크리스마스를 언니네로 가서 함께 따뜻하게 보낼 수 있었다. 하지만 언니네가 한국으로 돌아간 뒤로는 우리는 늘 쓸쓸하게 그 명절들을 보내야 했다. 물론, 그 주일에 교회에서 특별한 순서를 가지고 점심도 더 맛난 음식으로 대접을 받지만, 정작 명절 당일에는 아무런 모임을 가지지 않는다. 왜냐하면, 그날은 가족과 함께하는 특별한 날로 여기기 때문이다. 그런 명절이 오면 미국에 사는 모든 사람이 분주하니 우리도 덩달아 쓸데없이 바쁜 척을 했었다. 갈 데도 없고 오라는 데도 없는데 괜히 차를 몰고 나가 차들로 꽉 찬 고속도로에서 그들 틈에 끼여 갇히는 체험으로 그 명절들을 보냈었다.

나는 그동안 미국에서의 우리의 삶이, 그리고 우리 자신이 땅에 단단하게 뿌리를 내리고 사는 나무가 아니라 늘 물속에 떠다니는 부초 같다는 생각을 했었다. 처음 몇 년 동안은 아예 신분증인 운전면허증 조차도 없는 삶을 살았었고, 그 후로도 줄곧 건강보험도 없이 젊음 하나로 버티며 살았었다. 지금도 그런지 모르겠지만, 그 당시 미국은 임산부의 법적 체류 신분이 어떻든 상관하지 않고 시민권자가 될 태아를 위해 임산부 건강보험을 적용해주는 제도가 있어 우리는 그나마 그 혜택을 누릴 수 있었다. 그 덕분에 병원에 다니며 아이뿐만 아니라 나까지 임신에서 출산까지 정기적으로 건강검진을 받을 수 있었다. 그전까지는 미국에서 병원에 다녀본 적이 없었다. 대부분의 교포조차도 영주권이나 시민권이 있음에도 자영업에 종사하시는 관계로 건강보험은 없이 불안하게 이민자로서의 삶을 살고 계셨다. 그러니 가족도, 영주권도 없었던 우리의 삶은 그분들보다 더욱더 광야 같은 세상에서 나그네로 사는 불안한 삶이었다. 그나마 다행히 체류 신분만은 갈아타며 계속해서 합법적인 신분을 유지하고 있었다. 이것은 보통의 사람들과는 다른 뇌 구조를 가진 예술가들에게는, 그리고 적어도 내게 있어 그들의 대표주자처럼 여겨졌던 J 에게는 실로 대단한 일이었다. 세상 사는 일에는 전혀 관심도 없고 특히, 살아가는 데 있어 필연적으로 맞닥뜨릴 수밖에 없는 법과는 거리가 아주 먼 삶으로, 오로지 그림 그리는 일에만 삶이 맞춰져 있던 그가 그의 학생비자가 끝나자마자 '실습 훈련(practice training)[62]' 으로 체류를 연장하고, 그 기간 안에 또 취업비자로 바꾸는 수고를 마다하지 않았다. J 로서는 귀찮음을 무릅쓰고 감당할 수 있었던 자기 능력의 최대치였다. 그만큼 합법적인 체류 신분은 외국에서 살 때 가장 중요한 사안이 된다는 걸 J 도 알고 있었기 때문이었다. 화가 중에는 이런 법적인 문제에서 무지하고 게을러서 학생비자 만료 후 그냥 불법체류자의 신분으로 전락한 채 불안하게 혹은 무덤덤하게 살아가는 경우도 주변에서 가끔 볼 수 있었다.

---

62 실습훈련(Practice Training)은 F-1 학생 비자를 가지고 있는 유학생 신분의 미국 대학 졸업 예정자가 미국 취업을 하기 위해 신청하는 시스템으로 합법적으로 1 년간 일할 수 있는 기회를 제공한다. 추가로 기간을 한번 더 연장할 수 있다.

한국으로 잠시 나가 있기 전 두 번째 서부 여행을 하게 되었을때 우리는 내친김에 하얀 모래사막으로 색다른 풍경을 감상할 수 있다는 '화이트샌드'를 찾아 뉴멕시코주까지 내려가게 되었다. '모뉴먼트 밸리'가 있는 애리조나주에서 이른 아침 출발해 남쪽으로 꼬박 하룻길을 달려 늦은 오후에야 목적지에 도착할 수 있었다. 그렇게 마주한 그곳의 풍경은 먼길을 마다하지 않고 달려온 수고에 충분히 보답하고도 남을 만큼 인상적이며 감동적이었다. 하지만 얼마 지나지 않아 해가 기울기 시작했고 저멀리 시선이 닿는 끝까지 온통 새하얀 모래로 뒤덮힌 이국적인 아름다운 풍경은 머릿속에 저장한 채 노을에 물든 모래사막과 아쉬운 작별을 해야 했다. 그다음 날 우리는 다시 서쪽으로 여정을 이어갔다. 전날 '화이트샌드'를 보겠다는 일념으로 남으로 남으로 하염없이 내려온 덕분에 우리는 뜻하지 않게 멕시코 국경과 멀지 않은 지역을 지나게 되었다. 그곳에는 끝이 보이지 않을 것 같은 광활한 땅 위에 차들도 거의 없는 무미건조한 직선도로가 놓여 있었다. 알고보니 그 도로는 멕시코 국경에서 가장 가까운, 미국 최남단에 있는 고속도로였다. 제한속도가 70 마일이었던 걸로 기억하는데 아마도 80 마일을 훌쩍 넘겼었나보다…. 길에는 차도 없고 또 길은 끝도 보이지 않는 직선이어서 사실 운전이랄 것도 없이 계속 가속페달만 밟고 가던 상황이라 한 번씩 계기판을 보며 속도를 조절했어야 했는데 그렇게 하지를 않았던 것이었다. 그리고 도로에 다른 차들이 없었기 때문에 경찰에게 속도위반으로 걸리게 될 줄은 꿈에도 생각하지 못했었다. 분명히 그전까지 보이지 않던 경찰차 한 대가 갑자기 나타나 우리 차를 세웠다. 경찰은 당연히 J 에게 운전면허증을 요구했고 그것으로 끝나지 않았다. 그 도로에는 국경수비대 같은 군인들이 감시하는 초소 같은 곳이 일정한 거리를 두고 있었는데 그것으로 국경과 가깝다는 사실을 느낄 수 있었다.

우리는 고속도로에서 경찰에게 걸린 적은 처음이어서 조금은 긴장했었지만, 우리의 체류 신분은 확실했었고 불법체류자가 아니어서 문제 될 게 없다고 확신하며 애써 태연한 척을 했었다. 대화 끝에 우리가 시민권자가 아니라는 사실을 알게 되자, 그 경찰은 J 에게 "Are you an alien?"이라는 질문을 던졌고, '임기응변'에 달인 이었던 그였지만 이 엄중한 상황에서 거짓말을 할 수 없었던 J 가 "Yes!"라고 답하자 곧 국경수비대에게 연락을 취하는 듯하였다. 'Alien'은 중학교 영어시간 때 익힌 단어로 뜻은 '외계인'이라고 그때까지 알아왔는데 그날 갑자기 우리를 보고 'alien'이라니! 그 순간 우리가 마치 외계에서 온 다른 생물체로 취급 받는 듯한 느낌을 받았었다. 그 와중에도 나는 '우리는 외국인이니까 당연히 'foreigner'라고 해야지!' 하는 생각을 했었다. 나의 영어선생님의 잘못된 가르침으로 그날 우리는 졸지에 외계에서 온 '외계인'이 되었고 한참을 기다려 우리의 신분이 합법적이라는 걸 확인받고 나서야 과속티켓만 받고 그 자리를 떠날 수 있었다.

그 경험은 씁쓸했다. 우리가 '이방인'인 걸 새삼 확인받는 순간이었다. 외국에서 살 때, 얼마나 오래 살았느냐가 중요한 게 아니라 체류 신분이 중요하다는 사실을 그때 깨달았다. 미국에서 오래 살다 보니 생활 속에서 자연스럽게 미국사람들과 동화되어 이방인이란 사실을 잊고 살았던 거였다. 우리는 미국 내 여행이라 여권이 필요치 않다고 생각했었고, 혹시나 들고 다니다 여행 중에 분실할까 봐 LA 에서 큰 짐들과 함께 우리의 여권까지도 지인에게 맡기고 여행을 떠난 상황이었다. 그때 알게 된 사실은 외국인이 국경 근처를 여행할 때는 만일의 경우를 대비해 반드시 여권을 소지해야 한다는 것이었다. 영주권자조차도 국적이 미국이 아니므로 여권과 함께 영주권을 소지해야 하는데 우리의 신분은 그렇지 않은데도 여권조차 소지하지 않았으니 "Are you an alien?"이라는 소리를 들을 수밖에!

아이를 가진 채 미국으로 다시 돌아왔을 때 비로소 영주권을 가져야겠다는 생각을 하게 되었다. 사실, 그전에 학교를 졸업하고 난 뒤 취업하려고 했을 때도 나의 체류 신분 문제가 취업 자격조건에 첫 번째 걸림돌인 걸 알았었다. 하지만 그때까지는 완전히 미국에 정착할지에 대한 확신이 없었고, 결혼은 한 상태였지만 자식 없이 우리끼리 살다 보니 누구의 인생을 책임져야 하는 어른으로 살지 않았다. 그래서 영주권 취득 문제는 늘 우리의 관심사 밖이었고 굳이 그 일로 골머리를 썩힐 이유도 없었다. 하지만 곧 한 아이의 인생을 책임져야 하는 부모의 신분으로 바뀌게 될 우리의 인생을 생각하니 결단이 필요했다. 여태껏 지내왔던 것처럼 그렇게 살 수는 없었다. 드디어 우리도 사회 구성원으로서 이 세상 안으로 들어와 다른 사람들처럼 사람 사는 흉내라도 내며 살아야 할 때가 온 것이었다. 그렇게 해서 남들보다 10년 늦게 늦깎이 부모로서 그들처럼 세상 살아가는 법을 배우며 앞으로 살아가면서 최소한 부모의 체류 신분 문제로 아이에게 피해나 불이익을 주지 않으려고 영주권에 도전하게 되었다. 그 길은 참으로 멀고도 험한 길이었고 영주권을 받을 때까지 참으로 우여곡절도 많았던 조마조마한, 불안한 삶의 연속이었다.

아마 외국에서 살아본 경험이 있는 사람이라면 누구든지 체류 신분 문제로 겪는 어려움과 스트레스가 얼마나 큰지 잘 알고 있을 것이다. 가족이민으로 미국에 와서 온 가족이 함께 정착하고 사는 교민들은 그 시절 나의 부러움의 대상이었다. 그 와중에 우리 모두가 생각지도 못했던 '9·11[63]'이란 초유의 국가 비상사태를 겪으며 미국은 그전의 미국과는 다른, 강력한 이민법으로 이민자를 가려 받는 새로운 국가로 개편되었고, 그런 불안정한 여건 속에서도 우리 곁에 이삭이 있어 모든 걸 감내하며 기다릴 수 있었다. 그 시절 이삭은 우리에게 그런 현실을 견디고 이겨낼 수 있는 마법 같은 힘을 주었다. 살다 보면 아무리 힘들었던 과거라도 세월이 흐른 뒤에는 아름다운 추억으로 저장되어 한 번쯤 되돌아 가보고 싶은 생각이 들 때도 있지만, 그 시절만큼은 절대로 그런 마음이 들지 않는다.

---

[63] 9·11 (September 11 attacks)는 2001 년 9 월 11 일 화요일 아침 미국에 대항하는 이슬람 과격 테러 단체인 '알카에다'가 일으킨 네 차례의 연쇄 테러 공격을 의미한다.

29 화

초보 엄마, 초보 아빠 I

엄마 & 아빠, 2003 이삭 5 살 때

병원에서 퇴원해 집으로 돌아오니 비로소 나도 한 생명을 책임져야 하는 엄마가 되었다는 사실이 실감났다. 엄마는 내게 낮에는 아이 돌보는 일을 도와줄 수 있지만 밤 시간 만큼은 당신이 할 수 없으니 나와 J 에게 알아서 하라고 미리 선언하셨다. 엄마의 그 선언에 조금은 서운했지만 내 아이니까 낮이든 밤이든 내가 책임지고 돌보는 게 맞다고 생각했다. 얼마나 원했던 내 피붙이, 내 아들이었던가? 그런데 막상 꿈이 현실로 이루어지게 되니 엄마가 출산 전에 하셨던 말씀, 이제 아기가 태어나면 잠 한번 푹 자는 게 소원이 될 거라고 하셨던 그 말씀이 당장 그날 밤부터 시작되었다. 열 달하고도 더 머물다가 세상 밖으로 나온 아기였건만 우리와 함께 집에서 일상을 살아도 괜찮을까 싶을 정도로 내 눈에 아이는 한없이 작고 연약하게 보였다. 내 배 속에서 더 머무를 수 없다면 하다못해 병원에서라도 더 머물러야 하는 것 아닐까 하는 생각이 들 정도로 조심스러웠고, 미리 사다 놓은 모든 아기용품은 신생아용이었음에도 너무나 커보였다. 입혀놓은 배냇저고리는 롱코트를 입은 듯 보였고 준비해 둔 아기침대에 아이를 눕혀 보니 침대가 운동장처럼 넓어 보였다. 하지만 아이는 신생아답게 첫날밤부터 2 시간 간격으로 일어나 자기의 존재를 알리며 자기의 기본적인 임무를 충실히 수행하였다. 울고, 먹고, 싸고, 자고…. 그렇게 초보 엄마인 나를 훈련시켰다. 나는 달래고, 먹이고, 기저귀 갈아주고, 재우고….

그래도 엄마가 함께 계실 때는 여러모로 특히, 정신적으로 의지가 많이 되었다. 하지만 엄마는 오신지 두 달이 못되어 한국으로 돌아가시게 되었고 이제부터는 모든 걸 나 혼자 감당해야 했다. 모르는 부분은 엄마가 아닌 한국에서 사 온 '아기 백과'에 의지해야 했다. 내 친구들은 다들 대학을 졸업하자마자 결혼해서 아이들이 초등학교에

다니는 엄마들로 살던 때, 나는 그제야 아이를 낳아 초보 엄마 노릇을 하게 되니 마치 남들 열심히 숙제하고 있을 때 나 혼자 실컷 놀다 다들 자는 늦은 밤에 뒤늦게 홀로 깨어 숙제를 하는 아이 같다는 느낌을 받곤 했었다. 비록 늦게 시작하는 숙제이지만 정말 최선을 다해 잘하고 싶은 마음에 나는 육아일기를 쓰기 시작했고, 아이의 자라는 순간순간을 사진과 비디오로 남겨두어 먼 훗날에도 이 소중한 시간이 잊히지 않기를 바랐다. 그럼에도 아이는 나의 기록 속도보다 더 빠르게 하루하루 성장해 갔다. 생물학적으로 인간인 남자와 여자가 결합해서 인간이 태어나는 건 당연한 이치인데 내게는 이런 사실조차도 너무 신비로웠다. 내 무릎을 등받이 삼아 아이를 앉혀 마주 보고 있던 어느 날 오후, 감사함과 행복감에 젖어 나도 모르게 뜨거운 눈물이 흘러내렸다. '내가 지금 마주 보고 있는 이 아이가 진정 내 피붙이란 말인가?' 몇 해 전에 학교 다닐 때 판화제에 참석하고자 혼자 한국행 비행기를 타려고 기다리며 공항 대기실에서 잠시 스쳐 갔던 생각이 났다. '지금 죽어도 여한이 없다!'라는. 그땐 정말 그랬었다. 내 꿈을 이루었다는 성취감에 행복을 느끼며 만족했었다. 그런데 지금 내 앞에 나의 소중한 분신인 내 아이를 마주하고 보니 이 순간 느끼는 행복감은 그때의 그것과는 정말 차원이 달랐다. 이제야 아이를 낳고 기르면서 깨닫게 되었다. 그때의 나는 참으로 인생의 순리도 아직 깨닫지 못했던 철없는 아이였고 지금 느끼는 이 행복을 경험하지 못한 채 죽었더라면 얼마나 억울했을까? 그렇게 어리석었던 나였음에도 하나님은 나를 사랑하셔서 적절한 때에 우리 부부에게 새 생명을 선물로 주셨고 이를 통해 인생에서 가장 소중하고 참된 행복을 깨닫게 하셨다.

초겨울로 가는 길목에 태어난 아이는 정기검진을 하러 병원에 가는 일 외엔 늘 집에 머물러야 했다. 똑같은 일상이 반복되는 듯했지만 태어난지 한 달, 이어 해가 바뀌어 두 달, 마침내 백일이 되는 동안 신기하게도 누가 가르쳐주지 않았음에도 아이는 날마다 새로운 묘기를 스스로 익혀 선보이며 우리를 흥분시켰다. 게다가 우리의 입 모양을 보고 따라 뭐라고 말을 하려는 듯 '옹알옹알', 정말 모든 게 신비롭기만 하였다. 그렇게 백일이 지나자, 조금씩 익숙해지며 수월해지는 듯했다. 시간이 흘러 계절이 기나긴 겨울에서 봄의 문턱으로 들어서자 아직 바깥세상을 한번도 제대로 경험하지 못한 아이에게 앞으로 만나게 될 이 세상이 얼마나 아름다운지 보여주고 싶어 조바심을 내었다. 우리는 경기장 트랙의 출발선에서 만반의 준비를 하고 "땅!" 소리만 나기를 기다리는 육상선수들처럼 날씨만 허락되면 뛰어나갈 채비를 갖춘 채 출발선에서 대기하고 있었다. 파릇파릇한 잔디와 나무들, 예쁜 꽃들, 동물들 그리고 바다 생물들…. 정말이지 보여주고 싶은 게 너무나 많았다. 햇볕 따스한 봄날에 다른 젊은 부모들처럼 아이를 유모차에 태우고 나들이하고 싶어 안달하였다. 육아를 후회없이 잘하고 싶은 초보 엄마의 마음에 더 저렴하게 자주 다닐 수 있도록 처음으로 뉴욕시 공원국(NYC Department of Parks and Recreation)에 회원으로 가입해 놓고 화창한 봄날이 오기만을 기다렸다. 마침내 나들이를 해도 될 만큼 기온이 올라가자 우리는 날씨 좋은 주말이면 무조건 이삭을 데리고 뉴욕시 다섯 개의 자치구에 널려있는 공원으로, 식물원으로, 수족관으로 그리고 동물원으로 신발이 닳도록 다녔다. 처음 공원에 데리고 간 날 잔디 위에 앉게 되었는데, 아이는 처음 보는 잔디가 뭔지 몰라 두려웠는지 손으로 만져볼 시도조차 하지 않고 손에 닿지 않게 하려고 온몸으로 애쓰는 모습을 보게 되었다. 우리의 기대와 달랐던 아이의 반응에 우리는 마주 보며 웃었고 그런 아이가 너무나도 귀엽고 사랑스러웠다. 그 일은 아이의 성격을 알아가는 중요한 첫 계기가 되었다. '이삭은 날 닮아 조심성이 많은 아이구나!'

여름이 다가오자 책에 쓰인 대로 이제 이유식을 시작해야 할 때라 판단하고 아이에게 시도해보기로 하였다. 그러나 이 세상에 얼마나 다양하고 맛있는 먹거리가 있는지 하루빨리 소개하고 싶은 이 초보 엄마의 마음을 알 리 없는 아이는 새로운 음식에 쉽게 마음을 열지 않았다. 그렇다고 포기할 수 없던 나는 '까꿍놀이'로 웃게 만든 후 웃느라 입을 벌리고 있는 아이에게 숟가락을 입속으로 신속하게 밀어 넣는 방법을 쓰게 되었다. 그러면 아이는 이미 들어온 음식을 피할 수 없다는 듯 삼키곤 하였다. 몇 번의 반복된 학습으로 이 엄마의 전략을 알아차린 아이는 그 후부터 웃을 때 입을 꼭 다문 채 수줍게 웃기 시작하였다. 초여름 어느 날, J 는 맨해튼 미드타운에 있는 한 상업 시설에서 벽화 작업이 있었고, 동행한 이삭과 나는 근처에 있는 브라이언트 파크(Bryant Park)[64]에서 피크닉을 하게 되었다. 그때 찍은 이삭의 독사진이 지금도 식탁 옆에 걸려 있다. 온통 초록으로 물든 여름의 싱그러움이 가득한 그 공원을 배경으로 이삭의 독사진을 찍고 싶었던 나는 아직 혼자 앉혀 두기 불안했던 아이를 나의 발등이 등받이가 되도록 내 발목 위에 앉혀 두고 아이의 모습을 찍으려 거의 잔디밭에 눕게 되었다. 그러자 엄마의 그 모습이 우스웠던지 이삭은 입을 꼭 다문 채 수줍게 웃기 시작하였다. 그 사진을 볼 때면 나와

---

64 브라이언트 파크(Bryant Park)는 맨해튼 미드타운 40 가와 42 가 사이 그리고 6 번가와 5 번가 가운데에 자리잡고 있는 아담한 공원이다. 여름에 잔디밭이던 곳이 겨울에는 스케이트장으로 바뀌어 겨울의 뉴욕을 만끽할 수 있는 공원으로 유명하다.

이삭이 이유식을 두고 서로 두뇌 플레이를 하던 그 시절이 생각나 나도 모르게 미소를 짓는다.

또 하나의 잊지 못할 추억은 화려한 불꽃놀이가 하이라이트인 7 월 4 일 독립기념일[65]에 있었다. 우리는 해마다 그날이면 불꽃놀이를 꼭 챙겨서 보곤 하였다. 한 해라도 빠뜨리면 서운할 정도로. 생애 처음으로 맞이하는 그해의 독립기념일에 이삭에게 깜깜한 밤하늘 위로 화려하고도 성대하게 펼쳐지는 불꽃놀이를 보여주고 싶어서 초보 아빠인 J 는 여름이 오면서부터 벌써 이날을 기다리고 있었다. 마침내 우리는 그날 저녁 브루클린의 한 이스트 강변에 잘 보이는, 일명 명당에 일찌감치 자리를 잡고 불꽃놀이 시작하기만을 기다리고 있었다. 시간이 임박하자 사람들이 모여들어 주변은 북새통을 이루었고 J 는 이삭이 잘 볼 수 있도록 목말을 태우고 사람들 틈에 서서 아이가 얼마나 좋아할지, 신기해할지 잔뜩 기대하고 있었다. 이윽고 밤이 되어 화려한 불꽃 쇼가 시작되자 우리의 기대와는 달리 아이는 기겁을 하고 울기 시작하였다. 우리는 밤하늘에 수놓은 화려한 불꽃 쇼를 보여주는 것에만 정신이 팔려 그것을 만들기 위해 굉음의 대포 소리가 동반된다는 사실은 생각지도 못하고 있었다. 연이어 쏘아대는 대포 소리에 놀라 울기 시작한 이삭은 울음을 그치지 않았고 그 바람에 고대했던 불꽃 쇼는 구경도 못한 채 애써 찾은 명당을 남에게 양보하고 그 자리를 황급히 떠나야 했다. 그렇게 본의 아니게 아이를 기겁하게 한 철없는 부모가 되었다. 그때 우리는 7 개월 된 아기에 대해 몰라도 한참 몰랐던 거였다.

---

[65] 뉴욕시에서는 미국 독립기념일인 7 월 4 일을 축하하기 위해 1976 년에 Macy's 백화점 주최로 한 불꽃놀이가 유래가 되어 그 후 맨해튼과 브루클린 사이 이스트 강에서 매년 7 월 4 일 밤 9 시 15 분에서 30 분경에 성대한 불꽃놀이 축제가 열린다.

더욱이 늦게 시작한 육아여서 그 보상심리로 남들보다 더 잘해내고 싶은 마음이 있었던지 아직 한 살도 되지 않은 아이를 위해 어린이 도서를 전문으로 출판하는 어느 유명한 출판사의 북클럽에도 가입하게 되었다. 집에 머무는 날은 이삭을 품에 앉혀 함께 책을 보며 책과 친밀한 분위기를 만들려고 노력하였다. 아직 영아였지만 그 개월 수에 맞는 책은 정말 많았다. 아이에게 색깔을 알게 해주는 책, 촉감을 발달시켜 주는 책, 청각 발달에 도움이 되는 소리 나는 책, 단어와 수의 개념을 일깨워 주는 책 등. 그 분야의 전문가들이 만들어 놓은 다양한 좋은 책들을 북클럽을 통해 매달 만날 수 있었고, 나는 이삭이 이 책들을 접하며 자연스럽게 하나씩 배우며 성장해 가기를 바랐다. 아이가 자라는 동안 수많은 책들을 사주었는데 그중에서 25 년이 지난 지금까지도 그 시기에 사준 책들만은 버리지도 다른 곳에 기증도 하지 못한 채 소중히 간직하고 있다. 이삭은 이가 날 무렵부터 모든 걸 입으로 가져가기 시작했고 책도 예외는 아니었다. 그 시절 이삭은 내가 눈 깜짝할 사이에 즐겨보던 책들을 입으로 가져가 책의 네 귀퉁이마다 어김없이 앙증맞은 이빨 자국을 시그니처처럼 남겨 놓았다. 그 책들을 볼 때면 눈이 아닌 입으로 열심히 책을 읽던 아기 이삭이 생각나 나도 모르게 미소를 짓는다.

무더웠던 여름이 지나고 선선한 가을이 오자 아이는 한층 더 고난도의 새로운 묘기를 매일 선보였다. 몇 날 전 우리는 조그마한 테이블과 의자를 사다놓고 '언제쯤이면 이 의자에 이삭이 혼자 앉아서 밥도 먹고 책도 볼 수 있을까?'하며 마치 까마득한 먼 미래의 일로 여기며 장식품처럼 바라보기만 했었는데, 우리도 모르게 기는 데 선수였던 아이는 어느 날부터인가 혼자서도 잘 앉아있을 수 있는 능력을 스스로 익혔고, 마침내 몇 달 동안 주인을 기다리던 그

테이블과 의자의 주인이 되었다. 그러더니 얼마 못 가서 무엇이든 잡고 일어설 줄 알게 되었고, 그날부터 J는 집에 있는 모든 가구를 줄로 묶어 고정해야 했다. 자칫 큰 사고로 이어질 수 있다는 사실을 익히 들어 알고 있었기 때문이었다. 그리고 11개월째로 접어들자, 이삭은 한발 한발 위태롭게 몇 발짝씩 혼자 걸을 수도 있게 되었다. 첫 발짝을 떼던 그 순간은 마치 인류가 달에 착륙해 첫발을 내딛던 순간처럼 우리는 온몸으로 감격했고 지금까지도 잊을 수 없는 순간으로 남아있다. 게다가 엄마, 아빠, 맘마 등 기본적인 의사소통에다 제법 고집도 보여 싫을 때 고개를 절레절레 흔드는 모습은 얼마나 귀엽던지 그리고 "춤!"하면 몸을 흔드는 모습은 또 얼마나 예쁘던지. 정말 천재가 따로 없었다. 그렇게 하루가 다르게 성장하여 어느새 첫돌을 맞이하게 되었고 우리는 지인들을 세 그룹으로 나누어 내 친구팀, J 친구팀 그리고 교회팀을 초대하여 점심과 저녁에 걸쳐 잔치를 하며 그동안 무탈하게 잘 자라준 이삭을 축하해 주었다. 그중 내 친구팀에 초대되어 온 한 학교 후배가 있었는데 이삭을 보자마자, "씨도둑은 못한다!"라는 유명한 말을 남겼다. 그런 말을 들을 정도로 이미 이삭은 J와 나의 합작품답게, 공평하게 반반씩 절묘하게 닮아 있었다.

우리는 첫돌을 기념하고자 12월 초에 포토스튜디오를 찾아 첫 가족사진을 찍기로 하였다. 그날의 촬영 예정시간은 아침 9시 반이었는데 일어나 보니 9시였다. 시간을 확인한 순간 미친 듯이 벌떡 일어나 고양이 세수를 하고 옷을 입고 이삭에게 돌 한복을 입힌 후 J는 아이를 안고 뛰기 시작하였다. 내가 이삭을 낳기 전 열심히 출근했던 그 백화점 안에 포토스튜디오가 있었기 때문에 뛰는 게 더 빠르다고 생각해서였다. 지금도 우리의 첫 가족사진인 그때 찍은 사진을 보고 있노라면 웃음이 난다. 그 사진에는 다행히 그 급박했던 순간은 담기지 않았고 나름의 여유가 묻어나는 모습으로 우리 셋 다 행복한 표정으로 미소를 짓고 있다. 하지만 이삭의 독사진을 찍을 땐 쉽지 않았다. 이삭이 우리와 함께 있을 때는 낯설어 하지 않았는데, 막상 우리와 떨어져 혼자 앉아 사진을 찍게 되니 겁이 나서 울기 시작하였다. 우리는 난감해졌고 '독사진은 포기해야 하나…' 생각할 즈음에 역시 프로들은 달랐다. J 에게 옆으로 다리를 편 채 앉으라고 하더니 그 위를 모포로 덮고 이삭을 앉히니 아빠의 그 자세와 모습이 웃겼는지 울던 아이가 갑자기 웃기 시작하였다. 그 순간, 그들은 놓치지 않고 이삭의 웃는 모습을 열심히 필름에 담았다. 그렇게 그 사진은 이삭이 혼자 앉아 찍은 독사진 같지만 실은 아빠와 함께 찍은 사진이었다. 그날 찍은 이삭의 독사진을 자세히 들여다보면 아이의 속눈썹에 울다 맺힌 눈물방울이 보인다. 그렇게 이삭의 첫 독사진은 순간을 포착해 그날의 이야기를 담은 소중한 그림책이 되었으며 이것은 내가 사진을 좋아하는 이유이기도 하다. 순간을 영원으로!

내가 가장 조심스러워하면서도 두려워했던, 이삭이 태어난 순간부터 첫돌을 맞이할 때까지, 그 첫해를 한국에서 사 온 '아기 백과' 덕분에 나는 왕초보였음에도 엄마로서의 임무를 성공적으로 완수할 수 있었다. 그 책은 내게 야간에도 달려갈 수 있는 아이의 소아과 의사선생님이 되어 주었고 때론 기댈 수 있는 든든한 나의 엄마가 되어 주었다. 스마트폰으로 뭐든 검색할 수 있는, 정보의 홍수 속에 사는 요즘과는 완전히 달랐던 그 시절에 몰라서 당황했던 순간마다 친절한 가르침이 있었고, 덕분에 엄마 노릇을 잘 감당할 수 있었다. 그러나 문제는 이제부터였다. 그 책은 딱 생후 일 년까지였다. 아이는 계속 자랄 텐데 나는 아이의 성장발달에 대해, 육아에 대해 더는 아는 게 없는데, 앞으로는 어떡하지? 다시 두려워졌다

30화

초보 엄마, 초보아빠 II

돌이 지나자 육아가 이제 좀 수월해졌다고 여겼는지 추운 겨울이 오고 있었음에도 조심하지 않고 외출이 잦았다. 사진 촬영 후 며칠이 지나고 주말 날씨가 갑자기 봄 날씨처럼 기온이 좀 올라가자, J는 내게 "이삭이 내복 벗겨라. 덥다, 더워!" 하면서 맨해튼의 '워싱턴 스퀘어 파크'에 이삭을 데리고 놀러 가자고 하였다. 그 공원은 우리에게 오래도록 사랑을 받아왔던 곳이었고 갈 때마다 우리는 그 공원의 놀이터에서 아이들과 놀아주는 부모들의 모습을 봐왔었다. 그들을 볼 때면 그들은 특권층이고 놀이터는 그들에게만 허락된 '성지' 같았다. 왜냐하면, 펜스가 둘러쳐져 있었고 아이와 함께 온 부모 내지 보호자에게만 출입이 허락된 곳이었기 때문이었다. 늘 바깥에서 구경만 하던 우리는 마음이 급해져서 이제 막 첫돌을 지나 겨우 혼자 서서 걸을 수 있는 정도의 운동능력밖에 없는 아이를 데리고 이제는 우리도 버젓이 자격을 갖춘 부모라는 듯 그 부모들 사이에 끼고 싶었다.

나는 아이의 내복을 벗기는 게 살짝 불안했지만, J의 논리는 예전에 한국 엄마들은 겨울에 아이에게 옷을 너무 많이 입혀서 오히려 추위에 약한 아이로 만들었다며, 추위에 강한 아이로 키우려면 옷을 가볍게 입혀야 한다는 것이었다. 그의 말을 들으니 일리가 있는 것도 같아서 아이의 옷을 가볍게 갈아 입히며 외출 준비를 하였다. 하지만 그 공원의 놀이터에서 아이의 운동능력으로 탈 수 있는 기구는 캡슐처럼 생긴 그네뿐이었다. 그 그네 통 안에 이삭을 넣고 J 는 열심히 그네를 밀었고 나는 열심히 이삭의 그네 타는 모습을 필름에 담아 또 한편의 추억 만들기에 열을 올렸다. 그 오후를 그렇게 놀이터에서 보내다 어두워지자 우리는 미드타운에 있는 록펠러센터(Rockefeller Center) 앞에 수만 개의 작은 전구들로 화려하게 장식된 거대한 크리스마스트리[66]를 보러 갔다. 뉴욕의 이 전통적인 크리스마스 풍경을 아이에게 보여주고 싶은 마음에 우리는 들떠서 피곤함도 잊었다. 그러고는 저녁까지 먹고 깜깜한 밤이 되어서야 집으로 돌아왔다. 그런데 옷을 벗기려고 이삭의 얼굴을 보니 코에서 맑은 콧물이 뚝 떨어졌다.

덜컥 겁이 났다. 다행히 태어나서 지금껏 한 번도 아팠던 적이 없었는데 이삭이 아프게 될까 봐 두려웠다. 이건 아기 백과 책으로 도움받을 수 있는 상황이 아니라는 판단이 섰고 아무래도 빨리 병원을 찾아가 봐야 할 것 같았다. 그래서 다음날 이삭을 데리고 병원을 찾았다. 하지만 의사는 감기 초기 증상이라며 어떤 감기약도 주지 않았고 귀 안을 들여다 보더니 살짝 빨간데 아직 염증이 생긴 건 아니라며 역시 약을 처방해 주지 않았다. 조금 더 지켜보자고만 하였다. 그렇게 병원을 찾은 보람도 없이 나는 불안한 마음으로 아픈 이삭과 함께 빈손으로 돌아와야 했다. 분명히 정상 컨디션이 아니고 아픈 건 맞는데 아무 조치를 해줄 수가 없으니 정말 답답하였다. 마치 더 아프기를 기다려야 하는 것 같았다.

---

[66] 록펠러센터 크리스마스트리(Rockefeller Center Christmas Tree)는 해마다 11 월 말이나 12 월 초에 점등식이 열린다. 1933 년부터 시작된 미국의 전통으로 69-100 피트(21-31 미터)의 대형 노르웨이산 가문비나무에 5 만개 이상의 LED 조명으로 장식된다.

그렇게 한 주가 흘러가고 이삭은 조금씩 회복하는 듯하더니 두 주가 지나면서 다시 열이 올라가기 시작하였다. 급기야 온몸이 펄펄 불덩이처럼 달아올랐다. 해열제를 먹이는데도 효과 없이 계속해서 올라가더니 결국 화씨 104도를 넘게 되었고 나는 어찌할 바를 몰라 울기 시작했다. 놀란 J는 이삭과 나를 데리고 응급실로 향했고, 그제야 급성중이염 진단을 받고 태어나서 처음으로 항생제 처방을 받았다. 그리고 열이 화씨 102도가 넘어가게 되면 '모트린'이란 다른 해열제를 써야 하는 사실도 그날 배우게 되었다. 그제야 정신을 차리고 보니 그날은 크리스마스였다. 그렇게 이삭은 태어나서 두 번째 크리스마스를 응급실에서 보냈었다. 초보 엄마와 아빠를 둔 탓에! 아직 한 살밖에 안 된 아이에게 약을 먹여야 하는 사실이 미안했지만 그래도 항생제와 해열제가 있어 치료할 수 있으니 감사하였다. "Merry Christmas!" 입에서 감사와 기쁨의 인사가 절로 나왔다. 그럼에도 나는 이삭이가 아프게 된 게 다 내 탓인 것 같아 너무 미안했다. 그때 J의 말을 듣지 않고 내복을 입혔더라면, 그날 놀이터에 가지 않았더라면, 아무리 날씨가 풀렸다고 해도 겨울인데 그 어린아이를 몇 시간씩 바깥에서 놀게 한 것도 모자라 그맘때면 늘 많은 사람들로 북적이는 록펠러센터의 크리스마스트리까지 보러 갔으니…. 아이의 뜻과는 무관하게 부모 마음대로! 명색이 엄마가 되어서 아이가 체온을 뺏기고 있는 줄도 모르고. 한없이 자책하였다. 그리고 처음 병원을 찾은 날 의사가 약을 미리 처방해 주었더라면 이 지경까지 이르지 않았을 텐데 하며 결국 의사까지 원망하게 되었다. 하지만 모트린으로 열을 잡을 수 있게 되었고 항생제를 처방받아 약을 들고 집으로 돌아오니 한결 마음이 놓였다.

그러나 항생제를 먹이면서 아이의 상태가 곧 회복될 거라는 내 기대와는 달리 다음 날부터 이삭의 온몸에 엄지손톱만 한 붉은 반점들이 솟아오르기 시작하더니 급기야 설사까지 하기 시작하였다. 우리는 다시 아이를 안고 또 병원으로 향했다. 이번에는 항생제 알레르기 반응이었다. 이삭에게는 페니실린계 항생제를 쓰면 안 되는데 처음이라 나도, 의사도 몰랐던 거였다. 그래서 다른 종류의 항생제 처방이 내려졌다. 이렇게 한바탕의 홍역을 치르고 나서야 아이의 몸 상태는 서서히 정상을 되찾게 되었다. 그날 놀이터에서 찍은 사진들이 작은 액자에 담겨 있는데 볼 때마다 그때가 떠오르며 이삭에게 미안한 마음이 든다. 아이를 즐겁게 해주려고 했던 일이 도리어 부모의 무지로 아이에게 화를 안겨준 꼴이 되었기 때문이다. 그러고 보니 그날 찍은 사진 속의 이삭 얼굴에도 여느 때 같은 환한 웃음은 보이지 않는다. 오히려 초보 엄마와 아빠를 가진 아이가 앞으로 겪을 자기의 미래에 대해 염려하고 있는 듯한 표정이다.

한차례 태풍이 지나고 이제 잠잠해지는가 싶더니 이듬해 봄에 더 큰 사건이 터졌다. 바야흐로 이삭의 수난시대가 열리기 시작한 것이었다. 그 무렵 이삭은 혼자 걸을 수 있어 더 세심한 주의가 필요했었다. 매일 밤 자기 전, 이삭은 나와 함께 따뜻한 물을 담은 욕조에서 장난감을 물에 띄워놓고 물놀이를 하듯 노는 시간을 가졌다. 그 틈에 나는 이삭을 씻기고 끝나면 J 가 이삭을 받아 닦이고 옷을 입혔는데, 그날은 미처 아빠가 데리러 오기도 전에 이삭이 먼저 종종 걸음으로 나가다가 그만 젖은 발바닥이 미끄러워 마루바닥에서 선키대로 뒤로 나자빠졌다. 급성중이염으로 한 달을 고생하고서야 겨우 건강을 되찾았는데 이번에는 생각지도 못한 사고를 갑자기 당하게 된 것이었다. 아이는 울기 시작했고 나는 아이를 달래며 또 자책하였다. J 가

오기 전에 먼저 아이를 욕조에서 내보지 말았어야 했는데…. 그날 밤은 넘겼지만 마음 한편에서는 계속 불안하였다. 혹시라도 머리를 다쳐 잘못되어가고 있는데 모른 채 방치하고 있는 건 아닌지….

다음날 이삭의 컨디션을 살피는데 먹는 것도 시원찮고 기운도 없어 보였다. 그래서 J 와 나는 나중에 후회할 일을 만들지 않기 위해 결국 오후에 또 응급실을 찾아가게 되었다. 어젯밤 이삭에게 일어났던 사고에 대해 들은 의사는, 아이의 발바닥에 간단한 테스트를 하였고 그 검사를 통해 아이가 혼자 걸을 수 있다는 사실을 확인하자 그런데 왜 이제야 응급실을 왔느냐며 우리를 나무랐다. 그러고는 바로 CT 촬영을 할 거라고 하였다. 우리는 겁이 덜컥 났고 아이가 잘못될까 무서웠다. 작은 이동용 침대에 산소탱크 같은 것이 올려지고 아이의 몸에는 수도 없는 줄들이 연결되어 순식간에 마치 중환자처럼 보였다. 그 모습을 보고 놀란 우리에게 스태프는 혹시나 있을지 모르는 위험 상황에 대비해서 하는 안전장치라며 우리를 안심시켰다. 그렇게 이삭은 생애 첫 CT 촬영을 하게 되었고 우리는 초조하게 결과를 기다렸다. 부디 아무런 문제점이 발견되지 않았다는 소식을 간절히 기다렸지만, 뇌의 단층 사진을 보던 의사는 아주 작은 점이 보인다고 우리에게 알려주며 하룻밤 입원을 해서 지켜봐야 할 것 같다고 일러주었다. 만약 뇌 안에 있는 작은 미세혈관이 터진 결과로 출혈이 시작되어 생긴 점이라면 시간이 지날수록 그 점의 크기가 커질 테니, 내일 새벽에 다시 CT 사진을 찍어서 변화가 있는지 관찰한 후에 판단할 거라고 하였다. 그 와중에 병원의 규칙은 한 명의 아기환자 당 한 명의 보호자밖에 있을 수 없으니 부모 중 한 명만 남고 나머지 한 명은 집으로 돌아가라고 하였다. 그래서 J 는 어쩔 수 없이 이삭과 나를 병원에 두고 불안한 마음으로 집으로 돌아가야 했고, 그 밤 동안 나는 이삭 옆에서 부디 무사하기만을 간절히 기도하며 뜬눈으로 밤을 새웠다. 이윽고 두 번째 CT 촬영을 마치고 초조하게 결과를 기다리고 있는데, 그 의사는 처음 발견한 점에서 아무런 변화를 찾을 수 없다며 출혈이 아닌 걸로 판단이 되니 퇴원을 해도 좋다는 소견을 말해 주었다. 마침내 만 하루가 넘게 두려움과 불안에 떨었던 나는 이삭을 안고 안도의 눈물을 흘렸다. J는 아침이 되자 병원으로 달려왔고 그 기쁜 소식을 듣게 되었다.

갓 한 살이 넘자마자 연달아 두 번의 굵직한 사건이 이삭을 덮쳤고 이로써 이삭에게도 고달픈 우리네 인생이 시작되었다. 인간은 너무나 연약하여 눈에 보이지도 않는 바이러스나 박테리아에 속수무책으로 공격을 당하고 또 예기치 못하는 위험에도 항상 노출되어 있다. 이런 연약한 우리네 인생이 한 살인 이삭에게도 이미 시작되었고 이삭은 그 모든 걸 이겨내야만 했다. 두 사건 모두 초보 부모인 우리의 부주의로 비롯된 사고였기에 그 후로 나는 잠시라도 이삭에게서 눈을 뗄 수가 없었다. 그렇게 우리에게는 새로운 국면의 육아라는 전쟁 같은 일상이 시작되었다.

31화

아버지의 사랑

Three Daughters, 1996
Silkscreen

결혼 전날 밤, 아버지는 내게 선택에 따른 책임에 관해 말씀하실 때 뒤이어 한 가지 더 당부하셨다. 그것은 아버지 당신과 J 를 비교하지 말라는 것이었다. 남자는 비교 당할 때 자존심이 상하고 그 일로 부부싸움을 하게 된다고 하시면서. 하지만 나는 아버지의 그 당부 때문이 아니라 그냥 아버지를 J 와 비교해 본 적이 없다. 왜냐하면, 자녀 입장에서 아버지를 보고 자랐지 아내 입장이 되어 남편감으로 아버지를 생각해 본 적이 없기 때문이었다. J 는 내 남편이고 아버지는 내 아버지니까 나로서는 서로 비교할 수 없는 대상이었던 것이었다.

사실 우리 딸 셋은 아버지를 '아버지'로 불러드린 적이 없다. 우린 커서도 늘 '아빠'라고 불렀고 아버지도 '아빠'로 불리는 게 더 좋다고 말씀하셨다. 이 세상에서 나의 아버지만큼 자상한 아버지가 또 있을까 싶을 정도로 아버지는 한없이 자상한 분이셨다. 어릴 적에 저녁을 먹고 나면 늘 우리 딸 셋은 엄마 아빠 앞에서 키대로 일렬로 서서 우리가 아는 동요를 불렀다. 저녁마다 온 가족이 함께하는 시간을 가졌고 노래 시간이 끝나면 우유를 만들어 주셨다. 그 당시는 요즘 같은 종이 팩에 든 액상 우유가 시중에 없었다. 그래서 아버지는 빨간 소 그림이 있는 노란 깡통의 분말 우유를 사다가 식구 수대로 컵에 담고 따뜻한 물을 부어 한 잔씩 만들어 주셨다. 우리 딸 셋은 답례로 일요일 아침이면 누워 계신 아버지의 다리 한쪽씩, 그리고 허리를 맡아 주먹 쥔 손으로 통통 두드려 드렸다. 그러면 아버지는 십 원, 이십 원, 삼십 원…, 이렇게 안마해 드리는 동안 택시의 미터기처럼 흐르는 시간만큼 요금을 올려 주셨고, 우리는 그 돈이 우리의 용돈이 되는 줄 알았기에 그 요금 올라가는 소리에 더욱 신이 나서 고사리 같은 손으로 열심히 두드려 드리곤 하였다. 그리고 초등학교에 들어가 새 학년이 시작될 때면 어디서 구해 오셨는지 비닐 코팅이 된 갈색 포장지로 교과서마다 책 커버를 만들어 입혀주셨고, 과목과 우리 이름도 그 위에 하나씩 정성 들여 써 주셨다. 그리고 필통에 연필도 마치 연필 깎는 기계로 깎는 것처럼 손수 예쁘게 깎아 담아 주셨다. 더욱이 자가용 차가 없었던 그 시절에 엄마는 딸 셋 데리고 다니는 게 부끄럽다며 함께 나서기 싫다고 하셨을 때도 아버지는 개의치 않으시고 어린 우리 딸 셋을 택시에 태우고 다니면서 여기저기 구경을 시켜주셨고 제과점에서 맛있는 아이스크림도 사주시곤 하셨다. 그 제과점 이름이 '뉴욕' 제과점이었다.

그 후 우리가 아직 초등학교에 다니고 있을 때 아버지는 홀로 미국으로 유학의 길을 떠나셨는데 우리에게 아주 예쁜 카드와 엽서들을 때마다 보내주셨다. 그 시절 미국은 어린 내 눈에도 정말 아름답고 멋져 보였다. 나는 아버지의 카드와 엽서를 받는 날이면 꿈속에서 큰 새를 타고 하늘을 날아서 태평양을 건너 '아빠'를 만나러 가는 꿈을 꿨었다. 그리고 그림을 그릴 때면 가본 적도 없던 미국의 풍경을 내 멋대로 그리곤 했었다. 그때부터 아마도 내 안에서 꿈이 자라기 시작했는지도 모르겠다. 둘째 딸의 꿈을 아셨던지 아버지는 귀국하실 때 특별히 내게는 유화물감 세트와 유화 기법을 다룬 책들을 선물로 안겨주셨다. 하지만 애석하게도 그 책들은 어디로 갔는지 기억 속에만 남아있고 유화물감은 사용해본 기억조차 희미하다. 우리가 중학교에 들어가자 그 바쁜 아침 시간에도 아버지는 우리 교복을 손수 다림질해 주셨고, 앞에 장바구니가 달린 예쁜 노란 자전거를 사서 자전거 타는 법도 가르쳐 주셨다. 그리고 우리가 자전거를 익숙하게 탈 수 있게 되자, 아버지는 주말 아침이면 가끔씩 우리를 에스코트해서 함께 자전거 산책을 나서기도 하셨다. 그 예쁜 자전거는 아직도 눈에 선하다. 그 시절 우리가 자라면서 아버지께로부터 받았던 셀 수 없을 만큼 많은 것 중에서 지금까지 남아있는 물건은 하나도 없지만 받았던 그 사랑만은 우리의 기억 속에 고스란히 저장되어 있다. 다만 내가 부모가 되어보니 그 사랑을 다시금 깨달으며 뒤늦은 감사를 할 따름이다. 우리 딸 셋은 그렇게 '엄마의 사랑'보다 더 깊고도 넓은 '아버지의 사랑'을 먹고 자랐다.

엄마는 내가 이삭을 가졌을 때 딸이 이국만리 떨어져 살며 '독박 육아'를 하게 될까 걱정을 많이 하셨다. 왜냐하면 우리 주변에는 잠시라도 이삭을 맡길 수 있거나 육아에 무슨 도움이라도 받을 수 있는 친지나 직계 가족이 없었기에 남편인 J가 도와주지 않으면 나 혼자서 감당할 수밖에 없었기 때문이었다. 하지만 이것은 엄마의 완전한 기우였다. 내가 알던 J, 아이는 낳기 싫다 하고 그냥 고양이와 살고 싶다던 그 사람이 맞나 싶을 정도로 이삭을 낳자 사람이 달라지기 시작하였다. 한마디로 '아들 바보'가 되어 갔다. 그런 J를 보며 우리 딸 셋에게 베푼 아버지의 사랑을 떠올리며 그 '아버지의 사랑'에 대해 궁금해지기 시작하였다. 일반적으로 부성애에 비해 모성애는 훨씬 이해하기 쉽다는 생각이 든다. 엄마의 배 속에서 열 달을 함께 살다 탯줄을 끊고 이 세상에 나오니 말 그대로 진짜 피붙이인 것이다. 예전에 다니던 교회의 목사님께서 한번은 어머니 주일 설교에서 하나님의 사랑에 가장 닮아있는 사랑이 '어머니의 사랑'이라고 말씀하신 적이 있었다. 그때는 내게 아이가 없었을 때였음에도 그 말은 이상하게도 내 뇌리에 박히게 되었다. 비록 아이가 이 세상에 나오면서 엄마와 연결되었던 탯줄이 잘려져 신체적으로는 엄마와 분리되지만 그 후로 아이와 엄마 사이에는 보이지 않는 탯줄로 연결되어 있어 그 끈이 죽을 때까지 이어진다고 하셨다. 그 말씀에 나는 지금도 백 퍼센트 공감하며 아마 죽을 때까지 그 보이지 않는 끈으로 이삭과 연결되어 있음을 나

자신도 느낄 것이다. 하지만 아버지는 어머니와 같은 신체적 경험은 없지 않은가? 그럼에도 달라진 J 를 보며 정말 신기해서 물은 적이 있었다. 어떻게 그리고 어디서 그런 부성애가 솟아나는지?

이삭이 한 살 반이 되었을 때 동생이 여름 방학을 이용해 조카와 함께 우리집에 놀러 온 적이 있었다. 그해 여름은 정말 엄청나게 더워서 에어컨을 틀지 않고는 잠을 이룰 수 없을 정도였다. 그래서 침대 매트리스를 붙여서 거실 바닥에 깔아두고 온 식구가 같이 잠을 잤다. 그 즈음에는 이삭이가 밤 동안은 깨지 않고 잘 자기도 할 때였는데 그때는 잠자리가 바뀌어 그랬는지 자다가 깨서 울곤 하였다. 그럴 때마다 나는 피곤해서 일어나지도 못하고 눈을 감은 채로 "이삭아, 꿈이야!" "괜찮아, 자자!" 하고 다독이는 시늉만 하고 계속 누운 채 자려고 하는데, J 가 벌떡 일어나더니 깨서 우는 이삭을 안고 "이삭, 아빠야! 울지 마!" 하고 달래며 재우려고 다독이는 것이었다. 그 상황을 보게 된 동생이 자다가 웃으면서 내게 귓속말을 하였다. "내가 알던 우리 형부 맞아?"

25 년이 흐른 지금도 J 의 눈엔 다 성장한 이삭이 아니라 아직도 어린 이삭이로 보이는 것 같다. 이삭이 태어난 후 우리의 모든 일상은 이삭에게 맞춰졌고, 이삭이 우리 삶의 중심이며 살아가는 이유가 되었다. J 는 백일이 지날 무렵부터 품에 이삭을 안아 이삭 스스로 식탁 옆 거울에 비친 자기 자신을 바라보게 하고 이삭에게 "자아 발견!" 이라며 세뇌를 시켰는데 그 영향인지 이삭은 영아 때부터 자기 취향이 뚜렷했었다. 색은 파란색, 알파벳은 W, 동물 중에는 특히 바다 생물인 물고기들을 좋아하였다. 좀 더 커서는 수많은 물고기 모양의 장난감과 그보다 더 화려하고 진짜 같아 보이는 낚시용 인조물고기 미끼까지도

수집하기에 이르렀다. 하루는 퇴근한 아빠에게 사달라고 졸라서 가까운 낚시용품 파는 가게를 들렀는데 이미 문이 닫혀 있었다. 하지만 그 상황을 이해하지 못하는 아이는 내일 다시 오자는 말에도 뜻을 굽히지 않았고, 할 수 없이 J 는 닫힌 가게문을 두드리는 지경에 이르렀다. 그런데 마침 주인이 안에 있던 터라 문을 열어줘서 결국 들어가 이삭이가 갖고 싶어하는 인조물고기 미끼를 사온 적도 있었다.

또 하나, 이삭이 좋아하는 게 있었는데, 그것은 다름 아닌 다리였다. 뉴욕에는 수많은 다리가 있는데 어린 이삭의 눈에도 밤에 조명 밝힌 현수교들이 멋지게 보였는지 그냥 다리 건너는 걸 좋아하였다. 이삭은 늘 아빠에게 다리를 건너자고 졸랐고, 그러면 J 는 퇴근 후 저녁을 먹고 나면 쉬고 싶었을 텐데도 이삭이 원하는 대로 “오냐, 오냐, 내 새끼. 그래 가자!” 라며 흔쾌히 일어섰다. 맨해튼과 가까운 퀸즈에 살던 그때 우리는 자주 아름다운 조명들로 보석처럼 반짝이는 뉴욕의 밤을 만끽하였다. 먼저 퀸즈보로 다리(Queensboro Bridge)[67] 를 건너 맨해튼 미드타운으로, 거기서 이스트 강변을 따라 이어진 FDR 고속도로를 타고 남쪽으로 내려가다 로어 맨해튼과 연결된 브루클린 다리를 건너 브루클린으로, 그리고 브루클린과 퀸즈를 이어주는 고속도로(BQE)를 타고 다시 퀸즈에 있는 집으로 돌아오는 환상적인 코스로 행복한 밤 나들이를 함께 하였다. 그 시절 J 는 이삭이 원한다면 마치 하늘에 있는 별이라도 따다 줄 기세였다.

---

[67] 퀸즈보로 다리(Queensboro Bridge)는 이스트 강 위로 맨해튼 59 가와 퀸즈를 잇는 외팔보(cantilever) 다리로 1909 년에 개통되었다. 그 이스트 강 가운데 루즈벨트아일랜드 (Roosevelt Island)라는 작은 섬이 있다. 그리고 퀸즈보로 다리 옆으로 그 섬과 맨해튼 사이를 운행하는 케이블카가 있다.

32 화

먹고사는 일

Art & Frame, 2023

미국에 온 후로 우리가 생계를 위해 잠시라도 가졌던 일들은 참으로 다양했다. 맨 먼저 윤 집사님네 세탁소 일부터 시작해서 J 는 오랫동안 아이들에게 미술 선생님으로 그림 가르치는 일을 했었고 이삭이 태어난 후부터는 여러 상업 시설에 인테리어디자인으로 벽화를 그리는 일도 했었다. 그리고 나는 숙모 옷가게에서 일했었고, 그리고 티셔츠 실크스크린 제작, 가내수공업으로 패션주얼리(fashion jewelry)를 만드는 곳에서 귀고리 만드는 일, J 와 함께 그림 회사에서 그림 제작하는 일, 학교 졸업 후부터 이삭이 두 살 되기까지 컴퓨터 그래픽으로 상품 패키지 디자인을 하는 일 등 정말 다양한 직종을 거쳤지만 그 어느 것도 직업으로 이어지지는 못했었다. 살아가는데 있어 중요한 부분인 건 알았지만 남들처럼 전력을 쏟지도 못했고 말 그대로 부분이었지 전부가 되지는 못했었다. 한마디로, 우리는 늘 먹고사는 일에 서툴렀고 그래서 졸업 후 엄마로부터 돈도 못버는 전공을 왜 했느냐는 비난을 받기도 했었다. 그때 나는 '꿈'과 '돈 버는 일'을 결부시키는 엄마를 세속적이라고 생각했었고 그보다 더 나은 차원의 삶을 추구해야 가치있는 삶이라고 믿었었다. 그런데, 이삭이 태어나고 막상 부모가 되고 보니 그제야 가족을 부양하기 위해 생계를 책임지는 일인 '먹고사는 일'이야말로 이 세상에서 가장 소중히 여겨져야 할 가치있는 일이라는 생각이 들었다.

이삭이 두 살이 넘어가자 J 는 내게 비즈니스를 열면 어떻겠냐고 넌저시 그의 고민을 털어놓았다. 그동안 우리의 노력에도 불구하고 먹고사는 일이 힘들었던 이유는 우리가 늘 프리랜서로, 파트타임으로 일했기 때문이었고 그건 풀타임으로 우리를 불러주는 데가 없었기 때문이기도 하였다. 그래서 고심 끝에 J 는 자영업을 생각하게 된 거였다. 점점 자라나는 이삭을 보며 더 안정된 수입이 필요했던 J 의 마음은 백번 이해가 되었지만 그렇다고 비즈니스를 아무나 할 수 있는 건 아니라는 생각이 들었다. 누구보다 J 를 잘 알고 있었기 때문에 그의 말을 듣는 순간 내 마음은 '쿵' 하고 내려앉았다. 이건 그동안 J 가 세상을 대하던 방식인 "Nothing to lose!"처럼 "일단 저지르고 보자!"라는 그런 마음으로 접근하면 안될 것 같다는 생각이 들었기 때문이었다. 그것은 우리가 지금껏 살아온 인생에서 한 번도 경험이나 생각조차 해본 적 없던 미지의 세계였다.

한국에 잠시 체류했다가 다시 뉴저지의 로프트로 돌아와 살 때 우리는 아침에 자주 허드슨 강변에 아침을 먹으러 들렀었다. 그 강변에는 무슨 회사 빌딩이었는지 현대식 건물이 있었고 1 층 로비에 베이글 가게가 있었다. 그 가게는 베이글의 종류도 매우 다양했고 그 사이에 들어가는 재료도 크림치즈 외에 아주 다양했었지만, 우리 주머니 사정상 가장 싼 메뉴인 버터나 플레인 크림치즈가 들어간 베이글로 만족했었다. 우리는 그 가게에서 산 베이글과 커피를 들고 맨해튼 풍경이 건너다보이는 강변에 앉아 먹으며 행복한 아침 시간을 즐겼다. 그 베이글 가게는 늘 손님들로 북적였고 정말로 바쁘게 돌아가는 가게였다. 대충 눈에 보이는 직원만 해도 10 명이 넘어 보이는 큰 가게였다. 어느 날 하루는 강변에서 아침을 먹으면서 그 가게에 대해 이야기를 나눈 적이 있었다. J 가 갑자기 상기된 얼굴로 내게 "한 사람당 2 달러씩 잡고 100 명이면 돈이 얼마고?" 그는 그 가게의 하루 매출이 상당할 거라는 이야기를 하고 싶어 불쑥 던진 질문이었다. 그러고는 잠시 계산을 하는 듯하더니 "아…, 200 달러네!" 라며 자문자답하였다. 이어 J 는 자기가 예상한 하루 매출액이 생각보다 너무 적게 나오자 살짝 당황하는 모습을 보였다. 그 순간, 나는 그런 J 가 너무 어이가 없었고 웃음이 터져 나와 한참을 웃었다. 자기가 말해 놓고도 하루에 200 달러 벌어서는 그 가게를 유지할 수 없다는 판단이 서자 J 도 뒤늦게 머쓱하게 웃었다. J 가 말하고 싶었던 건 엄청나게 매출이 큰 가게라는 걸 얘기하고 싶어 예를 들어 표현한 건데 그 재정적인 규모는 자기의 수준에 맞춰져 있던 거였다. 우리가 2 달러를 쓰니까 다른 사람들도 아침 식사비로 2 달러를 쓴다고 계산한 것, 그리고 자기 관점에서 하루에 손님 100 명이면 엄청나게 많이 오는 거라고 생각한 것이었다. 나는 J 가 비즈니스 얘기를 꺼냈을 때 뉴저지에서의 그 에피소드가 불현듯 떠올랐고, 과연 이렇게 세상 물정과 경제 관념이 없는 사람이 어떻게 비즈니스를 한다는 건지 속으로 불안해지기 시작하였다.

하지만 불안한 내 마음과는 상관없이 이제 우리가 비즈니스를 시작하는 일은 이미 정해진 일이 되어 버렸고, J 는 어디서 그리고 어떤 비즈니스를 할지에 대해 고민하기 시작하였다. 그래서 나도 함께 머리를 맞대고 생각하지 않을 수 없었다. 무슨 비즈니스를 해야 우리의 능력으로 감당할 수 있을까? 답은 우리 안에 있었다. 우리가 잘할 수 있는 일은 그림 그리는 일밖에 없었다. 하지만 무명 아티스트의 그림을 누가 알아봐 주고 사 줄까? 자신이 없었다. 그래서 우리는 'something with our own art gallery!'라는 묘수를 생각하게 되었다. 일단 가닥이 잡히자 매일 여러 가지의 가능한 조합을 떠올려 보았다. 하루에도 수십 번 이런저런 비즈니스를 열었다 닫기를 반복하였다.

처음에 J 는 앤티크샵(antique shop)을 열었다. 미국에 온 초창기부터 그때까지 우리에게는 뉴욕 주변 아니면 시골을 여행하다 벼룩시장(flea market)이나 그라지 세일을 한다는 사인을 보면 들러서 구경하는 취미가 있었다. 그러다 운이 좋은 날이면 우리 눈에 멋져 보이는 골동품을 만날 때도 있었다. 장식용 소품서부터 작은 장식용 가구들까지. J 는 마음에 드는 그런 소품들을 사오면 분위기에 맞게 그 위에 칼라링(coloring)도 하고 그림도 그렸다. 그러면 그냥 오래된 물건이 아니라 새로운 예술 작품으로, 세상에 하나밖에 없는 귀한 작품으로 태어나곤 하였다. 지금도 우리집에는 그 시절 J 가 만들었던 소중한 추억이 깃든 장식품들이 남아있다. 하지만 문제는 그런 장식품들을 누가 어떻게 계속 조달해 줄 수 있느냐 하는 거였다. 내가 질문을 하자, J 는 "내가 하지!"라고 말했다. "그럼 그동안 우리 가게는?" 하고 다시 물었다. J 는 "문 닫고 갔다 오지 뭐!" 게다가 J 는 무슨 생각을 하는지 "1 층은 임대비가 비쌀 거고, 굳이 1 층이 아니라도 괜찮아! 2 층 같은 곳에 임대를 해서 창에는 커튼을 내려서 밖에서는 뭘 하는 비즈니스인지 모르게 하고, 유한마담들을 상대로…" J 의 그 말을 듣는 순간 나는 '제 정신이 아니구나. 아직도 정신을 못차렸구나. 자기가 진짜 제비라도 되는 줄 아나? '앤티크샵'이 아니라 '카바레'를 열겠다는 얘긴가?'라고 생각했었다. 그래서 말도 되지 않는 그의 궤변에 비난을 무릅쓰고 반대를 하였고, J 는 나의 반대에 할 수 없이 상상 속에서 오픈했던 그 가게를 닫아야만 하였다.

그다음 가게는 작은 티테이블 같은 장식용 테이블을 파는 가구점이었다. J 의 아이디어는 참으로 반짝였고 훌륭한 예술품이 될 거라는 상상은 내 머리에서도 그릴 수 있었다. 마침 우리에게는 목공예를 전공한 친구가 있었고 그와 협업을 하면 될 것 같았다. J 는 자기가 가구를 디자인하면 그 친구가 J 의 디자인대로 가구를 만들고, 그러고 나서 그 위에 자기가 그림을 그리겠다는 그럴싸한 계획을 세웠다. J 는 몇 개의 테이블 디자인 샘플을 만든 후 그 친구를 집으로 초대하였다. 하지만 J 의 아이디어를 듣고 난 그 친구의 반응은 회의적이었다.

우리보다 훨씬 세상 경험이 많던 그는 우리에게 현실적인 조언을 아끼지 않았다. 문제는 아무리 뛰어난 감각의 예술품이어도 집 전체의 다른 가구들과 조화로움도 고려되어야 하고 그렇게 공들여 만든 걸 과연 얼마에 팔 수 있겠느냐는 것이었다. 입에 발린 칭찬은 할 수 있을지 모르나 가격이 비싸면 사람들은 사지 않을 것이고 결국, 사람들은 가구만큼은 무난하면서 일반적인 것들을 선호한다고 하였다. 그러면서 나와 이삭이 온종일 행여라도 손님이 오나 하고 가게 출입문만 쳐다보며 손가락을 빨고 있을 거라고 하였다. 그의 말을 듣자마자 진짜 그러고 있는 이삭과 내 모습이 눈앞에 그려졌다. 우리에게는 '일용할 양식'이 필요한 거였는데 그 비즈니스는 우리에게 '일용할 양식'을 주지 못할 것 같다는 생각이 들었다. 그래서 우리는 그 친구와 오랜만에 회포를 푸는 걸로 만족하고 그 가게도 접기로 하였다.

세 번째로, 우리는 커피숍을 그려봤다. 그윽한 커피향이 배어나는 공간을 우리들의 그림들과 예술적 감각이 돋보이는 인테리어 디자인으로 장식하고…. 상상만으로도 멋질 것 같았다. 오래 전부터 한번쯤 해보고 싶은 비즈니스 이기도 했었다. 그래서 이번에는 예전에 레스토랑을 했던 경험이 있는 지인에게 조언을 구했다. 그러나 그녀의 반응도 회의적이었다. 미국은 식품 관련 법규가 까다로워 보통의 비즈니스보다 따로 더 허가를 받아야 하고 매달 한 번씩 위생검사도 나온다고 하였다. 그리고 아무리 간단한 커피 같은 음료와 페이스트리 같은 디저트라도 다른 사람의 입에 들어가는 음식을 파는 일은 정말로 골치 아픈 일을 겪을 수도 있다며 그런 이유로 그녀도 그 비즈니스를 접었다고. 그녀의 말을 듣고 생각을 접은 것도 있지만, 나는 생각해 보았다. 카페에 걸려있는 그림들을 사람들이 얼마나 관심 있게 보며 살 생각을 할까? 브루클린 같은 '힙'한 동네에 젊은이들이 많이 찾는 카페를 둘러보면 간혹 그림들에 가격이 매겨져 벽에 장식된 있는 걸 볼 수 있었지만 과연 팔리는지는 궁금했었다. 내 생각은 사람들은 커피를 마시며 지인과 담소를 나누러 카페를 찾지 그림을 사려고 그곳을 찾지는 않는다는 결론에 도달하게 되었다. 오는 손님의 주머니 사정을 생각해서인지 그림값도 턱없이 저렴했었다. 그렇게 해서 우리는 상상 속의 커피숍도 접게 되었다.

마침내, 네 번째로 생각해낸 비즈니스가 바로 '아트갤러리와 액자가게'였다. 현실적으로 우리의 아트갤러리와 가장 잘 어울리는 비즈니스라는 결론에 이르렀고, 결국 이 비즈니스는 우리의 현실이 되어 지금까지 이어져 오고 있다. 비록 이 비즈니스의 경험은 없었지만, 우리가 가진 미적 재능으로 충분히 해낼 수 있을 것 같은 자신감도 있었고 지인 중에 액자가게를 하던 분이 있어서 많은 도움을 받을 수 있었다. 그렇게 마음에 결정을 하고 나니 그다음은 어디에 오픈할 것인가 하는 문제에 이르게 되었다. 그렇게 우리는 2000 년 봄부터 시간이 날 때마다 아침에 눈 뜨면 아직 기저귀도 못 뗀 이삭을 데리고 뉴욕시를 제외한 뉴저지, 코네티컷, 뉴욕 업스테이트 그리고 롱아일랜드까지 주변 지역을 두루 다니며 어디가 좋을까 하고 우리 셋의 미래를 찾아다녔다. 그리고 J 의 계획은 이삭의 세 돌에 맞춰 우리 비즈니스를 오픈하는 거였다. 그렇게 여러 지역을 다니던 우리는 결국 뉴욕시와 바로 인접한, 우리가 익숙한 롱아일랜드로 정하고 그 안에서 또 어디가 좋을지 매일 찾아다니기 시작하였다. 그해 여름 내내 찾아다녔지만 찾지를 못했고, 어느덧 가을로 접어들자 J 는 조바심을 내며 더욱 장소 물색에 열을 올렸다. 그동안 롱아일랜드의 북쪽으로만 찾아다녔던 J 가 이제는 유학생 시절 낚시하러 즐겨 찾았던 남쪽 해안 동네로도 지경을 넓혀 찾기 시작했고 그러던 어느 날 내게 "99% 결정했어! 내일 같이 보러 가자!"라고 하였다.

그다음 날 J는 나와 이삭을 데리고 어제 혼자서 마음속으로 찜해 두었던 그 장소를 다시 찾았다. 그곳은 롱아일랜드의 동서를 가로지르는 최남단의 도로변에 있는 상가였다. 바로 앞에는 조그만 호수가 있었고 그 호수의 오솔길을 따라 사람들이 산책도 하고 호수를 바라보며 앉아 쉬기도 하는 무척 평화로워 보이는 동네였다. 동네는 좋아 보였지만 건물이 북향이라 어두워 우선 눈에 잘 드러나지도 않았고 사람들은 호숫가 쪽으로 둘러 앉아 바라보며 평온하게 오후의 여유로운 한때를 보내고 있는 듯, 반대편에 무슨 가게가 있나 하는 관심 내지는 눈길조차 주지 않는 듯 보였다. 그래서 또 비난을 들을 각오를 하고 마음에 와 닿지 않는다고 내가 받은 느낌을 전했다. 실망한 J는 그럼 나온 김에 동네를 좀 더 둘러보자고 했고 우리는 다시 그 길을 따라 나섰다. 그러자 바로 두어 블록 떨어진 위치에 'Store for Rent' 라는 사인이 붙은 남향의 빈 가게를 발견하게 되었고 우리 둘은 마치 무언가에 홀린 듯 차에서 내려 그 안을 들여다보았다. 그 공간은 딱 우리 갤러리 만들기에 적합한 고급스러운 인테리어디자인으로 공들여 꾸며져 있었고 여태껏 주인이 나타나기를, 아니 우리를 기다리고 있는 듯하였다. J는 보자마자 "이거다!"라고 소리쳤고 나도 보는 순간 이건 정말 하나님께서 우리를 위해 예비해 두신 장소라고 믿어졌다. 그렇게 수개월에 걸친 수고 끝에 우리는 제2의 홈을 찾을 수 있었다.

곧 계약을 끝낸 J는 그의 솜씨와 설치되어 있던 인테리어를 이용하여 최소한의 비용으로 그 공간을 세상에 하나밖에 없는 멋진 아트 공간으로 한 달만에 탈바꿈시켜 놓았다. 그리고 J의 바람대로 이삭의 세 번째 생일에 맞춰 우리의 제 2 의 홈이 된 이곳에 지인들을 초대하여 이삭의 생일을 축하하며, 아울러 생애 처음으로 여는 우리 비즈니스를 자축하며 오프닝 파티를 열었다. 그렇게 우리는 다른 사람들이 살고 있는 이 세상 안으로 들어와 조심스럽고 떨리는 마음으로 이제껏 가본 적 없던 새로운 세계를 향하여 모험을 떠났다. 그리고 20 년이 넘는 세월 동안 수많은 풍파를 겪었음에도 이곳은 여전히 우리에게 생업의 현장이자 우리의 아트를 탄생시키는 산실이 되어 오늘까지 우리의 삶에 중심을 이루는 소중한 보금자리로 우리와 함께 호흡하고 있다.

33화

어른을 따라 하고 싶은 아이

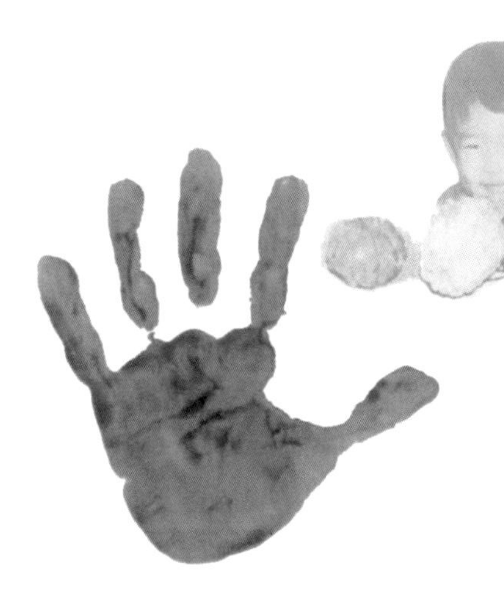

Little Hands, 2002

영유아 시절부터 책과 친숙한 분위기에서 자라서인지 이삭은 언어에 탁월한 재능을 보였고 나는 아이의 재능을 발견한 이상 그 재능이 더 발전되도록 신경 쓰며 살았다. 그래서 유모차를 타야 했던 아주 어린 시절부터 늘 이삭을 데리고 동네에 있는 공립도서관을 찾았고, 그 공간은 아이에게 놀이터이자 배움의 산실이 되었다. 도서관은 무료로 아이의 연령에 맞는 다양하고도 좋은 프로그램들을 매달 제공하였고, 나는 그 기회들을 빼놓지 않고 찾아다니는 열혈 엄마가 되었다. 그 덕분인지 세 살 반 무렵부터 영특하게도 이삭은 이미 단어와 간단한 문장까지 읽고 이해할 수 있는 똘똘한 영재가 되어 있었다. 그 시절 J 의 입에선 늘 "영재 났네! 영재 났어!" 하는 소리가 끊이지 않았고, 나도 가끔 엄마와 통화할 때면 이삭의 이 영특함을 자랑삼아 알렸지만, 엄마는 "고만할 때는 원래 다 그런다. 다들 지새끼 영재인 줄 안다!" 하시며 전혀 놀라지도 대견해 하지도 않으셨다. 나는 엄마의 반응에 좀 서운했지만, 엄마의 경험에서 나온 말씀이니 어쩔 수 없었다. 그렇게 아이의 언어능력은 내 힘닿는 대로 키워 주려 애를 썼지만, 아이가 세 살이 될 때까지 크레용은 사주지 않았다. 혹시라도 좋아하게 될까 봐. 어릴 적 나처럼! J 와 나는 이삭이 우리와는 다른 인생길을 가길 바랐다. 보통사람들처럼 평범하게 건강한 사회 구성원이 되어 그가 속한 사회에 선한 영향력을 끼치는 그런 사람으로 제 몫을 감당하며 잘 살아가길 바랐다.

어느덧 이삭이 자라 네 살이 되자 우리 동네에서 제일 가까운 'Little Hands'라는 귀여운 이름을 가진 Pre-K 과정을 하는 교육기관에 보낼 수 있게 되었다. 입학연령이 되면 신청할 수 있었고 비용은 무료였다. 미국은 유치원(Kindergarten)부터 시작해서 12 학년까지 의무교육이라 공립학교를 가면 유치원부터 고등학교까지 무료로 교육을 받을 수 있게 되어 있다. 그렇게 이 Pre-K 과정은 'K to 12', 13 년간의 긴 과정을 시작하기 전에 아이가 적응하는 훈련을 받을 수 있게 준비하는 프로그램으로, 의무는 아니지만 원하는 누구에게나 기회가 열려 있었다. Pre-K 프로그램은 하루 세 시간 정도의 짧은 시간에 이루어지는 과정이었지만, 그 나이에 맞는 다양한 놀이와 체험학습을 위한 현장 견학 등 다채로운 프로그램으로 아이에게 충분히 유익한 경험을 가져다주었다. 태어나서부터 지금까지 익숙해 있던 가정이라는 울타리를 벗어나 처음으로 학교라는 제도 속으로 들어가 사회적인 인간관계를 배우는 출발점이 되었다. 늘 등교할 땐 J 가 데려다 주고 하교할 때는 스쿨버스로 집에 오곤 하였다.

그렇게 학교생활에 잘 적응해 가던 아이가 아이의 삶이 어른의 삶과 다르다는 사실을 깨닫게 되었다. 이삭의 생각에 아이의 삶에 비해 어른의 삶은 더 자유롭고 제약이 없어 보였나 보다. 하루는 이삭이 내게 스쿨버스가 집 앞에 도착해도 미리 나와 있지 말라고 하였다. 이유는 어른들은 집으로 들어갈 때 초인종을 누르거나 그냥 열쇠로 열고 들어가는데 자기는 왜 그렇게 할 수 없느냐는 것이었다. 그러면서 자기가 초인종을 누르면 "Who is it?"이라 묻고 자기가 "Isaac!" 하면 그때 문을 열라는 것이었다. 나는 이삭에게 "너는 아이라 그렇게 할 수가 없어!"라고 했지만 아직 네 살밖에 안된 아이는 자기도 그렇게 해보고 싶다고 계속 졸랐다. 어른들은 보호 차원에서 아이를 위해 그런 법을 만들어 놓은 건데, 이제 세상에 대해 막 눈을 뜨기 시작한 이삭은 그걸 공평하지 않은 걸로 받아들였고, 벌써 그 나이에 어른과 동등한 대우를 받고 싶어 하였다.

사실 미국에서는 법으로 그렇게 할 수 없게 되어 있다. 아동에 관한 법률이 워낙 엄격해서 잘못했다간 내가 감옥에 갈 수도, 아니면 아이의 양육권을 박탈당할 수도 있는 상황이 된다. 미국의 법은 아이의 보호자가 반드시 아이를 데리러 와야 한다. 미리 학교에 누가 데리러 올 건지, 그 리스트에 적힌 사람과 아이의 관계가 어떻게 되는지에 대한 정보를 새 학년이 시작될 때 선생님께 알려야 하고, 그러면 선생님은 리스트에 적힌 사람 외에는 그 누구에게도 아이를 내주지 않는다. 만약 다른 사람이 픽업을 가게 될 경우는 아이의 보호자가 미리 선생님께 전화로 그 사실을 알려야 한다. 스쿨버스의 경우는 집 앞에 내려주지만, 그래도 버스 도착 시간 전에 미리 보호자가 집 앞에 나가 기다려야 한다. 그런데 그런 규율을 알 리 없는 이삭은 막무가내로 자기도 그렇게 어른처럼 하겠다고 나에게 졸랐던 거였다. 겨우 네 살짜리가 벌써 그 '다름'을 인지하고 어른처럼 행동하고 싶어하는 사실에 나는 기가 막혔지만 '다름'을 발견한 아이의 깜찍한 지적이 귀엽기도 해서 하루만 '초인종 놀이'를 해주겠다고 다짐을 받았다.

다음 날, 하는 수 없이 스쿨버스 기사분에게 하루만 양해를 구했다. 그분도 학부모여서 아이의 그런 마음을 이해했는지 내게 그렇게 해주겠다고 하셨다. 그 대신 버스가 올 시간에 맞춰 집 현관문 어른의 키높이에 달린 조그만 유리창으로 지켜보고 있다가 이삭이 계단을 올라와 벨을 누르면 바로 그때 문을 열어 주겠다고 기사분을 안심시켰다. 하지만 또 다른 문제가 있었는데, 그건 바로 스쿨버스가 늘 우리집 건너편에 서는 것이었고 그래서 도로를 건너와야 하는 것이었다. 주택가여서 차도 많이 다니지 않고, 도로 가운데 노란색 중앙선도 없는 좁은 도로였지만 분명 양방향의 차도였다. 그래서 이삭과 나는 늘 함께 손을 잡고 도로를 건너와야 했는데, 그 기사분께서는 아이가 혼자서는 길을 건널 수 없으니 약속한 그날은 우리집 바로 앞에 버스를 세워주겠다고 선뜻 제의를 해주셨다.

이윽고 그날이 되었고 나는 이삭과 스쿨버스 기사분과의 약속을 지키느라 버스가 오는 시간에 맞춰 미리 창으로 내다보고 있었다. 그 기사분은 약속대로 우리집 바로 앞에 버스를 세워 주셨고, 현관문의 창으로 이삭이가 버스에서 내리는 걸 확인할 수 있었다. 기사분과 나는 눈인사를 나눴고 버스는 떠나갔다. 여기까지는 내 계획대로 순조롭게 흘러갔다. 이제 곧 이삭이 펜스 문을 열고 계단을 올라와 벨을 누를 테고 그러면 나는 "Who is it?"이라 묻고 이삭이 "Isaac!"이라고 답하는 순간 바로 그때 문을 열어주면 오늘의 '초인종 놀이'는 성공적으로 끝이 나게 된다. 그런데 몇 초를 기다려도 이상하게 초인종 소리가 들리지 않았다. 예상치 못한 전개에 혹시나 하고 다시 창으로 내다보다 이삭의 행동을 보고 기절할 뻔하였다. 이삭은 버스의 방향이 평상시와 반대라는 사실을 알아차렸고 그건 자기가 생각했던 그림이 아니었던 거였다. 그래서 내가 다시 창으로 내다봤을 때 이삭은 이미 혼자서 도로를 건너가 집 맞은 편의 스쿨버스가 늘 멈춰 섰던 곳을 잽싸게 찍고 다시 그 길을 건너 집으로 오고 있었다. 다행히 길에는 차도 다른 사람들도 없었다. 만약 그렇지 않았더라면…. 생각만 해도 정말 아찔한 순간이었다. 너무 뜻밖의, 순식간에 벌어진 돌발상황이라 나는 대처할 새도 없이 그 상황을 눈으로 보고만 있었고 이삭이 벨을 누르자 현관문을 열어주게 되었다. 아이는 어른처럼 초인종 누르기와 어른처럼 누구의 손도 잡지 않고 혼자서 길 건너기, 그 둘 다를 해보고 싶었던 거였다. 이삭은 자기의 뜻을 이루어 기뻤는지 상기된 얼굴로 들어왔지만, 그 순간 나는 훈육이고 뭐고 너무 놀란 가슴을 진정시킬 수 없어 소리를 지르며 "너, 엄마 감옥에 가는 거 보고 싶니? 어린 게 겁도 없이 어디 혼자서 길을 건너!" "맴매, 맴매!" 하며 엉덩이를 때렸다. 그러자 엄마의 야단에 놀란 아이는 울기 시작하였다.

미국의 엄마들을 보면 어떨 땐 너무 냉정하다고 느낄 때가 많았다. "No means no!" 이 말은 미국에 살면서 너무나도 자주 듣는 말이다. 사실 우리 한국적인 정서와는 맞지 않는 말이다. 웬만한 경우, "그런 게 어딨어요. 이번 한 번만 봐줘요!" 아이든 어른이든 일단 한 번쯤은 그렇게 말해 보는 게 일반적이다. 처음 브루클린에 살았을 때 한번은 우체국에서 긴 줄을 기다리고 있는데 내 앞에 많아야 세 살 정도 되어 보이는 어린아이를 데리고 온 엄마가 있었다. 어른인 나도 기다림이 길어져서 인내심의 바닥이 드러나고 있던 때였다. 그런데 엄마를 따라온 아이가 옆에 서서 얼마나 힘들었을까? 아이가 칭얼거리기 시작하더니 급기야 안아달라고 울기 시작하였다. 그런데 이 엄마는 쌀쌀맞게 "No!" 하며 눈도 껌뻑이지 않았다. 그 광경을 그냥 보고 있으려니 아이가 불쌍하게 여겨졌다. 저렇게 아이가 안아달라고 우는데, 아무리 자기가 피곤하고 힘들어도 잠시라도 안아서 달래주지. 그 엄마의 행동을 나는 이해할 수가 없었다. 왠지 모르게 그 장면은 오래도록 내 머릿속에서 지워지지 않았다. 어릴 적 나는 늘 엄마의 사랑에 목말라 했었다. 세 자매 중 가운데라 그랬는지 내 눈에는 늘 언니나 동생이 나보다 더 엄마의 관심과 사랑을 받고 있는 걸로 비쳤다. 그래서 나중에 어른이 되어 결혼을 하고 아이를 낳으면 내 아이에게는 정말 넘치는 사랑을 원 없이 주겠다고 그 어린 나이에도 다짐을 했었다. 그럼에도 이삭의 요구에 안 되는 건 안 된다고 말할 수 있어야 했다. 왜 안 되는지에 대해 알아듣게 이해를 시켰어야 했는데 '초인종 놀이' 정도는 괜찮다고 생각한 나의 오판이었다. 나는 이삭이가 혼자서 차도를 건널 줄은 정말 꿈에도 몰랐다.

게다가 이 해프닝은 아이의 성격을 알아가는 또 다른 계기가 되었다. 나처럼 이삭에게도 자기 나름의 정해진 계획이 있고 그 계획대로 실행되어야 만족해한다는 사실이었다. 이삭은 나를 닮아 계획형 인간에다 완벽주의적 성향을 가지고 있었다. 그날 나는 이삭에게 절대 혼자 길을 건너면 안 된다는 사실을 인지시키려고 훈육 차원에서 '맴매!'를 한 것도 있었지만, 그보다는 아이의 행동을 예상하지 못했고 그 결과로 일어난 돌발상황에 대처하지 못한 나 자신에게 화가 난 걸 아이에게 화풀이한 못난 엄마라는 생각이 들었다. 어릴 적에 엄마로부터 야단을 맞을 때도 억울하다는 생각을 한 적이 많았다. 어떨 땐 야단을 맞고 있는 이유도 모른 채 그냥 '나'여서, '아이'여서 당하는 것 같은 기분이 들 때도 있었다. 그래서 빨리 어른이 되고 싶었다. 어른이 되면 꾸지람을 듣지 않아도 되고, 하고 싶은 것 마음대로 하며 사는 줄 알았다. 하지만 처음으로 하는 엄마 노릇은 내 생각보다 훨씬 더 힘들었고 아이의 입장에서 생각하고 아이의 마음까지 헤아리는 엄마가 되려다 오히려 내가 어릴 적 느꼈던 그 부당함을 그날 이삭에게 느끼도록 만든 것 같았다. 나는 앞이 캄캄해졌다. 이렇게 자기주장이 강한 아이를 어떻게 잘 양육할 수 있을지. J가 이삭의 영유아 시절부터 밥 먹을 때마다 식탁 옆에 있는 거울에 비치는 자기 모습을 보게 하며 "자아 발견!"이라고 아이를 세뇌시키더니 아무래도 이삭은 너무 빨리 '자아'를 찾은 것 같았다.

34 화

아이를 만드는 엄마

Don't Be Mad, 2003 이삭 5 살 때

나는 이삭이 내 소유물이 아님을 머리로는 알고 있었지만 솔직히 마음으로는 내가 이미 그려 놓은 대로 자라길 바랐다. 피아노를 즐겨 치며 수영을 잘하는 멋진 남자로! 그건 이삭의 취향과는 무관한 내 취향이었다. 그런 나였기에 먼저 Pre-K 들어가자마자, YMCA 의 수영 클래스에 등록해 수영을 배우게 했었다. 수영 클래스는 어린아이의 수준에 맞게 재미난 물놀이처럼 짜인 프로그램이라 좋아하고 즐겼다. 하지만 문제는 피아노였다. 아이의 자아가 완전히 형성되기 전에 시작해야 하다가 중간에 그만두지 않고 지속할 수 있다는 주변의 조언을 듣고서 마음이 조급해졌고, 내 경우를 떠올리며 공감하였다. 그래서 Pre-K 를 졸업하는 그 여름 아이를 데리고 동네 피아노학원을 찾았다. 이후 어린 이삭의 앞에 길고도 험한 클래식 음악의 길이 열렸고, 그렇게 시작된 이삭의 과외활동은 고등학교를 졸업할 때까지 이어졌다.

초등학교에 다닐 때 동생과 나는 동네에 있는 피아노학원을 다녔다. 지금 생각해 보면, 엄마는 전업주부가 아니었기 때문에 우리를 맡길 곳이 필요하기도 했던 것도 같고 아버지의 희망사항이기도 해서 우리를 피아노학원에 보내신 것 같다. 아버지는 예술적 재능이 뛰어나셨고 그래서 미술과 음악에 조예가 깊으셨다. 그중에서도 특히 성악은 전공을 하고 싶었을 만큼 좋아하셨지만, 할아버지의 반대로 그 뜻을 이룰 수 없었다고 하셨다. 우리가 어렸을 적에 우리집에는 주말 아침마다 이탈리아 민요들과 오페라의 가곡들이 흘러나왔다. 듣는 것도 좋아하셨지만 클래식 노래 부르는 걸 무척이나 좋아하셨다. 그중에서도 아버지는 '산타루치아'를 정말 즐겨 부르셨다. 어린 우리도 가사를 외울 정도로. 아버지가 부르시면 우리도 옆에서 흥얼거렸다. "창공에 빛난 별 물 위에 어리어 바람은 고요히 불어 오누나 내 배는 살같이 바다를 지난다….” 그 대목에서 동생과 나는 “내 배는 살구배…” 하며 우리 마음대로 개사해서 깔깔거리며 따라불렀다. 그런 아버지의 소원은 딸의 피아노 반주로 아버지가 즐겨 부르시던 노래를 멋들어지게 불러 보는 거였다. 그래서 우리 부모님 두 분이 열심히 일하셔서 맨 처음으로 장만한 재산 목록 1 호가 ‘피아노’였다. 그렇게 딸들이 피아노를 잘 연주하기를 바라셨지만, 애석하게도 우리에게는 그 재능이 없었고 우리 딸 셋 중 아무도 그 소원을 이루어 드리지 못했다. 그 시절 학교에서 돌아온 후 저녁 전까지의 오후 시간은 늘 길었다. 그 놀고 싶은 오후에 동생과 나는 하기 싫은 피아노를 치러 매일 동네 피아노학원을 가야 했다. 그러다 정말 가기 싫은 날은 ‘땡땡이’를 치고 가지 않았다. 그러면 어김없이 피아노 선생님은 우리를 데리러 집까지 찾아오셨다. 그럴 때마다 우리는 누가 먼저랄 것도 없이 큰 옷장으로 들어가 숨고 피아노 선생님이 돌아가시기를 기다렸다. 우리의 행동은 피아노 선생님도, 그리고 집에서 우리를 돌보는 아줌마도 난감하게 했을 것이다. 결국, 선생님은 우리를 데리러 왔다가 빈손으로 돌아가야 했고 대신 그 사실을 우리 부모님께 통보하셨다. 이런 일이 몇 번 쌓이면 우리의 그 자상하시던 아버지께서 회초리를 드셨다. 그리고 그 체벌은 내게 더 가중되었다. 두 살 더 먹은 언니인 내가 동생을 데리고 피아노를 치러 갔어야 했는데 동생과 함께 하지 말았어야 할 숨바꼭질 놀이를 했으니. 지금도 종아리를 맞던 기억이 있다. 안 그래도 싫던 피아노가 그런 일을 겪으니 더욱 싫어졌다. 우리는 어떻게 하면 그만둘 수 있을까 궁리했지만 별다른 구실을 찾지 못했고, 중학교 때 이사를 하는 바람에 마침내 그만둘 수 있었다.

그런 내가 아이러니하게도 커서는 클래식 음악을 좋아하게 되고 악기 중에는 피아노를 가장 사랑하게 되었다. 급기야 이 세상에서 피아니스트를 가장 존경하기에 이르렀다. 어릴 때 배울 기회가 있었을 때 열심히 했어야지 이제 와서 후회하고 피아니스트를 최고로 존경한다니 참으로 청개구리가 따로 없다는 생각이 든다. 나는 대리만족으로 내가 못 이룬 그 과업을 이루기 위해 이삭을 택한 거였다. 미안했지만 이삭에게는 선택권이 없었다. 우선 그 일을 위해 J 를 설득해 피아노부터 샀다. 그 옛날 우리 부모님이 그랬던 것처럼! 그런데 이삭은 날 닮아 피아노 배우는 걸 정말 싫어하였다. 하지만 그렇다고 물러설 내가 아니었다. 이삭이 싫어하거나 말거나 나는 내 갈 길을 꿋꿋이 갔다. 1 년쯤 지난 어느 날 이삭이 내게 자기가 왜 피아노를 배워야 하는지 세 가지 이유를 말해보라고 피아노를 치다 말고 대뜸 물었다. 그 이유가 납득이 되면 자기도 내 말을 따르겠다고! 이제 겨우 1 학년인 아이가 엄마에게 당돌하게 묻는 걸 보고 어릴 적 나보다는 훨씬 똑똑하고 자기 주장이 강한 아이라는 걸 새삼 느낄 수 있었다. 그 순간 재빨리 머리를 굴렸다. 그래서 아이가 엄마의 논리에 설득되어서 얌전히 이 엄마의 계획에 잘 따라오길 바랐다. 첫째, 클래식 음악은 네 인생을 더 풍요롭게 만든다. 둘째, 피아노를 치면 더 똑똑해진다. 셋째, 엄마는 어렸을 적에 열심히 하지 않은 걸 지금 후회하고 있다. 만약에 네가 지금 하기 싫다고 안 하면 나중에 커서 엄마처럼 후회하게 될 거다. 그러니 지금은 네가 하기 싫겠지만, 나중에 다 크고 나면 이 엄마에게 고맙다고 할 거다…. 하면서 내 나름대로 제법 괜찮은 이유를 댔다고 생각하였다.

하지만 피아노를 배워야 하는 세 가지 이유에 대해 다 듣고 난 이삭이 내게 “That's your story of life! Not mine! Mine is different from yours!” 라며 반박하였다. 기가 막혀서 나는 “No way! This is your destiny!” 라는 말도 안 되는 소리로 이삭의 말을 잘랐다.

결국, 할 수 없다고 생각했던지 이삭이 내게 다시 물었다. “How long have you played the piano?” 그 순간을 기회라고 생각하고 “10 years!”라고 외쳤다. 물론 거짓말이었다. 이삭에게 엄마처럼 딱 10 년만 하면 된다고 뻔뻔스럽게 말했었다. 그랬더니 아이가 그럼 자기도 딱 10 년만 하겠다고 약속하였다. 그때 아이가 그 10 년의 시간을 어떻게 이해했을지 모르겠다. 하여간 당근과 채찍을 번갈아 써가며 이삭을 내 취향의 멋진 남자로 만들기에 공을 들였다. 그때 나는 이삭이 나중에 분명히 내게 고마워할 거라 믿었고, 또한 이삭을 통해 대리만족하고 싶었던 철 없는 엄마였다. 그럼에도 이삭은 그 10 년의 약속을 지켰고, 10 년을 넘어 13 년을 채웠다. 고등학교를 졸업할 때까지! 그러고는 고등학교 졸업과 함께 피아노도 졸업하였다.

이삭이 피아노를 막 배우기 시작할 무렵 시아버님께서 이삭을 보러 뉴욕을 방문하셨다. 그때 한창 이삭의 과외활동에 열을 올리고 있던 나를 보시더니 “너는 아이를 키우는 게 아니라 만들고 있구나!”라고 하셨다. ‘아이를 만든다’는 표현을 아버님으로부터 처음 듣게 되었다. 차마 며느리에게 아이의 양육에 대해 이래라저래라, 그렇게 하면 안 된다는 잔소리를 하실 수 없어 에둘러 하신 말씀이었다. 아버님께서는 내가 아이를 잡는다고 생각하셨을 것 같다. 아버님은 우리 부모님 세대시니 그 시각으로 보면 내가 ‘아이를 만드는 엄마’인 게 맞는 말씀이었다. 그 시절엔 아이의 과외활동은 꿈도 꾸지 못하던 시절이었으니까! J 의 어릴 적 얘기를 들어보면 친구들과 함께 무척 자유롭고 행복한 유년 시절을 보낸 듯했다. J 에겐 어릴 적 함께했던 친구들이 가장 소중한 친구들로 지금도 남아 있다. 처음 내가 이삭에게 수영을 가르쳐야 하니 YMCA 의 수영 클래스에 등록하겠다고 J 에게 말했을 때 J 는 내게 “무슨 수영을 돈 주고 배우냐?”라며 어이없어

하였다. 나도 그 물음에 어이가 없어 “그럼 수영을 돈 주고 배우지 어떻게 배워?” 그랬더니 자기는 어릴 적에 친구들과 개천에서 놀면서 수영을 배웠다고, 이삭도 그렇게 배우면 되지…. 라는 기막힌 답을 하였다. 아버님 세대도 아니고 우리 세대 사람이 할 수 있는 생각은 정말 아니라는 생각이 들었다. “무슨 호랑이 담배 피우던 시절 얘기를 하고 있어! 뉴욕에 살면서 무슨 개천 같은 소리를 하고 있어. 뉴욕에 개천이 어딨어!” 내가 생각한 수영은 자유형, 평영, 배영 그리고 멋진 접영을 의미했고, J 가 말한 수영은 개천에서 친구들과 물장구치고 노는 ‘개헤엄’을 의미했다. 나는 이 남자가 나와 같은 시대를 살아온 사람이 맞나 싶었다. 솔직히 그때 내게 있어 두 가지 정도의 과외활동은 기본이었다. 사실 경제적 여유만 있었다면 이삭에게 더 많은 활동들을 접하게 해서 아이의 삶을 다양한 경험으로 채워 주고 싶었다. 어릴 적 내 경험으로 미술학원만은 빼고!

35화

"What Do You Want to Be When You Grow Up?"

낚시 I, 2003 이삭 5살 때

유치원과 초등학교 1, 2 학년 때까지 매 학년이 끝날 즈음에는 반별로 학부모들을 초대해서 학예회 같은 발표시간을 가졌었다. 20 명 정도 되는 한 반 아이들이 일 년 동안 배운 것들을 부모님들께 보여주는 공식적인 자리였다. 벽에는 글짓기와 그림, 공작 등 다양한 활동을 통해 만들어진 작품들이 전시되어 있었고, 단정하게 차려입은 아이들은 모두 앞에 나와 조그만 의자에 앉아 있었다. 학부모들은 모두 바쁜 일정들을 뒤로하고 참석해 자신의 아이가 한 학년 동안 배움을 통해 만들어낸 결과물을 확인하며 그 이벤트를 소중한 추억으로 간직하기 위해 비디오를 찍고 사진을 찍고 난리법석을 떨었다. 학예회의 하이라이트는 맨 나중에 선생님께서 "What do you want to be when you grow up?"이라고 물으면 한 명씩 자리에서 일어나 자기의 꿈을 이야기하는 순서였다. 아이들은 의젓하게 "Policeman, firefighter, teacher…." 아이들의 주변에서 늘 보이고 아이들의 눈에 영웅이라 여겨지는 어른들을 얘기했다. 어떤 여자아이들은 수줍게 "Mom!"이라고 했다. 나는 궁금했다. 이삭이 뭐라 그 질문에 대답할지.

이윽고 이삭의 차례가 되자 아이는 일어나 "When I grow up, I want to be a fisherman!"이라고 자신 있게 대답하였다. 이 대답은 유치원에 이어 1, 2 학년 때까지 한결같았다. 그렇게 바다동물들을 좋아하더니 결국 꿈으로 이어진 것이었다. '인간은 환경의 동물'이니 어쩌면 아이의 대답은 당연하였다. 사방이 바다로 둘러싸인 곳에 살면서 태어나기도 전부터 낚싯배를 타고 낚시를 다녔고, 영유아 시절부터 엄마, 아빠랑 수족관을 제집 드나들 듯하였으며, 여름 주말에는 낚시터를 찾거나 낚싯배를 타고 낚시를 즐겼던 자기 인생의 경험에서 나온 생각이었다. 나는 아이의 그 천진난만한 대답이 귀엽고 사랑스러웠다. 그래서 이삭에게 물은 적이 있었다. 왜 어부가 되고 싶은지. 이삭은 되고 싶은 이유를 내게 이렇게 말했었다. 잡은 고기 중 삼 분의 일은 자기가 먹고 삼 분의 일은 엄마, 아빠 주고 나머지 삼 분의 일은 시장에 내다 팔면 돈을 벌 수 있다는 것이었다. 아이다운 발상에 웃음이 났지만 한편으로는 대견하기도 하였다. 그 나이에 잡은 생선을 시장에 내다 팔면 돈을 벌 수 있다는 생각을 한 자체가! 내가 그 나이였을 적에는 사람이 살아가기 위해서 돈이 필요하다는 사실조차 인지하지 못했었다.

어릴 적 나의 꿈은 '화가'였다가 몇 학년 때인지 기억은 없지만 한때 '현모양처'였던 적도 있었다. 화가의 꿈은, 소질이 있다는 소리를 늘 들으며 자라왔었고 나도 그림 그릴 때가 가장 행복하다고 느끼며 내가 가장 잘할 수 있는 일이라고 믿었었기 때문이었다. 하지만 거기까지였다. 이삭처럼 자기가 좋아하는 일을 하며 그것으로 먹고사는 일까지 연결짓는 생각은 하지 못했었다. 그리고 현모양처는 내 마음속에 있는 엄마에 대한 서운함 때문이었다. 늘 하교 후 집에 오면 우리를 기다리는 사람은 엄마가 아니라 우리를 돌보는 아줌마였다. 비 오는 날은 엄마의 부재가 더 크게 와 닿았다. 다른 엄마들은 교실 밖에서 우산을 들고 기다리다 아이가 나오면 다정하게 둘이서 우산을 쓰고 집으로 가는데, 나는 옷이 다 젖도록 비를 맞고 혼자서 그냥 버스를 타고 집으로 가야 했던 기억이 아직도 남아있다. 엄마가 일하느라 우리를 전적으로 돌볼 수 없었던 상황이란 걸 어린 마음에 이해하지 못했었고, 그게 늘 불만이었고 결핍으로 느껴졌다. 그래서 어릴 적부터 이다음에 엄마가 되면 '나는 안그래야지.'였다. 아이에게 정말 아낌없는 사랑을 주는 엄마가 되리라 다짐을 했었다. '아낌없이 주는 나무' 같은 엄마가 되고 싶었다. '양처'는 모르겠고 '현모'가 그런 의미라고 내 나름대로 정의를 내렸었다.

2학년이 지나자 이삭의 꿈은 더는 'fisherman'이 아니었다. 거친 바다에서 배를 타고 고기를 잡는 그 일이 얼마나 고되고 목숨까지도 위험해질 수 있다는 사실을 알고 난 다음부터! 그러다 친구네 가족들과 함께 플로리다주의 올랜도(Orlando, Florida)에 있는 디즈니월드(Disney World)의 '씨월드(SeaWorld)'에서 범고래 쇼를 본 후로는 '조련사'가 그의 꿈이 되었다. 거친 바다보다는 훨씬 안전한 지상에서 그것도 아이들의 드림랜드인 그곳에서 범고래와 함께하는 조련사를 보며 수영을 잘하고 좋아하는 자기에게, 그리고 바다동물을 사랑하는 자기에게 조련사는 매력적이고 완벽한 직업이라 생각한 듯하였다. 그 당시에는 조련사들이 수조 안에서 범고래들과 함께 환상적인 호흡으로 쇼를 펼쳤었다. 그 쇼는 아이의 기억에 오래도록 남았고, 아이의 생각에 자기가 가장 좋아하고 잘 할 수 있을 것 같은 직업을 드디어 찾은 것이었다. 하지만 이 또한 오래가지는 못했다. 처음 쇼를 봤을 때는 인간과 동물이 함께 물 속에서 노는 것처럼 보였지만 이 직업에도 많은 고충이 따르고 범고래가 조련사를 공격할 위험이 있다는 사실을 알았기 때문이었다. 학년이 올라가면서 점점 시야가 넓어지게 되자 좀 더 현실적인 꿈을 가지게 되었다.

초등학교를 졸업한 여름 방학 때부터 클라리넷을 배우기 시작했는데, 중학교에 들어가면서 학교 밴드부에서 활동하게 되었고, 그다음 해에는 자기 학교의 대표주자로 뽑혀 인근의 대학교에서 악기 전공을 하는 대학생으로 구성된 밴드와 협연을 하게 되었다. 그때부터 이삭의 꿈은 클라리넷 연주자가 되었다. 피아노의 기본기가 있으니 클라리넷은 이삭에게 날개를 달아 주었고 아이의 정체성을 찾아가는 데 도움을 주는 고마운 존재가 되었다. 고등학교를 졸업할 때까지 밴드부와 오케스트라 단원으로 활동하며 클라리넷은 이삭에게 소중한 친구가 되어 주었고, 우리에게도 수많은 추억거리를 가져다주었다. 지금도 이삭을 생각하면 클라리넷이 함께 떠오른다. 하지만 그 또한 한때의 꿈으로 끝났고 대학에서의 전공으로 이어지지는 못했다. 그런 아이의 자라가는 과정을 지켜보며 그리고 그 아이의 뒷바라지를 열심히 해온 나를 보며 J는 "'말짱 황'이다!"라는 진심 어린 농담을 던지곤 하였다. 하지만 난 그렇게 생각하지 않는다. 그 무엇이 되기 위함이 아니라 그냥 성장 과정에서의 그런 경험 자체가 아이의 인생을 풍요롭게 만들어 줄 밑거름이 되리라 믿기 때문이다. 이삭에 대한 나의 바람은 이민자의 나라인 이 미국에 살면서 정체성의 혼란을 겪지 않고 한국계 미국인(Korean-American)으로서 당당하게 사는 것이지만, 그에 앞서 먼저 한 개인으로서 '나'의 고유성을 지니며 '나'만의 삶을 '나'의 색깔로 채색하며 진정한 '나'로 사는 것이다.

우리네 인생은 '미로(maze)'처럼 시작점에서 출발해 끝을 향해 길을 찾아나서는 여정이다. 어떨 땐 가다 길이 막혀 있어 돌아 나와야 하고, 또 우리 앞에는 언제나 갈림길이 나타나 우리로 하여금 선택의 기로에서 결단을 요구하기도 한다. 그러다 정말 어떨 땐 출구가 없는 듯 사방이 벽으로 둘러싸여 그 안에서 길을 잃고 헤매다 낙심하고 좌절을 경험하기도 한다. 하지만 '미로'에는 정답이 있고 우리네 인생에는 정답조차 없다. 나의 경우도 돌이켜 보면 많은 시행착오 끝에 돌고 돌아 지금 여기까지 왔다. 맞는 길이라 생각하고 갔다가 돌아서 나오기도 했고, 두 갈래 길에서는 어느 쪽을 선택해야 할지 몰라 망설이기도 하였다. 결국, 한 길을 선택한 후에도 가끔은 만약에 선택하지 않은 다른 한 길을 갔더라면 내 인생이 어떻게 바뀌었을까 하는 상상을 해보기도 하였다. 그러다 사방의 길이 다 막힌 '사면초가' 같은 고립의 순간을 느낀 적도 있었다. 그런 과정 없이 막바로 단번에 정답이라고 써 놓은 길이 있어 그냥 그 길을 편하게 갈 수 있으면 좋으련만! 우리네 인생은 결코 그렇게 흘러가지 않는다. 지금까지 내가 걸어온 길, 그리고 그 길을 선택함으로써 겪어야 했던 모든 모험들은 '나'를 알아가는 과정이었고 '나'를 찾아가는 여정이었다. 그리고, 그 모든 수고를 통해 지금의 '나'로 성장할 수 있었다.

우리는 태어나면서부터 그 '무엇이 되기' 위해 교육을 받고 또 그 안에서 어떤 삶을 추구할 것인가 하는 우리 존재의 가치와 의미를 찾으며 살아간다. 에리히 프롬은 『소유냐 존재냐』에서 우리 삶을 두 개의 유형, 즉 '소유적인 삶'과 '존재적인 삶'으로 나눴다. 오늘날 대부분의 사람은 자본주의에 의해 '존재적인 삶'보다 '소유적인 삶'에 더 가치를 두고 그것을 추구하며 살아간다. 그처럼 언제부턴가 우리는 '눈에 보이지 않는 것'보다 '눈에 보이는 것'을 더 중요시하는 데 길들어 있다. 하지만 프롬은 '소유적인 삶'을 부정하고 '존재적인 삶'을 긍정한다. 그럼으로써 우리의 삶이, 그리고 우리가 속해 있는 이 사회가 더 나은 방향으로 나아갈 수 있다고 믿었다. 나의 인생을 돌이켜 보면, '무엇이 되기' 위한 꿈을 꾸었고 그 목표를 향해 달려왔고 또 그 안에서 무형의 어떤 가치를 추구해 온 삶이어서 적어도 내 삶은 '소유적인 삶'보다는 '존재적인 삶'에 더 가까운 삶이었다고 믿었다. 그럼에도, 엄밀히 말하면 그 소유하려는 대상이 비록 물질은 아니었다 할지라도 사람이든 아니면 꿈이든 '그것'을 '내 것'으로 소유하려는 것으로 내 삶의 의미를 찾고 '나'라는 존재의 가치로 동일시하는 그런 '소유적인 삶'을 추구하며 살아온 게 아닌가 하는 생각으로 뒤늦은 반성을 하게 된다. 그러다 보니 사랑조차도 받으려고만 했던 미성숙한 나 자신이었음을 깨닫게 되었다. 그렇다면, 더 늦지 않게 이제부터라도 프롬이 말하는 '존재적인 사랑', 즉 주는 사랑으로 그동안 내 안에 가두었던 모든 것을 나누고 베푸는 삶을 살아가야겠다고 다짐한다. 그리하여 내게 남겨진 삶이 다하는 그날까지 그 '존재적인 사랑'을 실천하며 살아가는 '나'이고 싶다. 그리고 이런 마음가짐이야말로 궁극적인 내 존재의 이유와 삶의 목적이 되고 하나님께서 기뻐하시는 참된 크리스천의 삶이 아닐까 생각한다.

에필로그

또다시 새로운 시작

올봄에 시작한 나의 인생 이야기가 마지막 35 화에 접어드니 그새 계절은 가을로 바뀌어 있었다. 내 '기억자아'의 도움 덕분에 나는 마치 오랫동안 올라가지 않아 먼지가 수북한 다락방을 정리하며 그동안 서랍장 안에 넣어 두기만 하고 한 번도 열어 본 적 없었던 오래된 일기장들을 하나씩 꺼내 보는 듯한 시간을 가질 수 있었다. 신기하게도 어떤 순간은 너무 선명해서 어제의 일처럼 그 장면 하나하나는 물론, J 와 나 그리고 이삭과 내가 함께 나누었던 대화의 토씨까지 그대로 내 기억 속에 저장되어 있는가 하면 어떤 기억은 희미해져 내 기억의 저편 너머로 사라져 가고 있었다.

태어난 후 우리 모두는 성장기를 거치며 각자가 선택한 삶을 살아간다. 나의 경우 역시 지금껏 걸어온 모든 길목에는 어김없이 선택의 시간이 기다리고 있었고 그 선택에 따른 책임이 있었다. 결혼 전날 아버지께서 내게 말씀하셨던 그 당부대로 나는 내 선택에 따르는 책임을 다하려 애쓰며 지금까지 살아왔다. 그래서 내게 주어진 역할을 더 잘 해내지 못했음에 대한 아쉬움은 남지만, 그 선택에 대한 후회는 없다. 36 년 전 결혼 후 제주도로 신혼여행을 갔던 첫날 호텔 방에 들어서자마자 J 가 나에게 맨 먼저 한 말은 "우리, 같이 무릎 꿇고 기도하자!"였다. 뜻밖의 그의 제의에 속으로 놀라면서도 한편으로는 너무나도 안심이 되었고 고마웠다. 내 한 평생을 맡겨도 될 사람이란 믿음에 대한 확신이 그때 들었다. 목사님을 신랑으로 맞은 신부가 아니고서야 어느 신부가 신랑에게서 그런 말을 들을 수 있을까 싶어서였다. J는 나의 손을 잡고 간절히 기도하였다. 우리 결혼 생활의 시작을 이제 곧 넓고도 거친 바다로 항해를 앞둔 배에 비유하며, 그 항해를 하는 동안 순탄하든지 아니면 폭풍우가 닥치든지 지금 출발하는 우리 배가 무사히 항구에 도착할 때까지 함께 이 항해를 잘 이겨내고 감당하기를 간구하였다. 36년이 지난 지금도 나는 그때 함께 무릎을 꿇은 채 간절한 마음으로 한 그의 기도를, 그 순간을 잊을 수가 없다.

처음으로 '아트'라는 신세계에 발을 디딘 순간부터, J와의 결혼 후 아내로서의 삶, 나의 꿈을 좇아 뉴욕에서 열정을 다해 도전했던 삶, 한 아이의 엄마가 되어 부모로 살아온 삶, 그리고 그곳에서 나그네 같은 이민자로 살아온 삶, 지금까지 내가 걸어온 모든 길은 내게 있어 신세계로 떠나는 여행이었다. 또한, 잘 해내고 싶은 의욕과 함께 처음 가는 길에 대한 두려움, 이 상반된 두 마음을 품고 떠났던 모험이었다. 나는 모든 역할마다 처음이라 서툴렀고 시행착오를 경험해야 했다. 잘할 수 있다는 자신감보다는 잘못할 것 같은 두려움이 더 컸었고 처음 걸음마를 배우는 어린아이처럼 어설프고 조심스러웠다. 아마 나 혼자였으면 나서지 못했을 그 모험들은 J가 함께여서 가능했고 그 덕분에 나는 잘 헤쳐나갈 수 있었다. J가 말했던 그 인생 항해를 혼자가 아니라 함께할 수 있어서 위안이 되었고 힘이 되었다. 혼자보다는 둘이어서 좋았고 둘보단 셋이어서 행복하였다. 더욱이, 어린아이 같았던 내가 지금 이렇게 거리를 두고 그동안 걸어왔던 그 여정을 바라볼 수 있게 된 것은 나를 품어준 뉴욕이 있었기 때문이다. 뉴욕은 내게 있어 엄마의 품 같은 곳이다. 나는 그 품 안에서 비로소 세상을 보게 되었고 많은 것들을 하나씩 배우며 나 자신을 성장시킬 수 있었다.

우리의 갤러리를 오픈한 지 어느덧 23 년이란 세월이 흘렀다. 당시 세 살이었던 아이는 우리의 바람대로 '아트'와는 전혀 무관한 '공중보건'을 전공으로 대학과 대학원을 졸업하여 이제는 어엿한 사회인이 되었다. 입버릇처럼 "Wherever you go, I'll be with you!"라고 말하며 언제까지나 이 엄마에게 껌딱지처럼 붙어 있을 것 같았던 아이는 그렇게 훌쩍 자랐고, 어느 날 내게 "I'm still a caterpillar. I want to fly…."라고 하더니 정말 아이의 말대로 Washington D.C.로 날아갔다. 아이가 자라는 동안 J 와 나는 수없이 많은 풍파를 함께 겪으면서 꿋꿋이 제 2 의 홈을 지켜냈다. 처음이라 모든 면에서 서툴고 힘들었던, '맨땅에 헤딩' 같았던 첫해인 2001 년에 '9·11'이란 초유의 국가적인 재난이 우리에게 더해졌고, 2008 년에는 월가(Wall Street)에서 시작된 금융위기로 우리는 또다시 '풍전등화'와 같은 위기의 순간을 겪었다. 그 후, 2012 년에는 'Sandy' 같은 역대급 허리케인으로 인한 거대한 자연재해 앞에 무력감을 느껴야 했던 적도 있었다. 그리고 최근에는 전대미문의 'COVID-19'이라는 팬데믹을 겪으며 또다시 힘든 시간을 극복해야 했다. 그 긴 세월의 풍파 속에서 처음엔 아무도 몰라주던 우리 갤러리가 이제는 믿고 찾는 단골들의 '홈'이 되었다. "I'm home!"을 외치며 문을 열고 들어서는 손님들을 마주할 때면 감사한 마음이 절로 든다. 그들은 정말로 '아드'를 사랑하고 자기의 집과 일터를 꾸미는 일에 목숨을 건 사람들처럼 보인다. 그들은 가족, 특히, 아이와 관련된 것은 무엇이든지 시시콜콜한 것조차 소중하게 생각하고 액자를 해서 간직한다. 그 덕분에 우리에게도 이삭과 관련된 수많은 액자가 생겨나게 되었다.

태어나기 전 처음 의사가 만들어준 초음파사진과 태어나던 날 의사로부터 받은 발도장이 찍혀있는 출생기록 쪽지로부터 시작해서 지금에 이르기까지의 수많은 사진, 그리고 유년기에 그렸던 소중한 그림 등 셀 수 없을 정도로 많은 추억이 J 가 정성 들여 만든 액자들 속에 고스란히 간직되어 있다.

우리는 다시 새로운 출발을 하려고 한다. 다른 사람들보다 조금 늦게 시작한 부모로 사는 삶이었지만 우리로서는 최선을 다하며 살아왔고, 이제 우리 앞에는 인생 3 막이 기다리고 있다. J 는 다시 예전을 꿈꾼다. 오롯이 화가로서 살던 그 자유로운 영혼의 삶을! 하지만 나는 여전히 인생 2 막에 머무르고 싶다. 왜냐하면, 돌고 돌아 좋아하고 잘할 수 있는 일을 찾아 안주하며 익숙해져 버린 이 삶을, 그리고 23 년 동안 제 2 의 홈이었던 이 정든 공간을 떠나보낼 마음의 준비가 아직 되어 있지 않기 때문이다. 그러나 "범사에 기한이 있고 천하만사가 다 때가 있나니…" 하신 '전도서'의 말씀처럼 이 세상 모든 일에 시작이 있으면 끝이 있음을 알기에 '그때'가 지금이라는 걸 받아들이려 한다. 또한 우리는 은퇴와 더불어 20 대 후반서부터 60 대 초반에 이르기까지 내 인생에서 35 년이란 가장 긴 세월 동안 지내온 뉴욕에서의 삶, 우리의 인생 2 막인 그 '좌충우돌'했던 뉴욕살이까지도 막을 내리려 한다. 이런 일련의 일들이 나로 하여금 그 시간을 붙들고 싶은 마음을 불러일으켰고, 그 마음은 내 인생 이야기를 글로나마 남기고 싶은 생각으로 이어졌다. 그렇게라도 머리와 마음이 따로 노는 나 자신을 다독이고 싶었다.

우리의 결혼 생활을 항해에 비유했던 J 의 기도처럼 우리 매일의 삶 자체가 항해였지만, 인생이라는 긴 여정에서 보면 우리의 인생 항해는 '뉴욕'이란 항구에 닻을 내리고 오랫동안 정박해 있었다. 그런 우리가 인생 3 막을 시작하려는 이 나이에 정들고 익숙한 이곳을 떠나 새로운 항구를 찾아나선다는 게 솔직히 설렘보다는 두려움이 앞선다. 그럼에도 우리는 그곳이 어디든 또다시 그 모험 같은 여정에 기꺼이 나설 것이다. 왜냐하면, 인생 항해 처음부터 지금까지 함께 해 주셨던 하나님께서 우리의 새로운 항해 또한 동행해 주실 것을 믿기 때문이다. "Wherever you go, I'll be with you!" 이 말은 내가 어디를 가려고 나설 때마다 어린 이삭이 늘 함께 따라나서며 내게 셀 수 없을 만큼 많이 들려주었던 말인데, 실은 하나님께서 자녀인 우리에게 매일 들려주시는 말씀이란 걸 다시금 깨닫는 요즘이다.

시티칼리지 교정에서_2023

서소영

1988 년에 미국 뉴욕으로 건너가 1989 년에서 1991 년까지 '아트 스튜던트 리그 오브 뉴욕(The Art Students League of New York)'에서 판화공부를 하였으며, 이후 1992 년에서 1995 년까지 '시티칼리지(The City College of New York)'에서 판화, 사진, 그리고 컴퓨터그래픽스를 공부하였다.

1995 년에 석사학위 (Master of Fine Arts)와 Fabri Award (The Best MFA Exhibition for 1993-1994)를 받았다.

현재, 남편과 함께 뉴욕 롱아일랜드에 살면서 작품활동을 하고 있다.

좌충우돌 남편과
뉴욕살이
35 년

발 행 | 2024 년 2 월 13 일
저 자 | 서소영
펴낸이 | 한건희
펴낸곳 | 주식회사 부크크
출판사등록 | 2014.07.15.(제 2014-16 호)
주 소 | 서울특별시 금천구 가산디지털 1 로 119 SK 트윈타워 A 동 305 호
전 화 | 1670-8316
이메일 | info@bookk.co.kr

ISBN | 979-11-410-7147-9

www.bookk.co.kr